Un enfant de toi

Nuit d'orage

ANNE MARIE WINSTON

Un enfant de toi

éditions Harlequin

Titre original : THE SOLDIER'S SEDUCTION

Traduction française de SYLVETTE GUIRAUD

Photo de couverture
© KRITINA LEE KNIEF / GETTY IMAGES

83/85, boulevard Vincent-Auriol 75646 PARIS CEDEX 13.
Service Lectrices — Tél. : 01 45 82 47 47

ISBN 978-2-2800-8475-8

- 1 -

Il ne s'était pas attendu à ça.

Wade arrêta sa voiture de location le long du trottoir et s'absorba dans la contemplation de la modeste et douillette maison nichée aux environs de la petite ville. Après avoir coupé le contact, il descendit de voiture, notant la jolie guirlande d'automne accrochée à la porte d'entrée, la citrouille sculptée posée sur la deuxième marche de l'escalier de brique qui menait au porche, et les fleurs automnales aux riches tons rouille, bordeaux et or qui égayaient les espaces nus en face des petits buissons plantés le long des murs de fondation.

Il s'était attendu à ce que Phoebe vive dans un appartement. Il ne savait pas trop pourquoi, mais chaque fois qu'il songeait à elle, depuis qu'il avait appris son déménagement, il l'imaginait dans un appartement ou une colocation. Rien d'aussi permanent en tout cas que l'image renvoyée par cette maison.

Il avait reçu un sacré choc en revenant enfin au pays — si impatient de l'instant où il poserait les yeux sur elle — juste pour apprendre qu'elle avait quitté la Californie quelques mois auparavant. Il ne voulait même plus penser au noir chagrin qui l'avait submergé. Son sentiment d'abandon avait été si puissant qu'il n'avait eu qu'une envie : s'asseoir et se mettre à pleurer.

Mais les soldats ne pleuraient pas. Surtout ceux qu'on avait décorés pour avoir fait un aller et retour en enfer.

Reprendre sa vie à la maison lui avait paru si difficile ! Seulement deux petits mois avant d'être blessé, il avait obtenu une permission pour aller enterrer sa mère. Et quand il était revenu, la seconde fois, juste après son accident, rien n'était plus pareil. Pendant tout le temps de sa convalescence, son père avait fait de vaillants efforts pour que tout paraisse aussi normal que possible dans la maison, mais sans la présence de sa mère, le gouffre était trop grand à combler. Et Phoebe n'était plus là non plus.

Au début, il avait demandé ça et là si quelqu'un savait où la jeune femme avait bien pu partir. Mais personne ne paraissait être au courant. Cette question l'avait hanté de plus en plus, si bien qu'au bout d'un mois, après avoir recouvré une partie de ses forces, il avait déployé tous les efforts dont il était capable pour obtenir une réponse. Il avait retourné ciel et terre. Le secrétariat de la classe de dernière année de leur ancien lycée n'avait pas eu connaissance de sa nouvelle adresse. Une courte recherche sur Internet n'avait abouti à rien. En fin de compte, il avait téléphoné à Berkeley, l'université qu'elle avait fréquentée, mais on n'avait pas pu — ou pas voulu — lui fournir d'information.

Il était sur le point d'engager un détective privé quand il avait songé à June, la seule autre fille avec Melanie, la sœur jumelle de Phoebe, qu'il avait toujours vue traîner avec elle au lycée.

Melanie, elle, serait morte plutôt que de fréquenter la petite June avec ses verres épais et son côté raisonneur, mais Wade se rappelait d'elle comme d'une gamine très gentille.

Car, à ses yeux de garçon de quatorze ans, ces filles faisaient vraiment l'effet de gamines. Par la suite, quand les jumelles avaient obtenu leur bac, ces quelques années de différence avaient déjà perdu toute importance.

Prendre contact avec la vieille copine de Phoebe avait été un jeu d'enfant, et Wade avait été récompensé de ses efforts. Car, pur coup de chance,

June avait reçu une carte de Noël de Phoebe, quatre mois après le déménagement de celle-ci. Et, grâces lui soient rendues, elle avait conservé son adresse.

Lorsqu'il en avait pris connaissance, Wade en était resté saisi. Car Phoebe avait quitté la Californie et traversé tout le pays pour aller s'installer dans une petite ville de la partie rurale de l'Etat de New York.

Ironiquement, songea Wade en observant la petite maison devant lui, ce coin des Etats-unis lui était très familier. Le nouveau foyer de Phoebe se trouvait à moins d'une heure de West Point, où il avait passé quatre longues années sous l'uniforme gris, piaffant dans l'attente du jour où il deviendrait enfin un vrai soldat. Mais s'il avait su ce que le sort lui tenait en réserve, il aurait attendu avec un peu moins d'impatience la fin de cette période…

Rejetant loin de son esprit ces tristes pensées, Wade grimpa avec précaution la courte volée de marches. Ses médecins lui avaient affirmé qu'il retrouverait pleinement sa santé, assez en tout cas pour retourner à la vie civile. Pourtant, le long vol de San Diego jusqu'à JFK avait été plus épuisant qu'il ne s'y était attendu. Il aurait sans doute mieux fait de prendre une chambre pour la nuit et de se mettre à la recherche de Phoebe une fois bien reposé.

Mais il s'était senti incapable de s'obliger à attendre une minute de plus.

Il frappa à la porte d'entrée de bois et glissa en même temps un regard vers la partie supérieure, constituée d'un panneau de verre taillé en diamant. Bien qu'elle fût destinée à empêcher qu'on pût clairement distinguer les occupants de la maison, elle lui aurait quand même permis de voir quelqu'un se diriger vers la porte. Toutefois, après avoir attendu quelques instants et après qu'il eut frappé encore à deux reprises, personne n'apparut.

Phoebe n'était pas chez elle.

Une vague de déception envahit Wade. Totalement vidé, il appuya la tête contre le chambranle. Il avait tant espéré la voir ! D'un air las, il consulta sa montre. Quel imbécile il faisait ! se reprocha-t-il. Il n'avait pas réfléchi à l'heure. Evidemment que Phoebe n'était pas chez elle ! Il était à peine 4 heures.

La dernière fois qu'il avait vu Phoebe, elle avait obtenu son diplôme de professeur des écoles depuis un an et elle enseignait à des élèves du cours préparatoire. Si elle avait poursuivi dans cette voie, elle n'allait pas tarder à rentrer chez elle. Oui, c'était plus que probable, conclut-il, envahi par une vague de soulagement, elle devait être au travail.

Car elle travaillait sûrement. Si elle n'était pas encore mariée, elle avait besoin de gagner sa vie — or l'amie de Phoebe, June, n'avait rien entendu dire à propos d'un quelconque époux. Du reste, elle portait toujours son nom de jeune fille : c'était sous ce nom, P. Merriman, qu'elle était inscrite dans l'annuaire local. Si d'aventure elle s'était mariée, la connaissant si respectueuse des traditions, il savait qu'elle aurait pris le nom de son époux.

Donc, elle n'était pas mariée, et elle était sans doute au travail.

Fort bien. Il allait attendre.

Comme Wade se détournait pour revenir vers sa voiture, son attention fut attirée vers le porche par une balancelle où s'entassait une pile de coussins.

Eh bien voilà qui était parfait, se dit-il, il allait s'y installer pour l'attendre. Et reprendre le fil de sa pensée.

Si Phoebe avait été mariée, se rassura-t-il, il ne serait pas ici. Si elle l'avait été, il l'aurait laissée tranquille et n'aurait pas de toute sa vie tenté de renouer le contact.

Mais il était fichtrement certain qu'elle ne l'était pas.

Alors, en dépit de toutes les bonnes raisons qu'il aurait eues de se tenir éloigné de Phoebe Merriman, en dépit du fait qu'il s'était conduit avec elle comme un affreux la dernière fois qu'ils s'étaient trouvés ensemble, il n'avait jamais pu l'oublier. Jamais, il n'était parvenu à se convaincre que sortir avec elle avait été une erreur. Il n'avait guère pensé à autre chose au cours de ses longs mois de convalescence et de soins. D'ailleurs, quand il avait enfin obtenu son adresse, il avait été à deux doigts de la contacter sur-le-champ, mais une part de lui-même l'avait dissuadé de lui téléphoner ou de lui adresser un e-mail.

Il désirait la voir en chair et en os, devant lui, lorsqu'il lui demanderait s'il existait une seule chance qu'elle lui permette d'entrer de nouveau dans sa vie.

En soupirant, il attira l'un des coussins et y appuya la tête. Si seulement, songea-t-il, tout ne s'était pas terminé par un tel gâchis !

C'était déjà assez moche que Melanie, la sœur jumelle de Phoebe, soit morte à cause de lui. Indirectement sans doute, mais cela avait quand même été sa faute.

Alors, il avait compensé de la manière la plus détestable possible en faisant l'amour à Phoebe juste après l'enterrement, avant de prendre la fuite.

Phoebe Merriman sursauta quand son téléphone mobile égrena l'air jazzy qu'elle y avait programmé. Ce téléphone sonnait rarement. Elle ne l'avait acheté que pour une seule raison : pour que la baby-sitter de sa fille Bridget ait toujours la possibilité de la joindre en cas d'urgence.

Alarmée, Phoebe appuya sur le bouton pour prendre la communication. Un rapide coup d'œil à l'écran lui noua l'estomac. La jeune femme avait une bonne raison de craindre les coups de fil inattendus. Et juste comme elle l'avait craint, c'était le numéro de son domicile. Elle décrocha.

— Phoebe ? fit la voix essoufflée d'Angie.

— Angie, qu'est-ce qui ne va pas ?

— Il y a un homme assis sous le porche. Dans la balancelle.

La nouvelle parut presque banale à Phoebe qui déjà, envisageait un accès de fièvre, une fracture ou un quelconque bobo.

— Assis ? répéta-t-elle. Et quoi d'autre ?

— Rien.

La voix d'Angie était presque inaudible, comme si elle chuchotait.

— Il est venu jusqu'à la porte, murmura-t-elle, d'une voix un peu tremblante. Comme je ne répondais pas, il s'est assis sur la balancelle et alors, j'ai pensé que je ferais mieux de vous appeler.

Avec un sourire, Phoebe se rappela à quel point sa baby-sitter était jeune. Elle venait juste d'obtenir son bac et vivait encore chez ses parents dans la rue d'à-côté. A son âge, sans doute aurait-elle aussi paniqué…

Elle rassura la jeune fille.

— Tu as très bien fait. S'il est toujours assis, reste à l'intérieur, portes fermées. Je ne suis qu'à quelques blocs de la maison, j'arrive.

Quelques minutes plus tard, toujours en ligne avec Angie, elle tourna au coin de sa rue, et aussitôt, elle remarqua une grande berline grise de location parquée juste devant chez elle. Peut-être appartenait-elle à la personne qui attendait sous le porche ?

— Très bien, Angie, dit-elle. Je suis là. Reste exactement où tu es jusqu'à ce que je rentre à l'intérieur.

Elle respira à fond. Devait-elle appeler la police ? Son bon sens lui disait que, quelle que soit la personne qui attendait sous le porche, il ne s'agissait sans doute pas d'un criminel. Sinon, il ne serait pas venu en plein jour, sans se soucier le moins du monde des voisins qui auraient pu noter sa plaque d'immatriculation ou l'identifier.

S'emparant de ses clés, l'une d'elle pointée en avant entre deux doigts comme on le lui avait appris en cours d'autodéfense, elle se dirigea vers l'allée principale.

Elle commença à monter les marches, sans voir la balancelle à cause des rosiers grimpants qui s'épanouissaient sur le devant du porche. Elle savait par expérience qu'une personne assise dans la balancelle pouvait voir vers l'extérieur bien plus facilement qu'on ne pouvait du dehors apercevoir ce qu'il se passait dedans.

Comme elle débouchait sous le porche, un homme très grand se matérialisa soudain dans son champ de vision. Un flot d'adrénaline l'inonda lorsqu'il commença à se lever de la balancelle et Phoebe se plaça un peu de biais pour faire face à l'inconnu.

Mais, à l'instant précis où son cerveau lui restituait l'identité du visiteur, une onde de choc la figea sur place.

— Qu'est-ce que… *Wade* !

Non, ce ne pouvait être vrai !

Wade était mort.

Ses genoux paraissant sur le point de se dérober sous elle, elle s'agrippa à la balustrade derrière son dos. Les clés tombèrent sur le sol dans un tintement sonore.

— Tu… tu es Wade, répéta-t-elle.

Affirmation inutile. Bien sûr que c'était Wade.

Il souriait. Mais comme il faisait un pas vers elle, son regard restait attentif.

— Salut, Phoebe.

— M… m… mais…

Elle recula et le sourire de Wade s'effaça. Son expression se fit étonnée — sourcil haussé en accent circonflexe — un geste aussi familier à Phoebe que sa propre image dans la glace. Cet air interrogateur était l'une des choses qu'elle avait le plus aimées chez Wade Donnelly.

— Mais quoi ? demanda-t-il d'une voix calme.

— Je te croyais mort, balbutia-t-elle.

Cette fois, ses genoux la trahirent et elle s'effondra sur la première marche, la tête entre les genoux, partagée entre l'incrédulité et un puissant besoin de sangloter comme une hystérique. Le bruit de pas de Wade qui traversait le porche retentit derrière elle. Puis, comme il s'asseyait à côté d'elle, les planches de la marche du haut fléchirent sous son poids. Une main large se posa sur son dos.

— Mon Dieu, dit-elle d'une voix sourde. C'est bien toi, n'est-ce pas ?

— Je suis vraiment là.

C'était Wade, elle ne pouvait plus en douter.

Elle aurait reconnu n'importe où cette intonation masculine si particulière. De nouveau, il lui toucha le dos, d'un geste un peu incertain et elle lutta contre l'envie de se jeter dans ses bras.

Mais Wade ne m'a jamais appartenu, se rappela-t-elle.

— Je suis désolé que ce soit un tel choc pour toi, fit-il alors.

La voix était profonde et calme et débordait de sincérité.

— J'ai été considéré comme mort pendant deux jours jusqu'à ce que je regagne mon unité. Mais il y a des mois de cela, maintenant.

— Depuis quand es-tu revenu chez toi ?

Wade avait été appelé au front juste après l'enterrement de Melanie. Ce souvenir en entraîna d'autres que Phoebe avait tout fait pour essayer d'oublier, et elle se focalisa sur la réponse de Wade, en se forçant à repousser le passé.

— Il y a environ cinq semaines. J'ai essayé de te retrouver.

Il hésita un instant.

— C'est June qui m'a donné ton adresse et elle savait que j'avais survécu. J'ai supposé qu'elle ou quelqu'un d'autre de retour là-bas, te l'avait dit.

— Non.

Elle secoua la tête sans la relever. Elle avait

cessé de lire le journal depuis le jour où elle avait lu l'annonce du décès de Wade. Et bien qu'elle ait envoyé une carte de Noël à June cette année, elles n'avaient plus eu aucun autre échange depuis qu'elle avait déménagé.

Un silence tomba. Phoebe devina que Wade ne savait plus quoi dire. Comme elle… Mais soudain, une image surgit à son esprit, et elle sursauta.

Bridget ! Médusée d'avoir pu oublier sa propre fille un instant — en particulier celui-ci — Phoebe bondit sur ses pieds, ignorant l'exclamation stupéfaite de Wade.

— Laisse-moi… mettre mes affaires à l'intérieur, dit-elle. Ensuite, nous pourrons parler.

Mains tremblantes, elle se détourna de l'homme qu'elle avait aimé pendant toutes ses années d'adolescence et jusqu'au moment où elle était devenue une jeune femme. Comment était-ce possible ?

De nouveau, la réalité la frappa en plein visage. Wade Donnelly était vivant.

Il était venu la retrouver.

Et elle allait devoir lui dire qu'elle avait mis au monde *son* enfant.

Les clés glissèrent entre ses mains moites et elle les laissa tomber. Avant qu'elle ait pu réagir, Wade la rejoignit et se baissa pour les ramasser.

— Tiens.

— Merci.

Elle saisit les clés avec précaution, sans lui toucher les mains, enfonça la bonne clé dans la serrure et ouvrit la porte d'entrée.

Au moment où Phoebe franchissait le seuil et fermait la porte derrière elle d'une main ferme, Angie se précipita vers elle. Sans lui laisser le temps de parler, Phoebe posa un doigt sur sa bouche pour lui signifier de se taire. Elle traversa les pièces vers le fond de la petite maison et laissa tomber ses affaires sur la table de la cuisine.

— Ecoute, dit-elle à Angie d'une voix calme. Tu n'as pas à t'inquiéter. C'est un vieil ami que je n'ai pas vu depuis longtemps. Peux-tu rester un peu plus longtemps au cas où Bridget se réveillerait ?

Angie hocha la tête. La curiosité élargissait ses prunelles.

— Bien sûr.

— Nous allons rester dehors pour bavarder. Je ne… je ne vais pas l'inviter à entrer et je ne souhaite pas particulièrement qu'il soit au courant de la présence de Bridget. Alors, je te demande de ne pas sortir.

Angie hocha la tête et un sourire inattendu de compréhension traversa son visage.

— Pas de problème. Je ne voudrais pas vous causer d'ennuis.

Sur le point de retraverser le living-room, Phoebe s'immobilisa.

— Me causer des ennuis ?

— Avec des gens venus de là où vous habitiez avant, dit Angie avec un geste vague. Je veux dire que… je sais bien que de nos jours, beaucoup de personnes ont des bébés sans être mariées, mais si vous ne désirez pas que quelqu'un le sache, cela ne regarde que vous.

Stupéfaite, Phoebe ouvrit la bouche et la referma brusquement pour ne pas laisser fuser un fou rire. La chère petite innocente d'Angie pensait donc qu'elle cachait Bridget parce qu'elle avait honte d'avoir une enfant illégitime ?

Si seulement les choses étaient aussi simples !

Sans répondre à la jeune fille, elle prit une longue inspiration, et franchit de nouveau la porte en la fermant avec soin derrière elle. Wade était debout maintenant, et s'appuyait contre l'un des piliers du porche. Son grand corps paraissait emplir l'espace autour de lui. Seigneur, songea Phoebe. Elle avait oublié à quel point il était grand.

Elle se désaltéra de sa présence, essayant de concilier le chagrin qu'elle portait depuis six mois avec la réalité de le voir là, bien vivant, et apparemment en bonne santé. Ses cheveux étaient bruns, un peu ondulés et assez courts, comparés aux boucles rebelles qu'il arborait au lycée. Un peu plus longs quand même que la dernière fois qu'elle l'avait vu, avec sa coupe militaire. S'il pesait une livre de plus qu'alors, cela ne se remarquait pas ; il avait toujours de larges épaules, le ventre plat et des jambes aussi puissantes que lorsqu'il faisait partie de l'équipe de foot du lycée. Il y avait de cela une douzaine d'années et elle était alors une timide ado, déjà abominablement amoureuse de ce voisin plus âgé et si séduisant.

Phoebe s'aperçut soudain que Wade avait surpris son regard fixé sur lui. Sous ses épais sourcils noirs, ses yeux étaient toujours aussi gris et perçants. La jeune femme sentit ses joues s'empourprer et elle replia les bras sur sa poitrine.

Elle aspira une grande bouffée d'air et lui posa la question qui la brûlait.

— Pourquoi as-tu été considéré comme mort si ce n'était pas sûr ?

Sa voix trembla au souvenir déchirant du jour où elle avait appris que Wade était parti pour toujours.

— J'ai lu… au sujet de ton enterrement…

Elle ne termina pas sa phrase car elle comprit en même temps que ce qu'elle avait lu dans la notice nécrologique du journal n'était que *l'annonce* du jour où aurait lieu la cérémonie funèbre.

Wade détourna un instant le regard, mais elle avait pu y déceler un obsédant chagrin.

— C'était une erreur, expliqua-t-il en posant de nouveau les yeux sur Phoebe. Sur le terrain des opérations, ils ont retrouvé mes plaques mais pas mon corps. Le temps que l'erreur soit réparée, la rumeur s'était déjà répandue que j'avais été tué au combat.

Phoebe posa sa main sur ses lèvres et combattit les larmes qui menaçaient. Dire que pendant tous ces mois, elle l'avait cru mort…

— J'étais blessé, poursuivit Wade. Dans le chaos qui a suivi l'explosion, un ami afghan m'a caché. Il lui a fallu trois jours pour prendre contact avec les troupes américaines. C'est alors seulement que l'erreur a été réparée. Trop tard…

Il s'interrompit en instant, et elle vit un voile sombre passer dans ses yeux.

— Le corps du copain mort qu'ils avaient pris pour moi, reprit-il d'une voix troublée, avait été transféré pour autopsie en Allemagne. Et il a fallu quelques jours avant que l'erreur ne soit repérée, et jusque-là, je sais que ç'a dû être un choc pour pas mal de gens. Quant à la cérémonie funèbre, ajouta-t-il, en fait il n'y en a pas eu. Mes parents avaient commencé à la préparer, mais ils l'ont annulée, évidemment, quand ils ont su que j'étais vivant. Je suppose que tu n'étais pas là-bas, sinon tu aurais su.

Phoebe ouvrit la bouche et la ferma une nouvelle fois, se contentant de hocher la tête. Elle avait toujours envie de pleurer. De pleurer très fort. Car au moment des funérailles, du moins telles qu'elles avaient été annoncées dans le journal qu'elle avait lu, elle mettait au monde le bébé de Wade. Et ce n'était pas la chose à lui dire.

Elle risqua un coup d'œil dans sa direction. Le chagrin qu'elle lut au fond de ses yeux la foudroya presque. Incapable de supporter d'en être la cause, elle se sentit obligée d'ajouter :

— Je n'étais pas là-bas. Je ne pouvais pas revenir pour les obsèques.

Elle se détourna et s'installa sur la balancelle.

— Emménager ici m'a pris jusqu'à mon dernier sou.

Eh bien, quoi ? Ce n'était pas un mensonge ! Elle avait eu de la chance de dénicher cet endroit, et plus encore d'avoir un bon crédit à la banque qui, avec la mutuelle scolaire, lui avait permis de se voir accorder un prêt au logement. Si elle était demeurée sur la côte Ouest, le prix de l'immobilier, comparé à celui de la Californie, ne lui aurait de toute manière pas permis d'y rester.

— Mais pourquoi as-tu déménagé ? demanda

soudain Wade. Et pourquoi traverser tout le pays ? Je sais que tu n'as pas de famille qui te retienne en Californie, mais c'est là que tu as grandi, là où tu as tes racines. Cela ne te manque donc pas ?

Phoebe déglutit.

— Bien sûr que si.

Oh, comme tout cela lui manquait en effet. Les galets sur les plages et l'eau fraîche de l'océan, les journées embaumées et les nuits plus froides. Comme cela lui manquait de ne plus aller à Point Loma ou plus loin vers Cardiff, pour regarder à l'automne les baleines migrer. Même conduire follement sur l'autoroute lui manquait… Mais plus que toute autre chose, c'était *lui*, Wade, dont elle se languissait.

— Ma vie est ici, maintenant, finit-elle par dire d'une voix neutre.

— Pourquoi ?

— Pourquoi quoi ?

— Qu'est-ce qui fait que la partie rurale de l'Etat de New York te paraisse si extraordinaire que tu doives y vivre ?

Elle haussa les épaules.

— Je suis enseignante. Je serai titularisée dans deux ans et je ne veux pas avoir à tout recommencer autre part. La paye est bonne ici, et on vit mieux que dans le sud de la Californie.

Wade hocha la tête.

— Je comprends.

Il rejoignit Phoebe sur la balancelle, tout près d'elle mais sans la toucher, et étendit un bras derrière le dossier. Puis il se tourna légèrement vers elle.

— C'est si bon de te voir.

Sa voix était chaude, son regard plus encore. Phoebe retint son souffle. Voilà qu'il la regardait comme elle en rêvait depuis des années ! Des années pendant lesquelles il avait été trop « vieux » pour elle pour qu'elle puisse rien faire d'autre que fantasmer sur lui ; des années où il avait été le petit ami de sa sœur et plus récemment encore, quand elle l'avait cru mort et qu'elle élevait seule leur enfant.

— Wade…

Elle lui posa doucement la paume sur la joue.

— Je suis tellement contente que tu sois vivant ! C'est si bon de te voir aussi, mais…

— Dîne avec moi ce soir, l'interrompit-il.

— Je ne peux pas.

Une peur qui frôlait la panique envahit sa voix. Elle commença à retirer sa main mais Wade la couvrit de la sienne. Il baissa le visage vers sa paume et elle sentit la tiédeur de ses lèvres qui murmuraient contre la peau délicate.

— Demain soir, alors ?

— Je…

— Phoeby, je ne prendrai pas un non pour une réponse.

Elle frissonna. L'absurde petit surnom enfantin ajoutait un peu plus d'intimité à sa phrase.

— Je ne partirai pas d'ici tant que tu n'auras pas dit oui.

Il lui lâcha enfin la main et Phoebe s'écarta résolument de lui. Dîner n'était pas une bonne idée, étant donné la façon dont son cœur battait à coups redoublés quand elle posait les yeux sur lui.

Elle avait bien grandi depuis qu'elle était devenue mère. Elle ne croyait plus désormais à l'amour dont on parle dans les livres à l'eau de rose. Tout au moins, pas à l'amour partagé. Elle avait aussi cessé de se laisser aller à croire que ce qui s'était passé entre Wade et elle ce jour-là, dans la cabane, avait été autre chose que la réaction de Wade au choc qui avait suivi la mort de sa sœur.

Et maintenant, il était ici, revenu d'entre les morts, déroulant le fil de chaque détail soigneusement emmagasiné dans sa mémoire. Il l'embrouillait, soulevait en elle des sentiments qu'elle ne s'était pas autorisée à éprouver depuis plus d'un an. Et la chaleur du possible qu'elle discernait au fond de ses yeux lui faisait une peur bleue.

Elle aurait bien voulu retourner une heure en arrière et revenir comme d'habitude de son travail devant un porche vide, sans avoir à affronter une conversation pleine d'embûches.

Mais elle devait lui parler de Bridget.

C'était bien la dernière chose dont elle avait envie, et pourtant il le fallait. Quelques semaines avant de le croire mort, elle avait compris qu'elle ne pouvait cacher à Wade l'existence de son enfant. Le prévenir par e-mail ou par téléphone était impensable, cependant. Elle avait alors songé à lui rendre visite, quel que soit le lieu où il était stationné et dès qu'elle serait en mesure de voyager de nouveau. Une promesse était une promesse.

Même si elle n'était adressée qu'à elle-même.

Mais non. Pas encore. Elle ne pouvait tout de même pas lui offrir d'entrer, pas avec le couffin et la chaise d'enfant, les livres en carton et les jouets, signes indubitables de la présence d'un bébé. De toute manière, Angie avait cours ce soir et elle ne pourrait pas s'attarder trop longtemps. Phoebe avait besoin de se débarrasser de Wade et de réfléchir à la meilleure manière possible de lui annoncer sa paternité.

— Très bien, dit-elle enfin, en s'étranglant presque avec les mots. Dînons demain soir. Je dois te faire part de quelque chose.

Une expression d'étonnement passa sur les traits de Wade mais, comme elle ne poursuivait pas, il ne fit aucun commentaire et se contenta de demander :

— Je passe te chercher à 7 heures ?

— C'est moi qui viendrai, répondit-elle rapidement. Tu es descendu en ville ?

Wade était descendu dans un hôtel à l'autre bout de la ville. Il y avait un restaurant contigu, connu de Phoebe et pourvu de box alignés le long des murs. Elle suggéra donc de le retrouver là-bas et un instant après, debout sous le porche, elle regarda Wade se diriger vers la berline grise. Il lui sourit par-dessus le toit du véhicule avant de grimper à l'intérieur.

— A demain soir.

Elle hocha la tête. La chaleur de son regard lui fit battre le cœur, même si, dut-elle se rappeler, il n'y avait là rien d'autre que de l'amitié.

— A plus tard.

Et, tout en le regardant s'éloigner, elle se demanda s'il ne lui serait pas plus facile de disparaître comme le font parfois certains témoins d'affaires criminelles pour se protéger. N'importe quoi devait être plus aisé que d'avouer à Wade qu'il était le père de son enfant. De leur enfant…

Les souvenirs la submergèrent.

Elle avait douze ans. Sa sœur jumelle, Melanie, était perchée à côté d'elle sur une bicyclette rose exactement semblable à celle violette de Phoebe, et toutes deux regardaient les garçons du voisinage jouer au base-ball sur le terrain gazonné du parc municipal.

— Quand je serai grande, je me marierai avec Wade, avait annoncé Melanie.

Phoebe avait froncé les sourcils.

— Il sera grand avant nous. Qu'est-ce que tu feras s'il épouse quelqu'un d'autre ?

A la seule idée que Wade Donnelly pût se marier avec qui que ce fût d'autre qu'elle, Phoebe en avait le ventre noué. Wade habitait de l'autre côté de leur rue et il avait quatre ans de plus qu'elles. Du plus loin qu'elle se souvînt, Phoebe avait toujours eu le béguin pour lui.

— Il ne voudra se marier avec personne d'autre que moi, lui avait alors affirmé Melanie. Je vais le forcer à m'aimer.

Et elle avait réussi.

Au lycée, en dernière année, Melanie avait entamé la manœuvre. Phoebe devait aller au bal de promo avec Tim DeGrange, un ami qu'elle s'était fait en cours de latin. Melanie avait demandé à Wade de l'accompagner, bien que, cette année-là, il vînt juste d'être reçu à West Point. Et au grand désespoir de Phoebe, il avait accepté. Cette nuit de fête s'était misérablement étirée pour elle. Melanie s'était accrochée toute la soirée à Wade, si beau dans son uniforme que Phoebe en avait eu le cœur brisé. Elle était devenue soudain si timide qu'elle avait pratiquement dû se forcer à lui parler.

C'était ainsi que tout avait commencé. Melanie et Wade étaient sortis ensemble pendant tout le début de l'été jusqu'à la fin de sa permission, avant son départ pour son premier poste dans une école d'entraînement. A les voir ensemble, Phoebe avait connu l'enfer. Puis tout était allé mal, de plus en plus mal, lorsque sa sœur avait commencé à sortir avec d'autres garçons quand Wade n'était pas là... Et nul argument n'avait pu ramener Melanie à la raison.

— Nous ne sommes pas un couple possessif, Phoebe, lui avait expliqué sa sœur d'un ton coupant, comme en réponse au reproche qu'elle lisait dans les yeux de sa jumelle.

— Wade pense que vous l'êtes.

Phoebe en était certaine. Au cours des premières semaines du début de l'été, elle n'avait été que trop consciente de la dévotion de Wade à l'égard de sa sœur.

— Je suis sûre qu'il ne s'attend pas à ce que je reste assise chez moi en son absence ! avait rétorqué

Melanie. Ce n'est pas comme s'il était parti pour de courtes vacances. Il est dans l'armée.

— Si tu as l'intention de sortir avec d'autres personnes, tu devrais le lui dire.

Mais Melanie n'avait pas écouté. Ce qui n'avait rien de nouveau. Depuis leur plus tendre enfance, elle n'avait jamais écouté les avertissements de sa sœur.

Il avait fallu longtemps à Wade pour se rendre compte que l'attachement de Melanie pour lui était bien moindre que ce qu'il désirait visiblement. Et Phoebe avait eu le cœur déchiré lorsque, venu en permission, il avait découvert que Melanie ne l'avait pas attendu. Tous deux avaient eu querelle après querelle pour finir par rompre pour de bon, un an et demi après leur deuxième année de fac.

Phoebe n'avait pris connaissance des détails que de loin, car elle était partie étudier à Berkeley, à des heures de leur domicile de Carlsbad en Californie. Melanie était restée plus près et, bien que les sœurs fussent restées en contact par e-mail ou SMS, Melanie ne faisait guère allusion à Wade. Quant à Phoebe, toujours terrifiée à l'idée que Melanie pût remarquer son attirance pour lui, elle ne posait jamais de questions.

Après la rupture, Wade était revenu chez lui de moins en moins souvent. Ses parents, qui vivaient dans la maison voisine de celle des parents des jumelles, parlaient de temps en temps de Wade à la mère de Phoebe, lui disaient où il était stationné, mais ils ne donnaient pas assez d'informations pour satisfaire le cœur affamé de Phoebe. Après le décès de sa mère, à la fin de son année à Berkeley, il y en avait eu encore moins.

Puis avait eu lieu la réunion des anciens du lycée. Melanie avait invité Wade… et tout ce qui avait été leur vie jusqu'alors avait été à jamais bouleversé.

- 2 -

Le lendemain soir, Wade était prêt avec une bonne quinzaine de minutes d'avance. Descendu au bar du restaurant, il s'installa face à la porte. A peine dix minutes plus tard, Phoebe fit son apparition. En avance, elle aussi.

Wade prit cela comme un signe positif. Désirait-elle sa compagnie autant que lui la sienne ? Leur conversation de la veille sous le porche l'avait laissé dans une certaine perplexité. A un moment, il aurait pu jurer qu'elle allait lui tomber dans les bras ; l'instant d'après, elle paraissait aussi distante que la lune dans le ciel et à peine un peu plus loquace.

Wade la regarda traverser la pièce pour le rejoindre et sentit un frisson le parcourir. Comment avait-il pu ne pas remarquer, pendant toutes ces années où ils avaient vécu dans la même rue, à quel point Phoebe était magnifique ?

Il connaissait la réponse. Melanie avait été rousse avec une peau de porcelaine, et des yeux si bleus qu'ils semblaient avoir dérobé un morceau de ciel. Les boucles cuivrées, plus foncées de Phoebe et ses yeux d'un bleu plus sombre avaient la même beauté, mais sa personnalité calme et réservée l'empêchait de rejoindre dans la lumière son exubérante et pétulante sœur.

Et plus jeune, il n'avait eu d'yeux que pour Melanie. Pourtant, Dieu sait si elle l'avait désarçonné, se rappela Wade. La sœur de Phoebe était changeante, avec des sautes d'humeur extrêmes, et parfois un épuisant besoin d'attention. Enfin, pour être honnête, la plupart du temps.

Certes, elle avait un côté tendre et chaleureux et, quand elle était de bonne humeur, elle était irrésistible. Mais il lui fallait toujours être emballée par quelque chose, toujours à la recherche d'une activité quelconque.

Que ces jumelles étaient différentes… Phoebe, elle, était calme et reposante. Et capable aussi. Elle savait se suffire à elle-même, avait-il remarqué. Si Melanie avait un problème, c'était vers elle qu'elle se tournait toujours.

Melanie… Le souvenir de la jeune femme l'emplit d'un étrange malaise. Pendant si longtemps, Wade avait réussi à éviter de penser à elle, et voilà qu'aujourd'hui, il ne parvenait pas à se la sortir de l'esprit. A éloigner le souvenir douloureux de la manière dont elle s'était à jamais gravée dans sa mémoire. A l'âge de vingt-trois ans. Le même âge que Phoebe lorsqu'il s'était rendu compte qu'il avait couru pendant plusieurs années après la « mauvaise » jumelle… Il retint un soupir. Comme il aurait voulu que les choses se soient passées autrement.

Comme elle s'approchait de lui, Wade but des yeux chaque détail de son apparence. Ses cheveux, plus longs qu'autrefois, étaient relevés en un chignon lâche. Elle avait revêtu une petite jupe droite kaki et un twin-set d'un bleu-vert auquel il n'aurait pas su donner de nom. Sans doute avait-elle eu l'impression en choisissant ses vêtements de s'habiller simplement, sans apprêt particulier, mais l'ensemble était saisissant. Son petit haut ne laissait rien ignorer de ses courbes voluptueuses, et la brise légère qui faisait danser autour de son visage des mèches folles échappées de son chignon la rendait irrésistible.

Elle était superbe. Wade laissa son regard glisser sur sa jupe, qui s'arrêtait juste au-dessus du genou, dévoilant ses mollets et ses chevilles fuselés, et il retint son souffle. Superbe était un mot encore trop faible pour décrire l'effet qu'elle produisait sur lui.

Elle regardait le sol et Wade eut un soudain moment de flottement. Elle était tout ce à quoi il n'avait cessé de songer depuis qu'il l'avait revue la veille. Même lorsqu'il se battait ou qu'il menait ses troupes, il avait emporté son souvenir aux tréfonds de lui-même, dans ce lieu secret ou vivait tout ce à quoi il ne pouvait se permettre de penser au plus fort du combat.

La culpabilité et le fait d'avoir été expédié de l'autre côté du monde l'avaient tenu éloigné d'elle au cours des mois qui avaient suivi l'enterrement de Melanie. Pourtant, d'avoir presque perdu la vie dans les montagnes de l'Afghanistan lui avait permis de comprendre à quel point il lui était impossible d'envisager une vie loin d'elle. D'une vie sans elle.

Avait-il attendu trop longtemps ? Quinze mois s'étaient écoulés depuis cette fatale réunion d'élèves qui avait changé leur existence à jamais. Depuis la mort de Melanie, et l'intimité aussi inattendue que passionnée qu'il avait partagée avec Phoebe après les obsèques.

Phoebe le regrettait-elle ? Ou pire, lui reprochait-elle la mort de sa sœur ? Cette crainte lancinante s'était logée dans son cerveau il y avait déjà des mois et, en dépit du souvenir des yeux brillants de Phoebe lors de cette soirée d'anciens élèves, et de la douceur des baisers qu'elle lui avait donnés quelques jours plus tard, il ne parvenait pas à s'en débarrasser. Il le savait, songea-t-il de nouveau, amer, il était le seul à blâmer. Il avait accepté d'être le cavalier de Melanie cette nuit-là, et il avait soudain compris à quel point elle était possessive. Ensuite, lorsqu'il avait pris Phoebe dans ses bras sur cette piste de danse, il avait tout oublié, sauf la sensation d'émerveillement qui les avait brusquement emportés tous les deux.

Hier, une fois passé le choc initial qu'il lui avait causé en réapparaissant aussi inopinément devant elle, il l'avait trouvée un peu trop distante pour se sentir à l'aise. Elle avait toujours été réservée, certes, mais jamais avec lui. Au contraire, il se souvenait des longues discussions qu'ils avaient eues, plus jeunes, et des fous rires qu'ils avaient partagés. Jamais elle n'avait été distante avec lui, mais à l'époque, il ne s'était jamais vraiment rendu compte que ce n'était qu'avec lui qu'elle se laissait aller si librement, qu'elle était si ouverte. Disponible.

Or, hier après midi, sous le porche, cela n'avait pas été le cas.

Peut-être avait-elle une relation sérieuse, songea-t-il tout à coup, même si elle n'était pas mariée. Car il en avait eu la confirmation en la voyant, elle ne portait pas d'alliance. Mais cela ne voulait pas dire que son cœur était libre… Il se rappela les mots qu'elle avait eus. *J'ai quelque chose à te dire.* La phrase lui avait paru de mauvais augure, et il avait dû se forcer à réagir. Il avait espéré de toutes ses forces qu'elle n'allait pas l'écarter au profit d'un autre type. Il avait été un bel idiot, lorsqu'ils étaient plus jeunes, de ne pas se rendre compte du trésor qu'était cette fille. Et même si maintenant, il en avait pris conscience, il comprenait aussi que n'importe quel autre homme qui aurait rencontré Phoebe aurait pu en prendre conscience…

— Salut, fit-elle en approchant lui. Que se passe-t-il ? Tu me regardes bizarrement. Mon maquillage a coulé ?

Wade sursauta et, mal à l'aise, il lui décocha un sourire contraint.

— Non, répondit-il avec franchise. C'est juste que je n'arrivais pas à cesser de te regarder.

Phoebe rougit pendant qu'il se levait et contournait la table pour l'aider à s'asseoir.

— Tu es magnifique, dit-il en reprenant sa place. Ce pull renforce le bleu de tes yeux.

— Tu n'as pas besoin de dire ça, répliqua-t-elle,

le visage encore empourpré. C'est Melanie qui a toujours été la beauté de la famille.

— L'une des beautés, corrigea-t-il, en étudiant son visage soudain dépourvu d'expression. Melanie cherchait à attirer l'attention et les gens la remarquaient. Toi, tu faisais l'inverse, et la plupart du temps, tu t'arrangeais pour rester pratiquement invisible. Un vrai tour de force pour une femme aussi belle que toi.

Phoebe leva la tête vers lui. Enfin.

— Merci, murmura-t-elle.

Leurs yeux se croisèrent, et Wade ressentit de nouveau ce soudain frisson de certitude, cette minute magique où l'on se dit « nous sommes faits l'un pour l'autre », comme cela ne lui était jamais arrivé avec une autre femme. Hier, il l'avait éprouvé à l'instant même où elle avait posé les yeux sur lui. Du reste, si tel n'avait pas été le cas, il n'aurait pas été là aujourd'hui.

Il pouvait se rappeler comme si c'était hier, la première fois qu'il avait clairement eu cette impression. Il était vraiment étrange que Phoebe et lui aient grandi dans le même quartier, se soient connu toute leur vie et que, soudain au cours d'une seule nuit, tout se soit mis en place comme par un coup de baguette magique, et qu'il ait enfin reconnu la femme avec laquelle il désirait vivre pour toujours…

C'était le soir de cette fameuse réunion d'élèves. Il finissait son soda, accoudé au bar, et observait Melanie. Elle était assise de l'autre côté de la pièce, quasiment sur les genoux d'un autre type. Elle riait aux éclats et sous les yeux de Wade, elle avait porté un verre à ses lèvres et en avait avalé le contenu d'un trait. Puis elle avait glissé sur le côté, et s'était presque affalée au pied du type qu'elle aguichait depuis le début de la soirée. Elle était ivre, ce qui n'était pas très étonnant après tous les verres qu'elle avait ingurgités pendant la soirée, et Wade s'était soudain rendu compte qu'il perdait son temps avec elle. Et bien plus que cela. Comment avait-il jamais pu s'imaginer qu'elle était tout ce qu'il désirait ?

Parce que son cerveau s'était réfugié au-dessous de sa ceinture ! s'était-il reproché. Depuis le début. Depuis que Melanie avait jeté son dévolu sur lui.

Quelle stupidité avait été la sienne d'accepter lorsqu'elle lui avait demandé de l'accompagner à cette fête ! Il commençait déjà à bien la connaître. Bien assez en tout cas pour savoir qu'elle ne le désirait pas autant que son besoin de faire sensation en faisant son entrée au bras d'un homme en uniforme.

Mais autant cette pensée l'aurait désespéré quelque temps plus tôt, autant il avait compris en l'observant ce soir-là qu'il ne tenait plus à elle. Il voyait clair dans son jeu, et il n'avait plus envie de jouer. Alors, avait-il décidé, il n'allait pas rester collé à elle comme un chien fidèle et l'attendre pendant le reste de la soirée. D'autant que puisque Phoebe avait conduit sa sœur en voiture à la soirée, il ne serait pas obligé de la ramener chez elle.

Après avoir fini son verre, il s'était levé et s'était dirigé vers la sortie.

— Wade ! Attends !

Il s'était retourné au son d'une voix de femme un peu rauque et son irritation s'était aussitôt évanouie.

— Salut, Phoeby. J'allais m'en aller. Melanie n'aura qu'à se faire raccompagner par quelqu'un d'autre.

— Tu t'en vas ?

La jeune femme n'avait pas caché son ennui, ce qui l'avait surpris.

— Oui. On se verra avant mon départ, avait-il dit en haussant la voix à cause de la musique. Promis.

— Mais…

Les yeux de Phoebe étaient fixés sur les siens et il avait cru un instant qu'elle luttait contre ses larmes. Quelqu'un lui aurait-il fait du mal ?

Derrière elle, l'orchestre avait enchaîné sur un slow familier et des couples s'étaient aussitôt agglutinés sur la piste.

Alors, comme dans un rêve, il l'avait vue s'humecter les lèvres, comme pour se donner du courage, et il l'avait entendue prononcer ces mots :

— J'espérais danser avec toi ce soir.

Alors, sans réfléchir, il l'avait entraînée sur la piste de danse et l'avait enlacée. Il y avait tellement de monde qu'ils avaient été littéralement poussés l'un vers l'autre, et quand le corps gracile de la jeune fille s'était glissé contre le sien, il avait eu l'impression soudaine que leurs deux corps s'épousaient comme si elle avait été faite pour lui. Et tout à coup, il avait pris conscience qu'il n'avait jamais encore dansé avec elle, alors qu'il la connaissait depuis si longtemps. Que se serait-il passé entre eux, s'était-il alors demandé, s'il avait eu l'intelligence de danser avec elle bien plus tôt ?

Son cœur s'était mis à battre avec violence, et il avait ressenti une excitation inconnue l'envahir. Alors, il s'était mis à bouger, l'entraînant dans une danse sensuelle, et elle l'avait suivi, ses douces courbes comme une stupéfiante tentation sous ses mains.

C'était le paradis. A un moment, Wade avait légèrement tourné la tête et avait respiré son parfum et soudain, tout son corps s'était durci.

Voyons..., avait-il tenté de se reprendre, c'était Phoebe. Sa petite voisine !

Plus si petite, après tout... N'avait-elle pas le même âge que Melanie ? Même si, il aurait parié sa solde là-dessus, elle était sans doute loin d'avoir autant d'expérience que sa jumelle... Pourtant, sans qu'il puisse rien y faire, des images du corps souple de Phoebe s'étaient mises à envahir son esprit. Ebahi, confondu, il s'était arrêté de danser au beau milieu de la foule.

— Phoebe ?

Il s'était écarté d'elle suffisamment pour regarder son visage, en se demandant si elle était aussi bouleversée que lui.

Elle avait penché un peu la tête en arrière. Son visage tout entier resplendissait comme si quelqu'un avait allumé une lampe en elle.

— Oui ?

Puis elle avait croisé son regard, et une sorte de déclic s'était produit. Quelque chose de précieux et d'irremplaçable, quelque chose qui avait comblé un espace resté vide en lui sans qu'il en ait eu conscience. Alors, il avait oublié tout ce qu'il avait été sur le point de dire, tout ce qu'il avait en tête, tout, absolument tout. Rien n'avait plus eu d'importance parce que tout ce dont il avait besoin se trouvait là, entre ses bras et que les yeux de Phoebe lui disaient qu'elle aussi ressentait la magie qu'ils créaient ensemble.

— Aucune importance, avait-il fini par murmurer d'une voix troublée.

Il l'avait reprise contre lui et avait glissé ses mains derrière son cou gracile. Ce geste avait accru l'intimité de leur étreinte, et il avait dû lutter de tout son être contre le besoin de faire glisser ses hanches contre le doux corps plaqué contre le sien. Tout ceci était fou. *Il* était fou. Fou d'une femme qu'il avait connue la plus grande partie de sa vie sans vraiment la connaître.

Phoebe avait émis un léger gémissement, avait tourné la tête vers lui et s'était nichée contre son torse. Il s'était penché vers elle et avait approché les lèvres de son oreille.

— Jusqu'à la fin de la soirée, avait-il chuchoté.

Un frisson avait secoué Phoebe, et Wade avait exulté de la savoir aussi excitée que lui. Elle avait relevé la tête. Leurs bouches étaient à peine à un soupir l'une de l'autre.

— Quoi ?

Il avait souri et avait baissé un peu plus la tête. Leurs nez s'étaient frôlés. A cet instant, il avait envie de l'embrasser, bien plus que tout ce qu'il avait jamais désiré. Mais quand il embrasserait Phoebe pour la première fois, il n'était pas question qu'on les voie, et surtout, il ne désirait pas être obligé de s'arrêter.

— Tu vas danser avec moi jusqu'à la fin de la soirée, avait-il achevé.

Elle lui avait décoché un sourire éblouissant, et il aurait pu jurer que, dans les profondeurs de ses yeux bleus, clignotaient et scintillaient des étoiles.

— D'accord, avait-elle murmuré.

Le dîner constitua pour les nerfs de Phoebe l'expérience la plus épuisante de toute sa vie. Au fond de sa tête, une phrase lancinante semblait tourner en boucle : *il faut que je lui dise, il faut que je lui dise, il faut…*

Elle insistait tellement, cette petite phrase, qu'elle l'empêcha de se détendre et de profiter de ces moments qu'elle avait bien crus perdus à jamais. Mais elle ne pouvait pas lui dire cela, conclut-elle. Pas dans un restaurant.

Par bonheur, Wade ne paraissait pas lui non plus avoir envie de discuter de choses sérieuses. Il lui avait posé des questions sur son travail d'institutrice et avait paru sincèrement s'y intéresser. Il s'était aussi enquis de la petite maison où elle vivait, et de la façon dont elle l'avait trouvée. Il lui avait demandé en quoi New York était différent de la Californie, mais il ne lui avait pas demandé pourquoi elle avait déménagé. Peut-être supposait-il qu'elle avait voulu s'éloigner de tous ses souvenirs ?

Il lui avait aussi parlé de lui. Un petit peu des lieux où il était allé et ce qu'il y avait fait, tout en restant dans la généralité. Sans doute parce que certains faits étaient secrets, peut-être aussi, s'était-elle dit, parce qu'il ne voulait pas aborder de sujet important. Ou trop intime. Et de fait, aucun d'eux n'avait fait allusion à la réunion des anciens élèves et aux instants magiques qu'ils y avaient partagés. Ni de ce qui s'était passé entre eux après les obsèques.

Et pas du tout de Melanie.

Alors qu'un silence s'était installé entre eux, comme s'ils avaient fait le tour de tous les sujets anodins, Phoebe baissa les yeux vers son assiette. Elle avait beau essayer de lutter contre ses souvenirs, c'était comme si le retour de Wade leur avait donné une force nouvelle. Comme si, Wade en face d'elle, elle ne pouvait s'empêcher de songer à ce qui s'était passé entre eux. Et à Melanie, qui avait tellement compté pour Wade de si longues années, jusqu'à cette fameuse danse où tout avait basculé…

— Phoebe ! s'était écriée Melanie en entrant en trombes dans le salon de leur petit appartement. Tu ne devineras jamais qui m'accompagne à la réunion !

— Je donne ma langue au chat, avait-elle répondu en souriant.

C'était le week-end de la soirée de promo, et Phoebe était heureuse de retrouver sa sœur. Si elle avait été contente de quitter la maison et de s'éloigner d'elle, c'était aussi agréable de la voir de temps à autre. Melanie était adorable, juste un peu trop… excessive, parfois. Dans ses bouderies comme dans ses enthousiasmes.

— Wade !

Phoebe s'était figée. Elle s'était attendue à entendre le nom d'une copine de classe ou plutôt, connaissant sa sœur, d'un copain.

— Mais Wade n'a pas passé son bac en même temps que nous, avait-elle répliqué avec précaution.

— Je le sais bien, idiote !

L'air exaspérée, Melanie avait secoué la tête.

— Ça n'empêche pas que je l'invite ! Et tu sais quoi ? Il viendra en uniforme !

Melanie avait fait un geste de la main comme si elle s'éventait.

— Or je suis incapable de résister à un homme en uniforme !

Et sûrement pas Phoebe non plus, s'il s'agissait de Wade. Mais cela, elle ne pouvait le dire à sa sœur.

On avait sonné à la porte, ce qui l'avait sauvée de l'obligation de répondre.

— C'est sûrement Wade, avait lancé Melanie. Fais-le entrer, veux-tu ? Je dois finir de me préparer.

Résistant à la tentation de se dérober, Phoebe était allée ouvrir, à regret.

Ça n'avait pas été difficile de lui sourire en levant les bras dans un geste d'accueil. Ça l'avait été beaucoup plus de ne pas paraître trop radieuse.

— Wade ! Comme je suis heureuse de te revoir.

— Et moi, donc.

Wade l'avait entourée de ses bras et lui avait donné un léger baiser sur la joue avant de reculer un peu.

— Comment ça va, Phoeby ? Tu es magnifique.

Il l'avait lâchée et avait fait un pas en arrière.

— Absolument magnifique, avait-il renchéri en passant en revue la robe d'un bleu profond qu'elle avait choisie.

— Merci.

Elle avait senti qu'elle rougissait en prononçant ces mots, et pas seulement à cause de l'admiration qu'elle lisait dans ses yeux. La sensation de ses bras solides autour d'elle avait bouleversé ses sens privés de le voir. Se trouver d'un seul coup au bord du paradis était trop pour elle. Elle avait respiré un grand coup.

— Toi aussi, tu es superbe. L'armée te convient, n'est-ce pas ?

Il avait hoché la tête.

— Et toi, tu aimes enseigner.

Ce n'était pas une question. Ils étaient restés en contact par e-mail une fois ou deux par mois depuis son départ pour Berkeley. Et même si elle se languissait terriblement d'avoir de ses nouvelles, Phoebe s'était toujours forcée à attendre au moins une semaine avant de lui répondre, toujours par e-mail. Elle ne voulait surtout pas que Wade devine les sentiments qu'elle lui portait.

Elle avait hoché la tête.

— Je t'ai dit, je crois, que j'allais m'occuper d'un cours élémentaire, l'année prochaine ? Ce sera un changement intéressant.

Il lui avait décoché un grand sourire.

— Oui. Tu vas passer des moutards doucement ennuyeux à des gamins carrément empoisonnants !

Phoebe s'était mise à rire.

— Hum. Tu parles d'expérience, dirait-on.

— Et comment ! C'est dans cette classe que j'ai été envoyé chez le directeur pour avoir mis un têtard dans la Thermos de thé de Mlle Ladly…

— J'ai déjà entendu parler de cette histoire, et tu peux me croire, maintenant, je vérifierai avant de boire une gorgée de quoi que ce soit !

Ils avaient échangé un sourire et un silence amical s'était installé pendant un instant. Puis, Phoebe avait rompu le charme.

— Tu es revenu pour un petit moment ?

L'expression de Wade avait soudain paru se fermer et ses yeux gris s'étaient assombris.

— Il ne me reste que quelques jours à prendre sur ma permission de deux semaines et ensuite, je serai envoyé en Afghanistan.

L'Afghanistan. La peur avec laquelle Phoebe vivait toujours, avait failli l'étouffer.

— Oh, mon Dieu ! Wade !

— Ne t'en fais pas, je reviendrai. Qui viendrait te secouer un peu les puces de temps à autre si ce n'est moi ?

Elle s'était forcée à sourire.

— Fais quand même attention à toi.

Il avait hoché la tête et lui avait effleuré le bras.

— C'est entendu, merci.

— Hé là !

La voix de Melanie avait résonné de cette tonalité un peu aguicheuse qu'elle utilisait toujours avec les hommes, et que Phoebe l'avait entendue employer des douzaines de fois auparavant. Et, tout comme des douzaines de fois auparavant, elle avait fait tourner la tête de Wade et Phoebe avait été aussitôt oubliée, comme si elle avait soudain disparu de la pièce.

Baissant les yeux, Phoebe s'était écartée et s'était affairée à rassembler quelques objets et à les fourrer dans son sac de soirée, tandis que Melanie se jetait dans les bras de Wade et lui donnait un baiser sonore. Et elle s'était juré de ne pas les regarder de la soirée. Cela lui faisait trop mal.

Quelques instants après, ils étaient arrivés à la réunion, et Phoebe était allée se perdre de l'autre côté de l'assistance. Sa meilleure amie de lycée, June Nash était là. Elle vivait toujours en ville, lui avait-elle expliqué. Elle avait épousé un ancien camarade de classe et attendait son premier enfant. A ces mots, Phoebe s'était sentie soudain absolument seule. Tout le monde ici était soit marié, soit avec un petit ami. Tout le monde sauf elle… Mais elle n'avait pas eu le temps de se perdre plus longtemps dans ses sombres pensées. Manifestement ravie de la voir, June l'avait entraînée derrière elle, et elles avaient passé toute la durée du repas à rattraper le temps perdu depuis le lycée. Car malgré les cartes de Noël échangées fidèlement, les e-mails et les coups de téléphone s'étaient espacés au fur et à mesure que les voies qu'elles avaient empruntées se séparaient.

— Alors, tu enseignes ? s'était exclamée June. Je suis sûre que les enfants t'adorent !

— C'est surtout que ça me plaît.

D'autant, s'était-elle retenue d'ajouter, que le quartier dans lequel elle enseignait était assez loin du lieu où elle avait grandi et où on la connaissait comme « la jumelle tranquille »… Au moins, là-bas, on ne la comparait pas sans cesse à sa sœur.

June avait alors fait un mouvement de la tête en direction d'un autre groupe.

— Je vois que Wade et Melanie sont encore ensemble. Je croyais que c'était fini depuis deux ans, non ?

Un frisson avait traversé Phoebe.

— En effet. Mais nous sommes tous restés amis, et Melanie lui a proposé d'être son cavalier, ce soir.

Par chance, l'orchestre avait commencé à jouer juste à cet instant, ce qui lui avait permis de ne pas poursuivre la conversation. June ne dansait pas car son premier enfant devait naître dans quelques semaines, et, comme elle le prétendait, elle avait l'impression d'être comme un hippopotame dans une flaque de boue. Mais un groupe de filles que Phoebe avait connues autrefois l'avaient attirée sur la piste et elle avait fini par se laisser convaincre. Après tout, s'était-elle dit, autant s'amuser pour ce qui restait de la soirée. Elle avait dansé avec ses camarades de classe jusqu'à ce que l'inévitable série de slows commence, puis elle s'était dirigée vers une autre table, en s'interdisant de chercher Wade du regard.

Une heure plus tard, elle en avait eu assez. Elle avait vu les gens qu'elle souhaitait voir, elle avait dansé, ri, et fait de son mieux pour donner l'impression que la vie traitait bien Phoebe Merriman. Et pour tenter d'oublier la présence obsédante de Wade et Melanie.

En vain. Comme toujours, sa sœur avait été le centre d'attention de la fête. Au bout d'un moment,

Phoebe n'avait pu s'empêcher de la chercher des yeux, et avait sursauté en la repérant. Elle avait abandonné Wade pour un garçon dont Phoebe se souvenait à peine, et tous deux sifflaient joyeusement des verres en compagnie d'un groupe.

Cette fois, Phoebe avait cherché Wade du regard. Il était seul à côté du bar. Elle l'avait soudain vu poser son verre et s'approcher de Melanie. Après un bref échange, celle-ci s'était mise à rire et Wade avait tourné les talons.

Quand elle l'avait vu se diriger vers la porte, la peur s'était emparée de Phoebe. Simple et sincère, elle ne pouvait supporter la pensée qu'il allait partir sans au moins lui avoir encore dit un mot.

— Wade, avait-elle crié sans réfléchir. Attends !

Ces deux petits mots, songea-t-elle tandis qu'un sentiment familier s'emparait d'elle. Aujourd'hui encore, elle s'entendait encore les crier. Deux petits mots qui avaient changé sa vie. Et pas seulement la sienne. Trois vies avaient été bouleversées ce soir-là, quatre même en comptant Bridget. Si Wade avait quitté la soirée lorsqu'il en avait eu l'intention, Melanie serait encore vivante. Si Melanie vivait encore, Phoebe et Wade ne seraient jamais allés jusqu'à la cabane. Ils n'auraient jamais… et Bridget n'aurait jamais été conçue.

En dépit de tout, Phoebe ne pouvait regretter les instants volés de paradis qu'elle avait connus avec lui. Elle était tout aussi incapable d'imaginer son univers sans sa magnifique petite fille.

— Aimerais-tu aller au cinéma après dîner ? lui proposa Wade, la tirant de ses pensées.

Un film ? Avec Wade ? Il y avait eu une époque où elle aurait tout donné pour ce genre d'invitation. Mais les choses avaient bien changé. Ce qu'elle désirait et la réalité étaient deux choses très différentes, désormais.

— Merci mais non, répondit-elle. Je dois rentrer tôt.

Il parut saisi et la chaleur au fond de ses yeux sembla s'estomper un peu.

— Comme tu préfères…

— Wade, commença-t-elle en se penchant vers lui.

Il fallait qu'elle le lui dise.

— Wade, je voudrais… que tu m'accompagnes. J'ai quelque chose à te dire.

— Tu m'as déjà dit ça hier, répondit-il, l'air un peu plus détendu. Tu me fais peur.

Elle n'eut pas la force de sourire.

— J'espère que non.

En quittant le restaurant, Wade suivit le mini van de Phoebe droit vers chez elle. Elle lui offrirait d'abord un verre de vin, songea-t-elle en chemin, et puis… et puis elle devrait lui dire ce qu'elle avait à lui dire. Mais aucune des phrases qu'elle imagina pour le lui annoncer ne lui parut bonne. Et maintenant, elle avait un nouveau souci.

Que se passerait-il si Wade n'acceptait pas sa paternité ? S'il rejetait Bridget et refusait d'entrer dans sa vie ?

Depuis la veille, Phoebe avait essayé de se préparer à partager Bridget avec son père lorsqu'il rentrerait de mission. Ce qui ne serait peut-être pas très fréquent, puisque après tout, il serait sans doute la plupart du temps à l'étranger pour son métier. Si Wade ne voulait rien avoir à faire avec elles, leur vie ne changerait donc pas de manière importante.

Mais elle aurait le cœur brisé s'il ne trouvait pas Bridget aussi miraculeuse et irrésistible qu'elle-même ne le faisait.

Ils se garèrent tous deux devant la maison, et, d'un geste mal à l'aise, elle le fit entrer à l'intérieur. Ce fut alors qu'elle prit conscience du flou de son projet. Comment faire pour expliquer la présence de la nounou ?

Angie se leva du canapé et rassembla les papiers qu'elle avait étalés sur la petite table devant elle.

— Bonsoir, Phoebe. Donnez-moi une minute pour ranger tout ça et appeler mon frère. J'ai un partiel d'économie demain.

Phoebe eut un sourire forcé.

— Tu crois que tu es prête ?

Angie haussa les épaules.

— Autant que je puisse l'être, oui.

Elle leva les yeux vers le plafond.

— Tout s'est très bien passé ce soir.

Phoebe avait du mal à trouver ses mots. L'impression d'avoir un poids énorme sur la poitrine l'empêchait de respirer librement.

— Parfait.

Angie hocha la tête et se dirigea vers le téléphone.

— Mon frère est en route, dit-elle en revenant.

— Je vais venir l'attendre avec toi devant la maison.

Il lui fallait une minute. Juste une minute de plus pour réfléchir à ce qu'elle allait dire à Wade. En suivant la baby-sitter jusqu'au bout de l'allée, Phoebe se rendit compte que ses mains tremblaient.

Presque aussitôt, ou du moins Phoebe eut l'impression qu'il ne s'était passé que quelques secondes depuis qu'elles attendaient le frère d'Angie, elles le virent arriver au coin de la rue. Il se gara devant la maison, et Angie s'engouffra dans la voiture en souhaitant une bonne nuit à Phoebe.

Le regard perdu, celle-ci regarda les feux arrière disparaître dans la nuit. Cette fois, elle n'avait plus le choix. Il fallait qu'elle y aille. Prenant une longue inspiration, elle retourna vers la maison.

Wade était campé dans l'encadrement de la porte. Son visage était dans l'ombre et une lumière dorée venue de l'intérieur se diffusait autour de lui, comme un halo illuminant sa haute silhouette immobile.

Phoebe monta les marches et il s'écarta pour la laisser passer. Comme elle fermait la porte derrière elle, il lui demanda :

— Tu as une gouvernante ?

— Non.

Elle respira profondément.

— Non, pas du tout. Angie est ma nounou.

Ce n'était peut-être pas l'ouverture parfaite, se dit-elle, mais autant s'engouffrer à la suite. Il lui faudrait s'en contenter.

Elle observa les expressions qui se succédèrent rapidement sur le visage de Wade : d'abord une simple acceptation de sa réponse, puis le choc, et une incrédulité croissante au fur et à mesure qu'il enregistrait le sens de ses paroles.

— Une nounou ? Mais pour quoi faire ?

Il regarda autour de lui comme pour chercher une confirmation à la conclusion qui s'imposait. Mais les livres en carton et les jouets avaient été rangés dans le grand panier sous la fenêtre, et il n'y avait aucun signe précis de la présence d'un enfant dans le living-room.

— J'ai une fille, articula Phoebe.

— Je vois.

Son expression était tellement évasive que Phoebe se demanda à quoi diable il pouvait bien penser. Entre toutes les réactions possibles, cette attitude calme et comme indifférente était bien la seule à laquelle elle ne s'était pas attendue.

— Wade ?

Sous le choc, elle le regarda se diriger vers la porte.

— C'était une erreur, dit-il. Au revoir, Phoebe.

— Wade !

Il s'arrêta à mi-chemin, sans se retourner.

— Tu ne veux même pas que je te parle d'elle ?

Un long moment s'écoula pendant qu'elle retenait son souffle. Puis Wade se retourna. Il y avait dans ses yeux une tristesse si profonde qu'elle fut incapable de mesurer ce qui le perturbait. L'existence d'une enfant ne pouvait quand même pas être si terrible, non ? Peut-être cela lui rappelait-il ce qu'il n'aurait jamais avec Melanie…

— Non, répondit-il enfin. Je ne veux pas.

— Mais…

— Ce que nous avons fait — après l'enterrement — avait du sens pour moi.

Elle l'avait bien compris ainsi. Elle lui avait toujours connu un immense sens de l'honneur. C'était même une des raisons qui l'avaient poussée à ne pas lui révéler qu'elle était enceinte. Et même, une fois passées la colère et la douleur qu'il ait cessé de lui donner signe de vie après les minutes intenses qu'ils avaient partagées, elle avait craint sa réaction. Elle le connaissait bien. Il se serait cru obligé de lui demander de l'épouser.

Or, la dernière chose qu'elle désirait était un homme qui s'estimerait forcé de s'enfermer dans un mariage sans amour avec la mère de son enfant. Pourtant, s'il lui avait demandé de l'épouser alors…

Eh bien, elle n'en était pas certaine, mais elle n'aurait peut-être pas eu la force de refuser.

— J'ai supposé que cela en avait aussi pour toi, acheva-t-il.

— Mais ça en avait !

Il était le seul homme avec qui elle était sortie. Comment aurait-il pu ne pas savoir ce que cela signifiait pour elle ?

— Sauf que tu as déménagé.

Il rit, mais son rire ne contenait pas la moindre trace d'humour.

— Tu as même déménagé dans les grandes largeurs.

— Je n'ai pas eu le choix, dit-elle.

— Le père de l'enfant fait-il toujours partie du tableau ? Je suppose que tu n'es pas mariée, sinon tu ne serais pas sortie avec moi ce soir.

Et, d'une voix glaciale :

— Du moins je l'espère.

Totalement démontée, Phoebe battit des paupières. Ainsi, il pensait qu'elle… que Bridget était…

— Oh non, dit-elle. Tu ne comprends pas. Il n'y a pas d'autre homme.

Comment pouvait-il croire que… ?

— Cet enfant ne s'est pas fait tout seul ! lança-t-il séchement.

Phoebe se redressa de toute sa taille.

— C'est ta fille.

- 3 -

Wade se figea, incrédule. Enfin, comme s'il était certain d'avoir mal compris la langue dans laquelle elle s'exprimait, il demanda :

— Pardon ?

— C'est ta fille, répéta Phoebe.

Elle aurait dû être en colère qu'il ait pu supposer qu'elle avait eu un autre homme, mais il paraissait tellement démonté qu'elle ne put rassembler beaucoup plus d'indignation.

— Tu te moques de moi ?

Son intonation était aussi effarée que son expression.

— Nous n'avons... cette seule fois...

Phoebe hocha la tête avec commisération, comprenant le choc qu'il éprouvait.

— C'est aussi ce que j'ai ressenti quand je l'ai découvert.

— Quand tu l'as découvert...

Il médita la phrase, tel un chat attendant que la souris s'approche davantage. Puis le choc se transforma en colère sous les yeux mêmes de Phoebe.

— Bon sang, quand l'as-tu découvert ? Et pourquoi ne t'es-tu pas souciée de m'en avertir ?

Phoebe dut s'obliger à ne pas balbutier d'excuses. Elle se contenta de désigner le divan.

— Voudrais-tu t'asseoir, s'il te plaît ? Je vais tout t'expliquer.

— Non, je ne veux pas m'asseoir ! s'exclama-t-il d'une voix furieuse. Je veux juste savoir pourquoi tu ne m'as pas dit que tu allais avoir un bébé ! Que *nous* allions avoir un enfant !

A cet instant, Phoebe aurait voulu pouvoir se transformer en une petite souris pour se cacher sous les meubles. Le sentiment de culpabilité qui vivait en elle depuis qu'elle avait cru que Wade était mort brûlait de refaire surface.

— Je ne sais pas, répondit-elle d'un ton calme. A l'époque, cela paraissait la seule chose à faire. Maintenant... depuis quelque temps, j'ai compris que c'était une erreur.

— Dans ce cas, pourquoi ne pas m'avoir recherché pour m'en informer ?

— Tu étais *mort* ! Du moins, je le croyais.

Visiblement pris de court, il se tut.

— C'est vrai, dit-il enfin d'une voix légèrement plus douce. Je continue à l'oublier.

Puis ses prunelles se rapetissèrent.

— Mais je n'étais pas mort quand tu as découvert que tu étais enceinte !

Phoebe se força à détourner le regard.

— Non. En effet.

Un silence tomba. Les bras serrés autour d'elle, elle se détourna. Derrière elle, la pièce paraissait vibrer d'ondes de rage.

— Je veux la voir, dit enfin Wade.

— Très bien.

Elle avala sa salive.

— Demain, après l'école…

— *Maintenant* !

Le mot avait sifflé comme un coup de fouet, la faisant sursauter.

— Elle dort, répliqua-t-elle, emplie d'un sentiment protecteur.

Mais le visage de Wade quand elle releva les yeux vers lui était immobile. Et dur comme la pierre.

— Très bien.

Elle poussa un soupir où se mêlaient nervosité et exaspération. Comment avait-elle pu être assez sotte pour imaginer qu'elle pourrait parler de l'enfant à Wade sans lui permettre de la voir tout de suite ?

— Si tu promets de ne pas la réveiller, je vais t'emmener en haut la voir.

Il y eut un nouveau silence tendu. Enfin, Wade ouvrit la bouche.

— Alors allons-y.

Phoebe pivota sur ses talons et, jambes flageolantes, monta les marches, Wade derrière elle.

Dans l'escalier et le long du couloir, elle continua à ressentir son imposante présence dans son dos. A la porte de la chambre de sa fille, elle s'arrêta, soudain envahie par un terrible sentiment d'oppression. Elle aurait aussi pu jurer sentir le souffle de Wade sur sa nuque, mais elle n'eut pas le courage de se retourner. Par dessus son épaule, elle lui précisa dans un murmure :

— Elle s'appelle Bridget. Elle a six mois.

La porte était à peine entrebaîllée. Phoebe l'ouvrit avec précaution avant de s'écarter et de lui faire un geste de la main.

— Avance.

Très raide, Wade hocha la tête et fit quelques pas lents et hésitants en direction du berceau installé le long du mur du fond. Un long, un très long moment, il resta là, dans la lumière douce que Phoebe avait allumée, les yeux baissés sur le bébé qui dormait. Il ne la toucha pas, ne jeta pas un regard autour de la chambre avec son joli papier peint bleu et sa frise de lettres de l'alphabet, ses rideaux en vichy ou ses étagères pleines de livres en carton, de peluches et de jouets colorés.

Il se contenta de rester là.

Phoebe entra à son tour dans la chambre et le rejoignit.

— Est-elle réellement de moi ?

La voix basse était pleine d'interrogation et Phoebe le comprit, Wade n'essayait pas de la heurter.

— Elle est tout à fait de toi, affirma-t-elle d'une voix douce.

Les grandes mains de Wade étaient posées sur le bord du berceau.

— Tu peux la toucher, tu sais.

Il ne fit aucun mouvement, mais la jeune femme pouvait presque sentir le désir lancinant qui s'en dégageait. Alors, n'y tenant plus, elle lui prit la main et, voyant qu'il ne résistait pas, elle la souleva et la déposa sur le petit dos de Bridget.

Un nœud se forma dans sa gorge. Sa petite fille paraissait si petite, si fragile sous cette main qui lui recouvrait presque entièrement le dos.

Sa propre paume frémissait là où elle avait touché la peau de Wade. Ce n'était pas juste, pensa-t-elle, que même un contact aussi innocent la mette dans un tel état. Au cours des années d'avant et d'après Wade, elle n'avait jamais rencontré aucun homme capable de l'émouvoir ainsi sans le moindre effort.

Mais Wade s'en doutait-il seulement ?

Elle, elle en était consciente et jusqu'à la fin de ses jours, elle continuerait à comparer chaque homme qu'elle rencontrerait avec Wade. Elle espérait bien se marier un jour, mais elle était assez réaliste pour savoir qu'elle ne pourrait pas offrir à un autre homme le même genre d'amour dévorant qu'elle ressentait pour celui-ci. Et, elle en était aussi persuadée, elle ne pourrait jamais épouser quelqu'un pour qui elle ne ressentirait que de la tendresse. Il y avait des chances pour qu'elle connaisse à l'avenir de nombreuses années de solitude, uniquement rompues par la joie de voir Bridget grandir auprès d'elle.

Quelque chose bougea et la tira de sa délectation morose. Bridget avait remué et s'était retournée dans son sommeil. D'un geste instinctif, Wade la calma en dessinant avec sa main des petits cercles dans son dos. Le bébé poussa un soupir et cessa de bouger. Pas lui. L'index tendu, il effleura très, très légèrement la joue de sa fille, délicate comme un pétale de fleur. Puis il caressa les boucles rousses ébouriffées de sa petite tête. Enfin, sa main se posa sur la petite menotte.

Phoebe crut que son cœur allait éclater lorsque Bridget toujours endormie, agrippa le grand doigt et ne le lâcha plus. Une boule dans la gorge, elle lutta pour ne pas sangloter tout haut, bouleversée par la tendresse de cet instant. Elle avala sa salive à plusieurs reprises jusqu'à ce qu'elle ait assez de maîtrise sur elle-même pour s'empêcher de pleurer.

Elle était sur le point de lui dire à quel point elle était désolée de ne pas l'avoir prévenu, lorsque son regard se posa sur le visage de Wade. Les mots alors s'asséchèrent dans sa gorge.

Des larmes baignaient ses joues. Argentées par le clair de lune, elles formaient des sillons brillants qui roulaient le long de son visage. Il ne parut pas les remarquer, même pas lorsqu'une larme plus grosse, tombée de sa mâchoire s'écrasa sur le dos de sa main toujours crispée sur le rebord du berceau.

Le chagrin de Wade fut pour Phoebe un choc plus intense que n'importe quoi au monde depuis l'annonce de sa fausse mort. La culpabilité suivit presque aussitôt. C'était *elle*, la cause de cette douleur. *Elle*, la source de la tristesse qui le torturait. Elle qui ne lui avait pas parlé de sa grossesse lorsqu'elle en avait eu l'opportunité.

Maintenant, songea-t-elle, l'occasion avait fui à jamais.

Wade se détourna du berceau et quitta lentement la pièce. Phoebe lui emboîta le pas, après avoir perdu sa propre bataille contre les larmes. Dans le couloir, elle s'efforça de ravaler ses sanglots.

— Wade, je…

— Non.

Il leva sa grande main dans un geste de refus sans même se retourner.

— Je ne peux pas te parler tout de suite, dit-il en descendant l'escalier.

Secouée par les larmes et par la férocité contrôlée de sa voix basse, Phoebe se tut.

Interdite, elle regarda Wade passer la porte de sa maison et s'éloigner sans ajouter un mot.

Le lendemain, assis dans sa voiture parquée au bas de la rue de Phoebe, Wade attendit qu'elle revienne de son travail. Il s'était presque assoupi quand le bruit d'un moteur l'alerta, et il l'aperçut qui remontait la rue au volant de son mini van. Après s'être garée, elle extirpa du siège passager ce qui semblait être une serviette très lourde, sans doute pleine de devoirs à corriger, et il la vit faire la grimace. Aussitôt, il eut envie d'accourir auprès d'elle pour lui proposer son aide. Elle n'aurait pas dû se charger autant. Mais dans la seconde qui suivit, son instinct protecteur s'évanouit pour faire place à une émotion bien plus violente, comme une bouffée de la colère semblable à celle qui l'avait consumé la nuit précédente.

Cette espèce de rage qu'il avait ressentie lorsqu'il avait enfin pris conscience, vraiment, de la signification de ce qu'il venait de découvrir. Il était père. Et il avait manqué les six premiers mois de la vie de son enfant parce que Phoebe avait choisi de lui dissimuler sa paternité !

Il serra les poings. Il ne connaissait même pas la date de naissance de son enfant, bien qu'il pût la deviner de façon approximative. Si seulement Phoebe lui avait parlé en apprenant qu'elle était enceinte… Cela aurait fait une énorme différence.

Il l'aurait épousée. Il savait fichtrement bien qu'il voulait l'épouser depuis qu'ils avaient dansé ensemble à la réunion des anciens élèves. Cette danse pendant laquelle il avait enfin compris que l'amour qu'il cherchait, que la femme dont il rêvait se trouvait sous son nez depuis des années, et qu'il ne les avait pas vus.

Sauf qu'après cette danse, Melanie s'était tuée,

et tout avait soudain échappé à son contrôle. Elle avait beaucoup bu ce soir-là, elle était perturbée, et il n'avait rien fait pour l'en empêcher. Tout était sa faute à lui ! se répéta-t-il pour la millième fois. Cette pensée le hanterait à jamais et, il en était persuadé, Phoebe aussi devait penser qu'il était entièrement responsable. Il aurait pu empêcher Melanie de boire autant. Il aurait dû partir plus rapidement à sa recherche.

Dieu ! Etait-il donc si étonnant que Phoebe n'ait pas voulu prendre contact avec lui lorsqu'elle avait appris qu'elle attendait un enfant ? Si elle lui en voulait de la mort de Melanie, que devait-elle ressentir d'avoir couché avec lui le jour même des obsèques de sa sœur jumelle ?

Mais il ne pouvait changer le cours des choses, tenta-t-il de se raisonner. Et s'il ne pouvait changer le passé, il fallait qu'il prenne des décisions pour l'avenir.

Prenant une longue inspiration, il descendit de la voiture et suivit le trottoir jusqu'à la maison de Phoebe. Un pincement au niveau de la hanche lui rappela que sa santé n'était pas encore aussi bonne qu'il le souhaitait. Mais il fallait prendre sur lui. Oui, elle avait eu tort, lui crier tout ce qu'il avait sur le cœur n'allait pas arranger la situation.

Même si cela l'aurait bien soulagé.

La porte s'était à peine refermée derrière elle lorsqu'il s'engagea dans son allée. Après avoir escaladé les marches d'un bond, il frappa sèchement.

Une minute plus tard, Phoebe ouvrit.

— Wade !

Visiblement, elle ne s'était pas attendue à le voir. Peut-être le croyait-elle reparti pour la Californie ?

Il fallait réfléchir encore, se dit-il.

Il franchit le seuil, l'obligeant à s'effacer. Sur le point de sortir, la baby-sitter s'arrêta, les yeux brillants de curiosité.

— Au revoir, Angie.

Phoebe lui tint le battant ouvert et agita la main, comme pour la presser de sortir.

— A lundi, dit-elle. Passe un bon week-end.

A peine la nounou avait-elle franchi le seuil que Phoebe ferma la porte derrière son dos. Puis elle se tourna vers Wade.

— Que voulais-tu ?

Le ton froid qu'elle avait employé lui arracha une grimace, mais il avait réfléchi toute la nuit et il désirait remettre les choses en ordre dès le début.

— Très bien, lança-t-il. De la façon dont je vois les choses, nous avons deux options. Soit nous retournons en Californie, soit nous restons ici.

Les yeux bleus de Phoebe s'agrandirent démesurément.

— *Nous* ? Toi, tu peux faire ce que tu veux, mais…

— J'aimerais ramener ma fille en Californie pour qu'elle fasse la connaissance de son seul grand-parent survivant, déclara Wade d'une voix sèche.

Face à lui, le joli visage refléta une expression de choc horrifié.

— Tu ne peux pas t'envoler comme ça avec mon enfant !

— Non, mais je peux m'envoler avec *mon* enfant.

A la seconde où Wade s'aperçut qu'elle comprenait vraiment les paroles qu'il avait prononcées juste avant, il vit une ombre de tristesse traverser ses beaux yeux bleus.

— Un seul grand-parent ? répéta-t-elle ? Wade, as-tu perdu un de tes parents ?

— Oui. Ma mère, s'efforça-t-il de répondre d'une voix dure.

La colère, se dit-il, était de loin préférable au chagrin qui, à des moments inattendus, le broyait encore.

— Elle est morte il y a sept mois.

— Oh, mon Dieu !

Phoene paraissait confondue, et il vit ses yeux s'emplir de larmes.

— Il faut que je m'assoie, dit-elle.

Sa voix était faible et elle recula jusqu'au moment où l'arrière de ses genoux heurta le rebord du divan. Alors elle s'écroula sur les coussins, les mains si étroitement serrées qu'il put voir ses jointures blanchir.

— Oh, Wade, je suis désolée. Que s'est-il passé ?

— Elle a eu une attaque, dit-il d'une voix morne. Il y a dix mois. Cela l'avait terriblement diminuée et elle n'avait plus envie de vivre. Trois mois après la première attaque, elle en a eu une autre.

Mais si elle avait su qu'elle était grand-mère, les choses auraient peut-être été différentes, songea-t-il, en devinant dans le regard horrifié de Phoebe que cette pensée lui traversait l'esprit en même temps.

Elle pressa sa tête contre ses mains.

— Je suis tellement désolée, répéta-t-elle d'une voix étouffée.

Wade se retint de la prendre dans ses bras et de la secouer. N'était-elle donc pas capable de simplement lui présenter ses condoléances ? Non, elle ne savait que s'excuser, comme elle s'était excusée de ne pas lui avoir dit qu'il avait un enfant !

— Je veux que mon père fasse la connaissance de Bridget avant qu'il ne s'écoule encore beaucoup de temps, déclara-t-il après avoir retrouvé son calme.

— Mais… je ne peux pas quitter mon travail pour aller m'installer en Californie !

— Je ne te l'ai pas demandé, répliqua-t-il d'un ton uni.

Le peu de couleur qui subsistait sur le visage de Phoebe s'évanouit.

— Est-ce que… est-ce que tu vas me contester la garde ?

Wade prit son temps pour répondre. Il s'installa dans un confortable fauteuil placé en face du divan.

— As-tu l'intention de m'y obliger ?

Il attendit l'instant de croiser son regard.

— Je désire apprendre à connaître ma fille. Je veux être avec elle chaque jour — je ne pourrai pas rattraper le temps perdu, mais je peux t'assurer une chose : je ne le perdrai plus jamais.

Un flot de colère le secoua et il ferma les yeux, attendant la contre-attaque.

— D'accord, dit-elle d'une petite voix.

— D'accord ? répéta-t-il, stupéfait.

La Phoebe qu'il connaissait pouvait certes être calme et mesurée, mais sous cette surface, elle pouvait être une rude battante lorsqu'elle s'accrochait à une certitude. Pourtant, il la vit déglutir avec peine.

— J'ai eu tort de ne pas te le dire quand je m'en suis aperçue, Wade. J'en suis plus navrée que tu ne pourrais l'imaginer.

Il ne sut que répondre. Elle ne se trompait pas ; elle avait eu tort. Et, parce qu'elle avait choisi de ne rien lui révéler, sa mère était morte sans savoir qu'elle avait un petit-enfant.

Wade était encore incapable de prononcer le moindre mot pour accepter ses excuses. Même s'il se plaisait à penser qu'il était assez adulte pour pouvoir un jour lui pardonner... Pour l'instant, il n'était pas magnanime à ce point. Alors, sans un mot, il se leva et sortit de la maison.

Quand il revint, Phoebe était toujours assise sur le divan, mains serrées. Elle sursauta quand il entra sans frapper et elle laissa tomber sa serviette sur le parquet. Elle avait des traces de larmes sur les joues et elle les essuya à la hâte avant de le regarder de nouveau.

— Qu'est-ce que tu fais ?

La question lui avait échappé, mais au fond d'elle, elle n'avait pas besoin de le lui demander. Elle le savait déjà, et elle se sentit tout à coup complètement perdue.

— Je m'installe.

Il haussa les épaules d'un air las.

— C'est la seule façon de vraiment faire la connaissance de Bridget sans l'emmener loin de toi.

Phoebe opina comme si elle comprenait son raisonnement, mais un instant plus tard, elle secoua farouchement la tête.

— Attends ! Tu ne peux pas t'installer ici comme ça !

— Et pourquoi pas ? Toi et moi nous connaissons depuis longtemps, non ? Sans doute mieux même qu'un tas d'autres couples, ajouta-t-il avec une étrange lueur dans le regard. En outre, je sais que tu as une chambre supplémentaire, je l'ai vue hier soir. Je te paierai un loyer.

Phoebe ouvrit la bouche, puis la referma et secoua la tête dans un geste d'impuissance.

— Tout ceci est grotesque ! Comment fais-tu pour faire en sorte que ça ait l'air si logique ?

Il lui décocha un grand sourire. Il se sentait bien plus détendu maintenant qu'elle ne l'avait pas envoyé tout de suite promener.

— C'est un don de naissance…

Il avait espéré que son évidente culpabilité l'amènerait à partager son point de vue, et à l'évidence, il avait réussi.

D'un seul coup, il se rendit compte qu'elle ne répondait rien. Elle le fixait sans mot dire, comme stupéfaite.

— Qu'est-ce que j'ai ? dit-il.

Elle haussa les épaules.

— C'est juste, commença-t-elle d'une voix hésitante, que c'est la première fois que je te vois sourire depuis hier.

Aussitôt, il se rembrunit.

— Je n'ai pas eu vraiment matière à sourire.

Alors, ce fut comme si la tension orageuse était revenue d'un seul coup dans la pièce et crépitait entre eux comme un câble électrique tombé à terre. Wade était sur le point de parler de nouveau, décidé à obtenir un peu plus de réponses qu'elle n'en avait jusque-là donné à ses questions, lorsqu'un chuchotement emplit l'air autour d'eux.

Le son était à peine perceptible ; pourtant, Phoebe réagit instantanément, et un sourire illumina son visage.

— Bridget est réveillée.

Le son était un peu plus fort maintenant. Wade jeta un coup d'œil autour de la pièce et remarqua un moniteur pour bébé posé sur la table.

— Si je ne vais pas vite la chercher, fit Phoebe en se dirigeant vers l'escalier, on va l'entendre jusqu'au bas de la rue. Je reviens dans une minute.

Elle monta les marches quatre à quatre et Wade sourit. Bridget n'avait que six mois, Phoebe devait exagérer ! Au même moment, il entendit de véritables cris résonner dans le babyphone, d'une intensité incroyable.

Ouille ! rectifia-t-il. Sa fille devait avoir des poumons dans le genre de ceux de Pavarotti !

— Bridget, chantonna la voix de Phoebe. Comment va ma petite fille ? As-tu bien dormi ?

Le bébé poussa un petit cri de ravissement qui fit sourire Wade.

— Bonjour, mon joli petit bébé. Tu as fait une bonne sieste ? Il y a quelqu'un en bas qui a très envie de te connaître.

Wade l'entendit pousser un léger gloussement.

— Mais d'abord, il faut changer ta couche sinon il va être très surpris !

Wade écouta le froissement de la couche en plastique et les gazouillis du bébé tandis que Phoebe lui parlait et lui chantait des petites chansons sans queue ni tête. Tout cela lui parut absurdement *normal*. Pourtant, il n'aurait pas dû être si surpris. Phoebe avait toujours eu une veine maternelle et sensible. Des années auparavant, si quelqu'un lui avait demandé s'il pouvait l'imaginer en mère de famille, Wade n'aurait pas hésité une seconde avant de répondre par l'affirmative.

Une onde d'intense tristesse l'envahit. Maintenant, elle était la mère de son enfant à lui. S'il n'avait pas décidé de retrouver Phoebe, il n'aurait même jamais su qu'il avait une fille.

Un bruit de pas dans l'escalier l'avertit de leur arrivée. Wade s'extirpa de sa mélancolie et se prépara pour la première vraie vision de sa fille. Depuis le soir précédent, il savait qu'elle avait les cheveux un peu roux, mais la lumière tamisée de la nursery ne lui avait pas permis d'en apprendre davantage.

Les jambes de Phoebe entrèrent dans son champ de vision, puis le reste de son corps. Elle portait un bébé dont les cheveux étaient du roux le plus flamboyant qu'il ait jamais vu. Ils formaient un tas de petites frisettes autour de sa tête et Phoebe les lui avait ramenés sur le sommet de la tête avec un petit chouchou. Ils étaient plus clairs que ceux de sa mère et bien moins intenses que ceux, virant sur un ton plus pâle, de Melanie. Les cheveux de sa fille étaient comme une flamme vive.

Son visage était d'un joli ovale avec un menton un peu volontaire, et ses yeux bleus étincelèrent lorsqu'elle l'aperçut. Le cœur de Wade manqua un battement et il aspira une profonde bouffée d'air. C'était fou, songea-t-il, comme elle pouvait ressembler à Phoebe.

Comme elles s'approchaient de lui, sa gorge se noua et il resta sans bouger. Phoebe parlait à l'enfant comme si elle pouvait comprendre chacun des mots qu'elle prononçait et elle lui racontait quelque chose au sujet d'un ami de maman qui venait de loin et allait habiter un petit moment avec elles.

Un petit moment ? Il avala la boule qui s'était formée dans sa gorge et l'empêchait de parler. Elle n'était peut-être pas prête à l'accepter, mais il était là pour de bon.

— Bonjour Bridget, parvint-il enfin à articuler.

Il se sentait perdu. Comment s'adressait-on à un être si minuscule ?

L'enfant lui sourit, d'un large sourire qui découvrit deux minuscules dents d'une blancheur de perle. Puis elle détourna brusquement la tête et la nicha dans l'épaule de sa mère.

Par bonheur, Phoebe vint à son secours.

— Papa, dit-elle à l'enfant. Bridget, c'est ton papa.

L'enfant lui glissa un regard bleu et sourit avant de se cacher de nouveau le visage.

— Mais on dirait qu'elle essaye de flirter avec toi, remarqua Phoebe avec un petit sourire.

Elle traversa la pièce et, maintenant d'une main

le bébé sur sa hanche, déploya une grande couverture d'enfant et posa sa fille au milieu.

Bridget vacilla un instant, avant de recouvrer un semblant d'équilibre et de s'asseoir plus droite.

— Il y a juste deux semaines qu'elle a appris à s'asseoir toute seule, expliqua sa mère à Wade par-dessus son épaule. Pourquoi ne pas venir t'asseoir pour jouer avec nous ? En général, elle n'est pas timide et elle devrait s'habituer vite à toi.

— Très bien.

Wade s'efforça d'adopter un ton calme tout en ayant l'impression que son cœur allait s'envoler hors de sa poitrine. Il les rejoignit sur la couverture colorée. Phoebe était en train de construire une tour avec des cubes. Chaque fois qu'elle atteignait trois ou quatre étages, Bridget renversait tout d'un revers de main et poussait des gloussements et des cris perçants. A un moment, comme Phoebe s'arrêtait, le bébé frappa ses petites mains l'une contre l'autre et cria « Ack » d'un ton qui ne laissait aucun doute sur ce qu'elle voulait.

Wade attrapa prestement un autre cube.

— Tu sais ce que tu veux hein, bébé.

Phoebe eut un léger rire.

— Elle a un caractère bien à elle. Et si elle n'obtient pas ce qu'elle veut, elle me le fait savoir.

— Ça me rappelle Melanie, dit-il sans y penser.

A l'instant où les mots s'envolèrent, il comprit qu'il avait commis une erreur.

La joie disparut des yeux de Phoebe, n'y laissant qu'une expression chagrine et réservée.

— Oui, dit-elle d'une voix calme. Bridget paraît avoir une personnalité bien plus trempée que la mienne.

Wade eut envie de protester. Rien ne clochait dans le caractère de Phoebe. Ce n'était pas parce que Mel s'exprimait sur tout ce qu'il se passait sous le soleil que la personnalité de sa sœur en était moins séduisante. Elle était moins bruyante et accaparait moins l'attention, c'était tout. Mais Wade ne sut pas comment l'exprimer de façon évidente et la résistance de Phoebe lui parut presque palpable. Elle ne voulait pas parler de Melanie, c'était tout à fait clair.

Une bouffée de culpabilité le traversa, adoucissant la colère qui bouillait encore en lui. Il en voulait à Phoebe de ne pas lui avoir parlé du bébé… mais lui-même était responsable de la mort de sa sœur. Pas étonnant qu'elle ne lui ait rien dit.

Le bébé s'était emparé d'un petit livre en carton et en tournait activement les pages épaisses.

Au moment où il la regardait, elle le porta à sa bouche.

— Tiens, chérie.

Phoebe lui tendit un jeu d'anneaux multicolores et confisqua le livre.

— Il ne faut pas mâchonner les livres.

Wade considéra les coins effrangés de celui qu'elle tenait.

— Apparemment, certains le font.

Elle lui sourit et tout d'un coup, il se sentit de nouveau tout à fait à sa place entre elles deux. Jusqu'à ce qu'elle consulte sa montre et annonce :

— Il sera bientôt l'heure de dîner. Aimerais-tu rester manger avec nous ?

Il lui lança un regard étonné.

— As-tu l'intention de rester ici *ce soir* ? hasarda alors Phoebe.

— C'est bien mon intention.

Wade se leva et croisa les bras.

— Si tu consacres ton week-end à m'apprendre à m'occuper de Bridget, je pourrai m'en occuper pendant que tu travailleras.

— Et toi ? Tu ne dois pas travailler ou faire autre chose ? demanda-t-elle d'un ton où perçait l'exaspération.

— Autre chose, oui, admit-il.

— Alors tu vas retourner en Californie.

Ce n'était pas une question.

— Non. Je suis décidé à quitter l'armée.

Elle parut saisie.

— Mais… voyons, c'est ce que tu as toujours désiré. Etre soldat.

— Je ne suis plus apte physiquement à donner satisfaction à l'armée sur le champ de bataille, répliqua-t-il d'une voix tranquille. Et comme je n'ai pas du tout envie de finir ma carrière derrière un bureau, à rester toute la journée devant un écran d'ordinateur, je vais prendre une retraite anticipée.

— Mais que vas-tu faire ?

Wade haussa les épaules.

— Je suis en train de réfléchir à différentes propositions. L'une d'entre elles émane d'une société de sécurité en freelance, installée en Virginie. Il s'agirait pour moi d'ouvrir une extension sur la côte Ouest.

— Donc tu retournerais chez toi ?

Wade nota avec satisfaction qu'elle faisait toujours allusion à la Californie comme à son foyer. Il se contenta d'opiner du menton.

— C'est une des choses que j'avais imaginées, oui.

Il haussa les épaules.

— Mais maintenant, tout a changé.

Il baissa les yeux vers sa fille qui, à plat ventre, faisait des mouvements de natation pour essayer d'attraper un autre jouet trop éloigné d'elle.

— Absolument tout, conclut-il.

- 4 -

Phoebe était toujours assise sur la couverture aux pieds de Wade. Plaçant les mains sous ses coudes il la releva. Les yeux fixés sur son visage, elle laissa une seconde ses mains posées sur son torse avant de s'écarter. Puis elle s'éclaircit la gorge.

— Je comprends qu'il te faille un certain temps pour t'habituer à être père, lui dit-elle en montrant le bébé qui jouait à leurs pieds.

Sa voix, remarqua Wade, était plus rauque que de coutume.

Son corps, lui, n'avait aucun problème pour comprendre que la femme dont il avait rêvé pendant des mois — que diable, pendant des années — était pratiquement entre ses bras.

Phoebe, la mère de son enfant.

Qu'il était difficile de faire remonter en lui la colère qui s'y était si bien dissimulée ! Il trouvait au contraire la pensée qui venait de lui traverser l'esprit singulièrement stimulante. Ici, juste devant eux, se trouvait un être qu'ils avaient conçu ensemble, au cours de ces moments incroyables et merveilleux qu'ils avaient partagés à l'intérieur de la cabane.

Il exerça une légère pression sur les épaules de Phoebe jusqu'au moment où elle cessa de résister et se laissa attirer vers lui.

— C'est stupéfiant que nous ayons pu créer cela, dit-il.

Elle hocha la tête, les yeux fixés droit sur sa gorge, comme si elle s'efforçait de ne surtout pas le regarder.

— C'est un miracle.

Wade lui frôla la tempe d'un léger baiser et sentit frémir son corps.

— Je suis toujours furieux contre toi, mais merci.

— Je... euh, je ne pense pas...

— Ne pense pas, dit-il précipitamment. Je ne le ferai pas si tu ne le veux pas.

Il avait envie de l'embrasser. Il en avait si longtemps rêvé qu'il pouvait à peine croire que tout ceci était réel. Il lui lâcha le poignet et, lui mit un doigt sous le menton pour lui relever le visage vers le sien.

— Embrasse-moi, dit-il. Détends-toi...

A l'unisson, un son de pur plaisir s'échappa de leur bouche. Les cuisses de Wade venaient de se presser dans le berceau formé par le creux entre les hanches de Phoebe, et il sentit son sexe se durcir tandis qu'il effleurait la tendre chair entre ses cuisses.

Incapable d'attendre plus longtemps, il baissa la tête et plaqua sa bouche sur la sienne. Dans son étreinte, dans le dur et profond baiser qu'il lui donna, il déversa tout le désir et toute la frustration des deux dernières années. Les mains de Phoebe se crispèrent sur ses épaules, mais elle ne le repoussa pas, bien au contraire. Wade eut l'impression qu'elle fondait contre lui, il sentit ses doigts s'incruster dans sa chair et il comprit qu'elle allait être à lui encore une fois.

Mais cette fois, se promit-il, il ne se conduirait pas comme un goujat. Il ne la quitterait pas sans un mot.

C'était un rêve, songea Phoebe. Ce devait sûrement en être un. Au cours de l'année passée, elle avait tant de fois imaginé Wade en train de l'embrasser, qu'il lui paraissait irréel de l'avoir ici, d'être serrée contre lui. Sa langue quémandait une réponse et ses grands bras la moulaient dans la robustesse élancée de son corps. Il lui était devenu impossible de dissimuler son état d'excitation.

Un souvenir lui revint en force, lui rappelant cette autre fois où ils avaient connu une étreinte semblable, des mois plus tôt…

Lors de cette fameuse soirée.

Ce fameux soir où elle avait eu l'impression d'être au paradis.

Elle avait enfoui son visage au creux du cou de Wade et tout en dansant, elle l'avait senti frissonner. C'était un rêve, ce devait en être un. Mais quel rêve ! Un de ceux dont on voudrait ne jamais se réveiller.

— Hé, toi !

Les lèvres de Wade s'étaient déplacées sur son front. Elle avait levé la tête et avait souri aux yeux gris fixés sur elle. Malgré la lumière diffuse de la piste de danse, ils paraissaient flamboyer, pleins de chaleur et de désir. Pour elle ? Non, elle pataugeait vraiment en plein rêve !

— Je voudrais bien te raccompagner chez toi ce soir, avait-il murmuré d'une voix rauque. Mais tu as ta propre voiture…

— Tu pourrais prendre le volant, avait-elle alors suggéré. Puisque nous allons quasiment au même endroit.

— J'aimerais que nous rentrions ensemble,

poursuivit-il. J'aimerais te tenir contre moi toute la nuit.

Phoebe l'avait dévisagé avec de grands yeux stupéfaits. Sa franchise avait quelque chose de choquant, mais d'une drôle de manière, très excitante, qui avait fait naître une étrange sensation au creux de son ventre.

— Je ne veux pas te bousculer, avait-il dit rapidement. Je comprends très bien que tout ceci est nouveau…

— Ce n'est pas nouveau pour moi, l'avait-elle interrompu.

Elle lui avait caressé la joue.

— Wade, ne sais-tu pas que je… que je t'aimais… que je désirais ceci depuis longtemps ?

La main de Wade avait recouvert sa main et l'avait retenue, puis il avait déposé un brûlant baiser au creux de sa paume. Ses yeux s'étaient fermés un court instant.

— Je suis un abruti. Je n'avais jamais…

— Chut ! Tout va bien.

Il ne fallait surtout pas qu'il se sente mal à l'aise ou maladroit, ou n'importe quoi d'autre.

— Commençons à partir de ce soir.

— Ça me paraît une bonne idée, avait-il dit en souriant.

Sa main avait libéré la sienne, avait glissé en

l'effleurant jusqu'à son visage, qu'il avait doucement relevé vers le sien.

Phoebe avait retenu son souffle, persuadée qu'il allait l'embrasser, sûre de se transformer en cire molle et de dégouliner sur le parquet s'il…

— Que se passe-t-il par ici ?

La voix était stridente. Une voix féminine, furieuse… et familière.

Phoebe avait sursauté et s'était arrachée des bras de Wade, comme prise en faute. Melanie se tenait devant eux, poings sur les hanches.

— Merci de prendre autant de soin de *mon* cavalier, petite sœur, avait-elle lancé d'un ton raide et plein d'ironie.

— Laisse tomber, Mel.

La voix de Wade était froide et autoritaire.

— Tu ne t'es même pas aperçue que je m'en allais. Alors, pourquoi cette scène, maintenant ?

— Wade, avait-elle tenté de le raisonner.

Melanie avait braqué sur lui ses prunelles d'un bleu lumineux. Puis, d'un seul coup, toute colère s'en était effacée et des larmes y avaient perlé.

— Tu… C'est toi qui m'as amenée à la soirée. Pourquoi voudrais-tu me traiter de cette manière ?

— Garde ce genre de boniment pour qui voudra l'acheter, avait rétorqué Wade en secouant la tête.

Tu ne pourrais pas être moins concernée par ce que Phoebe et moi étions en train de…

— Phoebe et toi !

La colère avait déformé les jolis traits de Melanie et elle avait rejeté d'un mouvement de tête rageur ses longs cheveux brillants en arrière. Ses yeux avaient paru se rétrécir en se braquant sur sa sœur.

— Ma propre sœur… ma jumelle… qui joue les sournoises derrière mon dos. C'est ce que tu as toujours désiré, n'est-ce pas ? avait-elle persiflé. Tu as toujours été amoureuse de lui. Seulement il était à moi !

— Ça suffit.

Wade l'avait pris par le coude mais elle s'était débarrassée de sa main d'une brusque secousse. Autour d'eux, les gens avaient cessé de danser et les regardaient ouvertement, observant le déroulement du drame.

C'était tout ce qu'adorait Melanie, s'était alors rappelé Phoebe. Elle était une reine de tragédie et cette scène lui allait comme un gant.

— Non ! s'était écriée Melanie d'une voix devenue stridente. Ça ne me suffit pas. Je ne te le pardonnerai jamais, Wade. Quant à toi…

Elle avait pointé vers sa sœur un index vengeur.

— … Je préférerais ne jamais te revoir.

Rejetant une dernière fois sa brillante chevelure en arrière, Melanie avait pivoté sur ses talons et s'était éloignée en trombe, la fureur irradiant de chacun de ses gestes.

Une seule petite chose avait gâché son effet. Elle avait trop bu, et tenait difficilement sur ses jambes. Elle avait gagné la porte d'une démarche chaloupée, bousculant au passage un groupe de camarades de classe, bouche bée.

— Otez-vous de là, avait-elle hurlé, en réussissant à tirer d'elle-même un flot de sanglots.

Wade s'était tourné vers Phoebe.

— On ferait bien de la suivre. Elle a vraiment dû trop boire.

— Oui, avait admis Phoebe. C'est une chance qu'elle n'ait pas de voiture.

— Viens avec moi.

Il lui avait tendu la main. La gorge pleine de sanglots, Phoebe avait secoué la tête.

— Non. Elle va devenir impossible si elle m'aperçoit. Tu sais qu'elle se calmera si elle ne nous voit pas ensemble.

Wade avait acquiescé de la tête et sa main était retombée le long de son corps, comme s'il reconnaissait la logique de son raisonnement.

Phoebe s'était alors détournée pour se diriger vers la table ou était posé son petit sac de soirée.

Elle lui avait tendu ses clés de voiture.

— Tu la ramèneras. Je me ferai raccompagner plus tard.

Wade avait pris les clés, puis, de sa main libre, il avait saisi la sienne et l'avait portée à ses lèvres.

— Je t'appelle.

Le tendre geste avait fait palpiter le cœur de Phoebe. Pensait-il vraiment ce qu'il disait ? Cette soirée, ces moments entre eux sur la piste de danse annonçaient-ils ce jour dont elle rêvait depuis qu'elle était assez grande pour sentir son cœur battre plus vite en sa présence ? Elle lui avait offert un sourire chaviré.

— J'attendrai ça avec impatience, avait-elle dit, s'accrochant à sa promesse au moment où Wade commençait à s'éloigner.

A cet instant précis, un crissement de pneus leur était parvenu du parking.

— Que diable…

Wade s'était aussitôt mis à courir à toutes jambes, Phoebe derrière lui. Elle avait atteint la porte juste à temps pour voir sa propre voiture sortir en trombe du parking et dévaler la route et elle avait immédiatement compris ce qui venait de se passer. Melanie savait que sa sœur avait un second jeu de clés dans un boîtier magnétique près du volant.

Et elle lui avait pris sa voiture.

Dévastée par la force de ces douloureux souvenirs, Phoebe arracha sa bouche de celle de Wade.

— Ce n'est pas… Nous ne pouvons pas faire ça, murmura-t-elle, consciente et embarrassée de son abandon. Puis elle se rendit compte qu'elle étreignait férocement les larges épaules. Pire encore, elle n'avait rien fait pour séparer leurs corps, collés l'un à l'autre.

Wade haussa les sourcils. Au fond de ses yeux brillait une lueur presque dangereuse.

— Nous l'avons bel et bien fait.

— Alors, plus jamais, décida-t-elle un peu tardivement en laissant retomber ses mains.

Puis elle fit un pas en arrière pour le forcer à la laisser aller.

— Jamais ? répéta-t-il.

— Jamais.

— Parce que… ?

— Parce que ta vie est en Californie…

Elle écarta les mains.

— Ou n'importe où ailleurs, et que la mienne est à New York, ici et maintenant.

— La mienne ne sera plus jamais n'importe où, répliqua-t-il avec force. J'ai l'intention de vivre ici, si c'est là que vous vivez toutes les deux.

— Il fait vraiment froid en hiver, tenta-t-elle d'argumenter en évitant son regard.

— J'ai vécu quatre ans à West Point, tu te rappelles ? Je sais donc parfaitement qu'il fait froid dans le coin, tu peux me croire !

— Je t'ai toujours entendu dire que tu souhaitais vivre sous un climat chaud…

— Etre auprès de ma fille est bien plus important que de m'inquiéter de la température ! Ton raisonnement ne tient donc pas. Quoi d'autre ?

— Eh bien… ce n'est pas très loyal de ta part de sauter comme ça sur moi sans me laisser le temps d'y réfléchir.

Il ne fallait pas qu'elle se jette dans ses bras, songea-t-elle affolée. Mais pourquoi ? lui souffla une petite voix. Ne la désirait-il déjà pas après l'enterrement. Et aussi quand ils étaient étroitement enlacés sur cette piste de danse, ce fameux soir où tout avait basculé…

Mais désirer ne signifiait pas aimer. Même si c'était un point de départ. Alors, il valait mieux ne pas nourrir de faux espoirs, se sermonna-t-elle. A la soirée, Wade avait voulu donner une leçon à Melanie. Il n'était en rien responsable si elle avait perdu les pédales et si tout avait si affreusement mal tourné ensuite. Quant à l'autre fois... Quel garçon pourrait dire non lorsqu'une femme lui arrachait pratiquement ses vêtements avant de se jeter à son cou ?

— Eh bien réfléchis, j'ai le temps...

Ce n'était pas vrai. Il regardait Bridget, surveillant chacun de ses gestes avec une intensité pénible à observer.

Par bonheur, Bridget était bien loin de tout ça. Elle était toujours allongée sur le sol avec le jouet qu'elle avait enfin réussi à attraper. Puis elle roula sur le dos et secoua la peluche avec vigueur, ce qui déclencha une petite musique à l'intérieur.

— Elle s'amuse très bien toute seule pour son âge, dit-il.

Phoebe eut le cœur déchiré de constater à quel point Wade s'intéressait à son enfant. Elle consulta sa montre d'un geste nerveux.

— Mais à n'importe quel moment maintenant, poursuivit-elle en essayant d'empêcher sa voix de trembler, elle va se rendre compte que c'est l'heure de grignoter un petit quelque chose.

Amicale. Cordiale. C'était la bonne tactique. Elle pouvait ignorer son absence temporaire de bon sens si elle se concentrait juste sur ses souvenirs de Wade quelques années plus tôt, tel qu'il avait été alors — avant que tout cela n'arrive. Ils avaient été amis. Il n'y avait donc aucune raison pour qu'ils ne le soient plus.

Wade continuait à ne pas la regarder même si, elle en avait l'intuition, il savait exactement pourquoi elle avait changé de sujet. Simplement, il ne fit aucune objection et se contenta d'adhérer à sa proposition.

— Un petit en-cas ne va pas l'empêcher de dîner ?

— Non, s'il ne s'agit que d'un biscuit. Et en général, nous ne dînons que vers 18 heures.

Alors ils s'attableraient ensemble, comme une vraie famille…

Une vraie famille ? A quoi pensait-elle donc ? Ils ne formaient pas une famille. Ils n'étaient que deux personnes qui s'étaient connues longtemps auparavant et qui désormais avaient un enfant en commun. Sans jamais avoir partagé la plupart des autres détails primordiaux qui font les vraies familles.

Pourtant, ne put-elle s'empêcher d'espérer, même s'ils n'étaient pas une vraie famille, ils pourraient quand même faire un tas de choses que font les vraies de vraies ?

La meilleure manière de procéder, réfléchit Phoebe, c'était de traiter Wade comme un pensionnaire… ou non, peut-être un locataire… puisqu'il avait déjà annoncé qu'il s'installait chez elle. Ils allaient donc avoir à gérer ensemble les petites choses bêtes telles que les repas et savoir lequel des deux devrait se charger des courses.

Ils n'avaient pas non plus vraiment évoqué le droit de garde ou de visite lorsqu'il serait reparti, ni n'importe laquelle des grandes questions qui l'avaient hantée toute la journée.

— Je dois m'occuper du dîner, dit-elle, sachant que sa voix était loin d'être aimable. Oh, rien de fantaisiste. Juste un rosbif.

— J'adore tout ce qui est rouge. Et pas forcément ce qui est fantaisiste, répondit-il en la regardant bien en face, le regard parfaitement innocent.

Phoebe s'empourpra lentement. Etait-elle la seule à imaginer un sous-entendu ? Elle se détourna pour qu'il ne la voie pas devenir écarlate.

— Je vais m'occuper du dîner si tu veux bien jouer avec Bridget.

— Que fais-tu d'elle quand tu es seule ?

— Elle vient dans la cuisine avec moi. Jusqu'à présent, je la mettais dans sa chaise et je chantais pour elle mais ces derniers temps, j'ai pu étendre une couverture par terre et la laisser jouer dessus.

Le regard de Wade se posa de nouveau sur Bridget.

— Elle te ressemble.

— Tant qu'elle n'a pas envie de quelque chose. Quand elle a pris sa décision, elle avance la mâchoire exactement comme toi et ses yeux ont le même regard intense.

— Je n'avance pas la mâchoire !

Phoebe sourit.

— D'accord. J'ai dû imaginer ça des millions de fois pendant les vingt dernières années.

Wade fut obligé d'éclater de rire.

— C'est l'autre raison pour laquelle j'ai besoin de faire entrer Bridget dans ma vie. Elle mérite de savoir comment ses parents se sont connus et ont grandi ensemble.

Comment ses parents s'étaient connus ? Incroyable ! Il parlait d'eux comme d'un vieux couple marié. Cette pensée fit mal à Phoebe. Suffisamment pour l'empêcher de lui faire face une fois de plus. Aussi, sans se retourner, se dirigea-t-elle vers la cuisine. Arrivée près de la porte, elle ne put se retenir de glisser un regard dans sa direction. Wade l'observait toujours avec une expression méditative et elle fut aussitôt sur ses gardes.

Il avait dit qu'il ne se battrait pas pour Bridget, elle le savait. Mais pouvait-elle lui faire confiance ? Elle le regarda s'asseoir par terre en tailleur. Il était incroyablement souple pour un homme aussi grand. Pour n'importe quel homme, d'ailleurs.

Bridget se tourna vers lui avec un sourire ravi lorsqu'il la souleva et l'installa sur ses genoux. Rapide, elle s'empara d'un de ses doigts et le porta à sa bouche. Wade jeta vers Phoebe un regard douloureux. Un éclat de rire faillit s'échapper de sa gorge et un sourire flottait sur ses lèvres quand elle pénétra dans la cuisine. C'était bien lui qui désirait faire la connaissance de sa fille, non ?

Elle se calma rapidement en s'occupant de la viande. Que lui arrivait-il donc ? Elle n'allait quand même pas abandonner et laisser Wade s'installer dans sa maison !

Elle n'avait pourtant pas le choix. Si elle ne lui laissait pas voir librement Bridget, il irait consulter un avocat.

Au fond de son cœur, elle savait qu'elle ne pourrait pas s'opposer à lui sur ce terrain. Elle était horrifiée d'avoir pu lui dissimuler sa grossesse, et plus encore de ne pas l'avoir prévenu de la naissance de Bridget. Alors, à coup sûr, si elle l'empêchait de passer un seul instant avec elle, le remords la tuerait.

En outre, elle ne pourrait pas se pardonner de ne pas lui avoir parlé — à lui ou à sa famille, lorsqu'elle le croyait parti pour toujours — et d'avoir laissé sa mère mourir sans jamais savoir qu'elle avait une petite-fille.

A l'évidence, même si Wade était mort, comme elle l'avait supposé, elle aurait dû aller trouver ses parents. Elle le savait et elle savait aussi que cela faisait partie de cette colère qui surgissait au fond de ses yeux chaque fois qu'il laissait tomber sa façade amicale, élaborée avec soin.

Phoebe frissonna en rassemblant les ingrédients pour la pâte à gâteau.

Il ne lui pardonnerait jamais cela. Jamais.

L'enfant était une vraie boule de feu. Un peu plus tard dans la soirée, assis sur le parquet de la chambre de sa fille, Wade écoutait les bruits en provenance de la salle de bains. Il se demanda laquelle des deux, de Phoebe ou de la gamine, était la plus mouillée. Bridget faisait du bruit sans arrêt, riait aux éclats, poussait des petits cris et de temps à autre un hurlement. A l'arrière-plan, un clapotis intermittent indiquait que le bain n'était pas encore terminé.

Quelques instants plus tard, il entendit les pas de Phoebe dans le couloir. Elle s'arrêta sur le seuil de la chambre, le bébé dans les bras.

Bridget était emmitouflée dans une sortie de

bain en éponge épaisse, ornée d'un petit ours rose. Elle lui adressa un sourire joyeux qui découvrit ses deux petites dents de devant. Phoebe la déposa à côté de lui et sa couche en plastique fit un drôle de bruit froissé quand elle atterrit sur le tapis. Instantanément, elle se mit à agiter les bras, ouvrit et referma ses petits doigts et son babil commençait à atteindre les aigus lorsque Phoebe s'empara d'un livre et le lui mit entre les mains. Bridget poussa encore un cri, un son si haut perché qu'il fit frissonner Wade.

Oui, c'était bel et bien une boule de feu, conclut-il, observant les boucles brillantes, encore humides après le bain, qui dépassaient sous les bords du tissu-éponge qui lui recouvrait la tête.

— Il est temps de mettre ton pyjama, petite demoiselle.

Un pyjama rose entre les mains, Phoebe se laissa tomber à côté d'eux.

— Tiens, dit-elle à Wade. Si tu veux la garder la semaine prochaine, tu ferais bien de t'entraîner à habiller et à déshabiller un enfant. Parfois, je pense que les fabricants organisent des séances de brainstorming rien que pour égarer les parents. Hé, viens ici, toi !

Elle rattrapa prestement le bébé qui avait commencé à rouler hors de sa portée.

— Oh, non. Pas question. C'est l'heure de se coucher.

L'heure de se coucher. Si quelqu'un avait dit à Wade qu'il dormirait sous le même toit que Phoebe deux jours après son vol en provenance de l'Ouest, il l'aurait traité de fou.

L'heure du coucher. Phoebe.

Comment diable allait-il pouvoir dormir, sachant qu'elle était dans la chambre juste à côté ?

Sa fille poussa un cri perçant quand Phoebe la déposa une nouvelle fois devant lui.

— Vas-y, dit-elle en souriant.

— Ça va bien t'amuser, hein ?

— Oh oui !

Elle eut un léger rire.

— Moi aussi, il a bien fallu que j'apprenne sur le tas, alors il n'est que justice que tu en fasses autant.

— Merci.

Il ramassa le pyjama. Il y avait des boutons-pression à des endroits où il n'aurait jamais cru qu'on pouvait les mettre. De plus, il avait des mains d'à peu près deux fois la taille du petit bout de tissu. Les choses allaient devenir intéressantes, se dit-il. A son grand soulagement, Phoebe repartit vers la commode d'où elle avait tiré le pyjama et commença à fouiller dans le contenu d'un panier posé dessus.

Dix longues minutes plus tard, Wade poussa un soupir de soulagement.

— Là. Je crois qu'on y est.

Phoebe vint le rejoindre et s'agenouilla à côté de lui pour examiner ce qu'il avait fait avant de lever les yeux et de hocher la tête.

— C'est bon. Tu passes haut la main le chapitre 101 : « Comment habiller bébé. »

Wade grimaça.

— Et le 102, c'est quoi ?

— Eh bien, dit-elle, c'est le cours où tu apprends les lois de Murphy sur l'éducation des enfants. Tu sais, le genre « un enfant ne demande jamais à aller sur le pot avant qu'on ne l'ait complètement boutonné, zippé, et que toutes les agrafes de sa combinaison aient été refermées ! »

— On dirait que c'est l'expérience qui parle, répliqua-t-il avec un sourire.

— Enseigner m'a appris au moins autant que l'enseignement que j'ai donné à mes écoliers ! D'ailleurs, ajouta-t-elle, en parlant d'école, je n'ai pas cours demain, c'est samedi. Mais je te préviens, Bridget n'aime pas faire la grasse matinée, alors attends-toi à te faire réveiller à partir de 6 heures.

— 6 heures ? C'est une blague. Je suis en permission.

Elle secoua la tête.

— Ces choses-là n'existent plus quand on devient parent.

— Je me lèverai avec elle si tu désires dormir.

Phoebe le dévisagea comme s'il avait parlé une langue étrangère.

— Tu ferais ça ?

— Bien entendu. Ça doit être dur d'être d'astreinte chaque minute de chaque jour.

— Ce n'est pas si mal.

Elle avait parlé avec une certaine raideur comme s'il l'avait froissée.

— Si tu veux te lever en même temps que nous, tant mieux, dit-elle. Si ça te chante, tu pourras te lever en même temps que nous. Mais jusqu'à ce que tu t'y retrouves dans la cuisine et dans nos habitudes matinales, il serait sans doute préférable que ce soit moi qui me lève.

Wade se leva et l'arrêta en posant la main sur son bras au moment où elle se redressait à côté de lui.

— Phoebe, je ne cherche pas à te chiper ton rôle dans la vie et je n'essayais pas encore de te critiquer… Je désire juste apprendre tout ce qu'il y a à apprendre sur elle.

Phoebe hocha la tête, sans toutefois le regarder.

— Désolée de m'être énervée.

La tension de l'atmosphère se dissipa et ses épaules se relâchèrent.

— Il va nous falloir un certain temps avant de nous habituer, ajouta-t-elle.

Sans doute. Wade la regarda se baisser pour ramasser une chaussure et une chaussette égarées. Elle s'était changée et avait troqué la jupe et la blouse soignées qu'elle avait portées à l'école pour un jean délavé et un T-shirt, ce dernier néanmoins rentré dans le pantalon et ceinturé. Probablement, songea-t-il, sa version personnelle d'une tenue décontractée.

Mais sous le jean, il ne put s'empêcher d'apprécier le petit derrière mince et rond. Zut, maugréa-t-il en son for intérieur. Il avait quand même des choses bien plus importantes à faire que de penser au sexe, ce soir ! Pourtant, chaque fois que son regard tombait sur Phoebe, toute pensée rationnelle s'envolait et il avait l'impression de se transformer en une énorme hormone mâle ambulante.

Bridget poussa un cri perçant et Wade retomba brusquement sur terre. Phoebe enleva le bébé dans ses bras.

— Pourquoi tout ce tapage, ma chérie ? demanda-t-elle. Tu veux que papa te lise une histoire, c'est ça ?

D'un geste directif, Phoebe poussa Wade dans le grand rocking-chair en érable et installa Bridget sur ses genoux avant de sortir de la pièce. La petite se laissa faire comme si elle l'avait connu toute sa courte vie et s'installa dans son giron en suçant son pouce. Wade lui lut donc l'histoire mais, au bout de quelques minutes, la petite tête dodelina contre son torse et le pouce tomba des lèvres relâchées. Baissant les yeux, Wade s'aperçut qu'elle s'était endormie.

Sa gorge se serra et quelque chose dans sa poitrine se crispa douloureusement. Qu'elle était donc précieuse, cette petite chérie ! C'était presque trop beau de se dire que cette enfant magnifique était la sienne. Une envie le prit de la blottir contre lui mais il craignit, s'il bougeait, de la réveiller. Il resta donc là avec Bridget sur les genoux jusqu'au moment où Phoebe passa la tête dans l'encadrement de la porte.

— Est-ce qu'elle dort ? demanda-t-elle d'une voix étouffée.

Wade hocha la tête.

Pénétrant dans la pièce, la jeune femme s'agenouilla à côté de lui pour soulever le bébé entre ses bras. Au moment où il lui passait son fardeau, il sentit le dessous de ses seins se presser contre son bras et son parfum chaud et grisant de femme vint taquiner ses sens. Instantanément, la conscience qu'il avait d'elle se réveilla en même temps que ses sens. Un brûlant besoin de l'embrasser s'empara encore une fois de lui.

Même si… Non, à la réflexion, il voulait bien plus que ça.

En silence il regarda Phoebe se relever, son enfant dans les bras, et la conscience d'avoir fait avec elle ce précieux petit être constitua pour lui, bizarrement, une nouvelle sorte d'aphrodisiaque. Leur fille avait été conçue ce jour-là, dans la cabane de chasse, et il n'avait pas besoin de faire un gros effort pour se remémorer la passion douce et frémissante qui les avait réunis bien davantage encore que sur un simple plan physique.

Les petits bras de Bridget retombèrent sans force et sa tête roula sur l'épaule de Phoebe qui la souleva pour la déposer dans son berceau. Elle lui effleura le front d'un baiser et Wade avala avec peine sa salive, une autre émotion venant soudain de rejoindre toutes celles qui se bousculaient déjà dans sa tête.

Comment se pouvait-il que, parti d'un point où il ignorait jusqu'à l'existence de son enfant, il en vienne en moins d'une journée à l'aimer plus que sa propre vie ? Il ne la connaissait même pas vraiment. Et cependant… c'était la réalité.

Et il désirait qu'il en soit ainsi.

Un nouveau choc le foudroya lorsqu'il songea qu'il était même capable d'imaginer comment elle serait dans cinq ans — n'avait-il pas connu sa mère au même âge ?

Phoebe se détourna et quitta la pièce sans bruit et, avec lenteur, Wade se remit debout. Il se dirigea vers le berceau et resta là un long moment, à contempler sa fille.

— Je te promets d'être le meilleur papa qu'il m'est possible d'être, lui jura-t-il en silence.

Puis il sortit rejoindre la mère de son enfant.

Il leur fallait maintenant discuter des changements qui allaient bientôt intervenir dans leur vie.

- 5 -

Quand il descendit l'escalier après avoir défait son sac de voyage, Phoebe était déjà dans sa petite salle à manger et, après avoir retiré les copies de sa serviette, elle en avait fait des tas bien nets soigneusement espacés sur la table. Levant les yeux, elle lui adressa un sourire impersonnel.

— Il est grand temps de noter les devoirs de math.

Wade traversa la pièce et vint la rejoindre. Il baissa les yeux sur le travail qu'elle étalait devant elle.

— Tu fais ça souvent ? demanda-t-il.

— Seulement tous les soirs, dit-elle avec un sourire narquois. Les enfants se plaignent que je leur donne des devoirs. Mais en réalité, c'est moi qui devrais gémir. Chaque copie qu'ils me rendent multiplie mon travail par vingt-quatre, le nombre de mes élèves.

Elle haussa les épaules et tira une chaise pour s'asseoir.

— Cela va devenir plus intéressant quand j'aurai ma nouvelle classe. Je vais prendre en janvier un cours de littérature pour enfants.

— Je croyais que tu avais déjà ta licence.

— Oui, répondit-elle en sortant d'un tiroir un tampon encreur représentant une face souriante. Mais pour pouvoir conserver mon diplôme, je dois continuer à enseigner le plus souvent possible ou travailler en vue d'obtenir ma maîtrise. Tu dois probablement avoir la même chose à faire pour rester à niveau ?

— Oui, sauf que maintenant, si je voulais rester dans l'armée, je serais coincé derrière un bureau. Ma capacité à atteindre une cible cinquante fois d'affilée n'est plus aussi décisive.

Il vit Phoebe se mordre les lèvres et la devina. Elle venait de prendre conscience qu'elle lui avait rappelé l'obligation pour lui de changer de métier. Pourtant, elle garda les yeux attachés sur lui, l'air soucieux.

— Veux-tu me raconter ce qu'il t'est arrivé ?

L'effort que fit Wade pour garder une expression désinvolte crispa les muscles de son visage.

— J'ai un éclat d'obus dans la jambe. Il serait trop risqué de l'enlever.

Il se força à sourire.

— Maintenant c'est l'horreur pour passer la sécurité dans un aéroport.

Phoebe ne lui retourna pas son sourire.

— Je voulais dire, comment est-ce arrivé ?

Wade se détourna et se dirigea vers le living où il avait posé son livre et ses lunettes de lecture.

— Un de mes copains a sauté sur une mine.

Du coin de l'œil il la vit accuser le coup.

— Tu y as assisté ?

Il hocha la tête. Une boule se forma dans sa gorge et refusa de partir.

— Je suis désolée, dit-elle d'une voix douce.

Il opina légèrement du menton.

— Oui, moi aussi.

— Tu as toujours voulu être militaire, n'est-ce pas ?

Un sourire fugace passa sur le visage de la jeune femme.

— Je me rappelle quand Mel et moi avions huit ans, toi et les fils Paylen en bas de la rue, vous nous enrôliez pour faire l'ennemi !

Le nœud dans la gorge de Wade se dissipa car les souvenirs lui revenaient en force et avec eux, une irrésistible envie de rire.

— Sauf que ça n'a pas duré très longtemps à partir du moment où mon père a découvert que nous vous lancions des pierres avec une catapulte de notre fabrication.

Il secoua la tête d'un air de regret.

— On aurait juré qu'il avait toujours des yeux derrière le dos !

Phoebe renifla d'un air dédaigneux.

— Tu veux rire ? C'est Melanie qui a couru tout lui raconter.

— La fourbe ! lâcha-t-il, mais d'un ton affectueux. J'aurais dû m'en douter. Elle est partie à fond de train en te laissant toute seule. Tu ramassais les pierres et tu les renvoyais. Je ne savais pas qu'une fille était capable de renvoyer si fort — surtout quelqu'un de ta taille.

Elle lui adressa un sourire béat.

— C'est ce qu'avaient l'habitude de dire les joueurs de soft ball quand j'étais au lycée.

Les souvenirs de Phoebe lorsqu'elle était enfant, de lui-même durant ces années d'insouciance avant que le monde n'ait exigé de lui sa livre de chair, submergèrent Wade et il lui retourna son sourire.

— Quelle chance pour nous d'avoir une si bonne mémoire ! J'adorerais retourner en arrière et avoir encore cet âge.

A sa grande surprise, le sourire de Phoebe s'effaça.

— Pas moi. Pour rien au monde je ne voudrais revivre mon enfance.

Wade comprit qu'il avait touché un point sensible. Il y avait dans sa voix quelque chose d'atone et de bizarre, qu'il n'avait jamais entendu auparavant. Son intérêt s'éveilla immédiatement.

— Cela me surprend, dit-il.

— Grandir sans père na pas toujours été facile.

Maintenant qu'il y pensait, il se rappela certains commentaires sur la naissance illégitime des jumelles. Pourtant…

— Mel et toi me paraissiez très heureuses.

Le visage de Phoebe s'adoucit. La ligne de sa bouche se détendit et les coins de ses lèvres se retroussèrent un tout petit peu.

— Nous l'étions, dit-elle d'une voix douce.

Bien décidé à ce qu'elle baisse encore un peu plus sa garde, Wade eut un petit rire.

— Heureuses alors que vous tourmentiez les pauvres garçons du voisinage qui se battaient tous à cause de vous ?

— Bon, tu me confonds avec ma sœur. Moi, je n'ai jamais tourmenté personne. Tous les garçons que je connaissais étaient fous de Melanie.

— Pas tous.

Il avait parlé d'un ton calme, mais à l'instant où

il le fit, l'atmosphère parut se modifier. Le regard de Phoebe croisa le sien, et une sorte de courant électrique crépita entre eux, déclenchant une gerbe d'étincelles. Presque aussitôt, elle détourna les yeux.

— Toi aussi, dit-elle.

A son expression, il vit qu'elle avait décidé de mettre les choses au clair entre eux.

— Quand elle et moi étions en dernière année, elle t'a couru après jusqu'à ce que tu la prennes, tu t'en souviens ?

Il eut un sourire un peu forcé.

— Je m'en souviens. As-tu l'intention de le retenir à jamais contre moi ? Je n'étais qu'un ado et Dieu sait combien les garçons de cet âge sont dépourvus de moyen pour résister à une séduisante femelle aussi déterminée que l'était Melanie.

Il se mordit aussitôt les lèvres d'avoir prononcé ces derniers mots, mais, à sa grande surprise, il l'entendit éclater de rire.

— Ça oui, elle l'était ! Cet été-là, elle n'a parlé que de toi. De ce qu'elle pourrait porter pour que tu la remarques, de l'endroit où se placer de manière à se trouver comme par hasard sur ton chemin… Une fois, tu lui as dit que le rose lui allait bien et au cours des trois mois suivants, nous avons écumé les boutiques pour n'acheter que du rose. Et tu n'as aucune idée de la difficulté qu'il y a à trouver une teinte de rose qui convienne à une rousse !

Elle secoua la tête. Elle souriait toujours.

— Elle ne t'a pas laissé une chance.

Wade savait qu'en cet instant, il n'en avait pas la moindre non plus avec elle. Savait-elle au moins à quel point elle paraissait désirable ? Son regard était doux et lointain, son corps tourné vers lui était détendu. Quant à ses lèvres, elles paraissaient si douces et si tentantes au souvenir des jours heureux…

Oui, elles étaient douces et tentantes et, comme le souvenir de leur baiser de l'après-midi revenait au premier plan de son esprit, le corps de Wade tout entier démarra au quart de tour. Tout ce qu'il avait envie de faire était de s'immerger dans cette douceur, de vivre enfin le rêve qui lui avait permis de survivre au front, durant les instants terrifiants où il s'était caché, sûr d'être découvert à n'importe quelle seconde. Lui faire vraiment l'amour, et pas seulement en imagination comme lorsqu'il gisait sur un lit d'hôpital en Allemagne.

Wade la désirait avec une telle force qu'il en oublia presque l'enfant qui jouait par terre à quelques mètres de lui.

Et il lui fallut mobiliser toute son énergie pour

détacher son regard de la silhouette fascinante de Phoebe et concentrer son attention sur sa fille.

— Est-ce une si mauvaise idée que ça ?

L'intonation de Phoebe, elle d'habitude si timide, l'arracha à son introspection.

— Quoi ?

Elle le contemplait avec une curiosité à peine voilée.

— Un sou pour ces pensées-là. Je viens de dire que tu pouvais inviter ton père à passer quelques semaines ici si tu le désires. L'occasion de faire la connaissance de Bridget pourrait lui faire plaisir.

— Quoi ? répéta-t-il.

— J'ai dit…

— Je sais ce que tu as dit. Je crois que je suis juste… surpris de cette offre. Es-tu certaine de vouloir avoir mon père dans les jambes ?

Elle sourit.

— J'ai toujours eu de la sympathie pour ton père. Alors, à moins qu'il ne soit devenu une sorte de loup-garou hurlant à la lune ou qu'il ait pris des habitudes bizarres que j'ignore, ça me conviendra tout à fait.

— Nous pourrions aussi emmener Bridget voir son grand-père en Californie. Il n'est plus un jeune homme et il n'a jamais pris l'avion de sa vie.

Une expression fugitive passa sur le visage de Phoebe, si brève qu'il ne sut même pas s'il l'avait aperçue ou imaginée. Etait-ce de la peur ? De la consternation ?

— Tu pourrais y aller et le ramener avec toi, proposa-t-elle. Tu sais, comme ça il ne prendrait pas l'avion tout seul.

— Oui, c'est une possibilité.

Il parlait lentement, surveillant du coin de l'œil les doigts minces qui se tordaient, signe certain de nervosité.

— N'as-tu pas envie de revenir chez toi ? De revoir ton ancien voisinage ? Tu pourrais t'arranger pour prendre un week-end prolongé, non ?

Les doigts de Phoebe étaient blancs à force d'être serrés avec force.

— Je… je pense que oui.

Pourtant, elle avait l'air si peu convaincue qu'il faillit abandonner. Mais sa curiosité était éveillée. Elle avait grandi là-bas ; sa famille y était enterrée. Pourquoi semblait-elle si peu désireuse de retrouver les lieux de son passé ?

— Nous pourrons aller sur la tombe de Melanie et sur celle de ta maman, ajouta-t-il, et je pourrai te montrer où ma mère est enterrée.

— Très bien.

La voix était calme.

— Laisse-moi consulter mon planning et nous pourrons partir.

Avait-elle vraiment accepté de retourner en Californie avec Wade ? Phoebe se serait giflée d'avoir été aussi sotte. Il n'y avait que deux jours qu'il était revenu dans sa vie et déjà, il mettait son univers sens dessus dessous. Elle aurait dû le mettre dehors à coups de pied.

Elle savait pourtant bien qu'elle n'en ferait rien. Garder secrète l'existence de Bridget avait été plus qu'une faute ; c'était presque un acte criminel. Elle méritait la colère de Wade. Elle méritait d'être assimilée à ce vieux cliché de l'autruche qui se met la tête dans le sable. Mais à cette époque, il avait été tellement plus simple pour elle de rompre tous les liens avec son ancienne vie…

Si seulement elle avait parlé de Bridget à ses parents quand elle avait compris pour la première fois qu'elle était enceinte.

Ou… même après avoir cru que Wade était mort.

Seulement, d'autres personnes auraient pu aussi découvrir son secret. Elle les entendait d'ici :

« *Exactement comme sa mère.* »

« Au moins, elle connaît le père. Sa pauvre sœur et elle n'ont jamais eu cette chance. »

Oh oui, elle savait très bien comment les choses se passaient dans ces petites villes. Tout au moins celle dans laquelle elle avait grandi. Ces rumeurs venimeuses… Tout le monde n'était pas comme cela, bien entendu. Elle avait connu bien des personnes gentilles et merveilleuses, même dans sa ville d'origine. Il y en avait eu pourtant beaucoup plus qui refusaient de laisser leurs filles jouer avec Phoebe et Melanie.

Comme si l'illégitimité était une maladie contagieuse.

Si elle devait être reconnaissante de quelque chose, c'était que le monde ait changé depuis son enfance. Aujourd'hui, il y avait là-bas à Carlsbad, toutes sortes de familles. Un enfant sans père y était traité de la même façon qu'un enfant avec deux mères, ou un enfant qui passait de la maison de sa mère à celle de son père au milieu de la semaine.

Phoebe poussa un soupir en examinant son calendrier. Il lui restait deux jours de congé à prendre en octobre, et si elle en prenait un de plus, ils pourraient partir en Californie pour un long week-end et revenir sans être si pressés par le temps que le vol n'en vaille pas la peine.

Elle n'était pas certaine d'avoir assez de courage pour présenter au père de Wade une petite fille dont il ignorait jusqu'à l'existence, mais elle savait que pour Wade, un non n'était pas une réponse.

— Es-tu sûr que tout ira bien ? Angie habite juste la rue d'à côté, si tu as besoin d'elle, répéta Phoebe pour la dixième fois le lundi matin.

— Tout se passera bien, assura Wade, une fois de plus. J'appellerai Angie si j'ai besoin de quoi que ce soit. Et s'il se passe quelque chose, je t'appelle tout de suite.

— Parfait. Je pense que je te verrai cet après-midi.

— Salut.

Il lui tint la porte ouverte.

— Ne te fais pas de souci.

Phoebe s'arrêta au bord des marches et se retourna vers lui, avec un petit sourire forcé.

— Je suis une maman. Ça fait partie du job.

Poussant ensuite un soupir, elle se dirigea vers sa voiture tandis que Wade fermait la porte d'entrée.

Il lui avait fallu pas mal discuter, mais la veille, elle était tombée d'accord pour le laisser s'occuper de Bridget pendant toute la semaine sans personne pour le surveiller. Mieux encore, elle l'avait informé qu'elle avait fait des heures supplémentaires afin de pouvoir partir avec lui voir son père d'ici quelques semaines. Elle avait dû mettre les choses au point avec le directeur de son école, mais elle ne prévoyait aucune difficulté. Aussi, à peine était-elle revenue chez elle pour lui donner le feu vert, Wade avait-il fait les réservations pour le vol du soir.

Son père, songea-t-il. Comment diable allait-il expliquer tout cela à son père ? Depuis le moment où il était entré dans l'adolescence et que son père l'avait fait asseoir pour une grande « conversation », ses maîtres-mots avaient été *comportement responsable* et *protection*. Sans oublier *moralité*.

A ses parents, il n'avait jamais fait part de ses sentiments pour Phoebe et il n'en avait d'ailleurs jamais eu l'occasion, étant donné tous les événements intervenus avec la mort de Melanie. Alors, aussitôt après l'enterrement, quand tout était devenu si abominablement compliqué, il n'avait pas pu. Il avait dû partir le matin suivant et, bien qu'il ait essayé de la contacter toute la nuit, Phoebe n'avait pas répondu au téléphone.

Il aurait pu tout simplement longer la rue et taper à sa porte. Il aurait dû, corrigea-t-il. Mais il savait qu'elle souffrait et qu'il se devait de respecter sa douleur. Il se sentait coupable aussi d'avoir profité de sa confiance alors qu'elle était si vulnérable.

Il aurait dû l'arrêter quand elle s'était blottie dans ses bras…

Pour finir, alors qu'il se sentait si mal, il avait décidé de lui laisser quelques jours avant de reprendre contact avec elle. Mais il avait été dépêché en Afghanistan un peu plus tôt que prévu, avec à peine vingt-quatre heures pour se préparer. Il n'avait pas eu le temps ni l'occasion de faire autre chose de plus que de penser à elle.

Un mois ou deux plus tard, il avait appris par sa mère que Phoebe avait quitté la ville et que personne ne paraissait savoir où elle était partie. La côte Est, pensait quelqu'un. Il avait donc prévu de passer la voir la prochaine fois qu'il reviendrait chez lui. Il lui avait adressé un e-mail à l'adresse qu'il utilisait depuis des années et à sa stupéfaction, celui-ci lui était revenu avec la mention « non distribué ». Ensuite, sa mère avait eu une attaque et tous les échanges qu'il avait eus avec son père n'avaient eu trait qu'à des questions médicales. Il n'était revenu chez lui que deux fois pendant cette période agitée, la première après la première attaque de sa mère, la seconde après ses obsèques.

Pour cette dernière raison, il avait obtenu une permission de trois jours et était reparti aussitôt après. Il n'aurait de toute manière jamais eu le temps de rechercher Phoebe, qu'elle ait juste déménagé dans la ville voisine ou qu'elle ait traversé tout le continent.

Quelques jours seulement après, il avait vu un de ses copains mourir en marchant sur une mine. D'autres avaient été emmenés de force par des insurgés embusqués dans les montagnes d'Afghanistan. Il avait eu bien du mal à se cacher, mais il y était quand même parvenu. Ensuite, un villageois afghan lui avait offert un secours inattendu et lui avait sauvé la vie, avant de le ramener vers ses propres troupes. Sur un brancard, mais vivant.

Pendant sa convalescence bien sûr, il avait disposé de beaucoup de temps pour penser à Phoebe. Il avait ressenti un profond besoin d'elle et admis en fin de compte qu'il désirait savoir s'il existait la moindre chance qu'ils puissent avoir un avenir commun. Il avait envisagé d'essayer de la trouver, mais il ne souhaitait pas réellement l'appeler et lui dire qu'il était allongé sur un lit d'hôpital. Il avait donc attendu le moment de se sentir assez bien pour se mettre lui-même à sa recherche.

Mais, il n'avait jamais cessé de penser à elle et à chacun de tous ces trop brefs instants qu'ils avaient passés ensemble. Il avait aussi revécu mentalement l'instant où, au bal, s'étaient révélés ses sentiments — et ceux de Phoebe, il en était certain. Des sentiments qu'il avait laissés indéfiniment en suspens lorsque Melanie s'était tuée.

Puis il y avait eu l'enterrement de Melanie. Ou plus particulièrement ce qui s'était passé juste après. Seigneur ! S'il n'avait pas revécu cela des milliers de fois ! Encore n'était-ce qu'une estimation approximative.

Il n'oublierait jamais que ce jour-là, en dépit des circonstances, il avait pour la première fois fait l'amour à Phoebe. Et, sans qu'il puisse rien faire pour le repousser, il se laissa de nouveau envahir par le souvenir de ce qui s'était passé ce jour-là, après l'enterrement.

Il avait retrouvé Phoebe, assise sur la balancelle sous le treillis de roses grimpantes qui recouvrait un côté de la maison de son oncle.

— Tu vas bien ?

Visiblement surprise, Phoebe avait levé les yeux. Elle avait le regard fixe. Ses yeux étaient bouffis et rouges et Wade s'était rendu compte qu'il avait posé une question stupide.

— Je veux dire, je sais que ça ne va pas, mais je ne voulais pas… Je ne pouvais pas m'en aller sans t'avoir parlé.

Elle avait fini par faire un petit signe de la tête, l'air de fournir un énorme effort.

— J'avais seulement besoin d'une pause, avait-elle

murmuré. Je ne serai plus jamais capable de revenir ici et de reparler d'elle, tu sais, avait-elle ajouté d'une voix tremblante.

Le service funèbre était terminé ; la famille et les amis de Melanie s'étaient réunis chez le beau-frère de sa mère pour se consoler mutuellement, partager des souvenirs ou leur rendre simplement visite. Le plus terrible avait été qu'il avait fallu un enterrement pour tous les réunir et former de nouveau une famille…

Le père de Phoebe n'avait jamais fait partie du tableau, pour autant que Wade l'ait jamais su. Quant à sa mère, elle avait disparu au cours de la seconde année de lycée de ses filles. Les deux beaux-frères de Mme Merriman vivaient dans le même secteur, bien que Wade n'ait jamais entendu ni Phoebe ni Melanie parler beaucoup de cette famille recomposée. Il avait eu l'impression très nette que celle-ci n'avait pas vraiment approuvé le comportement de la mère de Phoebe.

Son regard s'était alors posé sur la jeune femme et une vague d'instinct protecteur l'avait submergé. Que n'aurait-il donné à cet instant pour revenir à cette nuit de bal !

Il avait failli accepter lorsque Mel lui avait demandé de s'en aller avec elle. S'il l'avait fait, peut-être n'auraient-ils pas été assis dans ce jardin à cet instant... D'un autre côté, s'il n'avait pas refusé, il n'aurait sans doute jamais pris conscience de la mesure de ses sentiments pour Phoebe.

S'efforçant de chasser ces pensées qui le hantaient, Wade s'était assis à côté d'elle avec précaution, s'attendant à ce qu'elle lui dise de s'éloigner.

Lorsqu'il avait appris la nouvelle de l'accident, il avait attendu qu'on vienne sonner à sa porte. Attendu que Phoebe se précipite sur lui en criant parce qu'il avait envoyé promener sa jumelle dans un tel état de fureur qu'elle avait enroulé sa voiture autour d'un arbre après avoir précipitamment quitté la soirée.

Mais Phoebe n'était pas venue. Elle n'avait pas téléphoné. Et il n'avait pas osé prendre contact avec elle. Le poids de sa culpabilité était si lourd qu'il n'arrivait presque pas à se mouvoir. En admettant que Phoebe en ait rajouté un peu plus, elle n'aurait pu que lui donner envie de s'engloutir lui aussi dans la terre.

La mère de Wade avait entendu parler des obsèques avant lui. Il ne lui était jamais venu à l'esprit que son fils pourrait ne pas y être le bienvenu, et il n'avait pas eu le courage de lui avouer la vérité. Il était donc parti assister au service funèbre en essayant de rester aussi loin que possible de Phoebe.

Elle devait, pensait-il, le haïr.

Pourtant, quand il l'avait vue seule, il avait compris qu'il devait lui parler, quels que puissent être ses sentiments pour lui.

Mais elle ne paraissait pas le détester. Au lieu de cela, elle avait posé la tête contre son épaule.

— Je voudrais être revenue à la semaine dernière, lui avait-elle dit d'une voix désolée.

— Moi aussi.

Elle paraissait aussi fragile que son apparence et Wade lui avait passé le bras autour des épaules.

Phoebe avait poussé un soupir et, à travers le fin tissu de son chemisier et de son T-shirt, il avait senti son haleine tiède sur sa peau.

— Pourrions-nous marcher un peu ?

— Bien sûr, avait-il répondu en se levant et en lui tendant la main.

Quand ses petits doigts s'étaient enroulés autour des siens tellement plus forts, Wade avait eu l'impression que tout son corps se mettait à chanter. Réaction totalement inappropriée — et dépourvue de sensibilité — en de telles circonstances.

Il lui avait fait traverser le verger et ils avaient pénétré dans la forêt qui s'étendait au-dessus de la maison, en suivant un chemin que les humains et la vie sauvage avaient ensemble créé. Un long moment, ils s'étaient contentés de marcher. Puis, quand le sentier s'était rétréci, Wade avait aidé

Phoebe à éviter les racines, à franchir les pentes raides et à contourner les rochers pour finir par traverser une petite crique.

Ils avaient fini par déboucher sur une petite cabane, tout à fait rustique.

— Qu'est-ce que c'est que ça ? avait-il demandé.

— Mes oncles l'utilisent de temps à autre quand ils viennent chasser par ici.

Entassé le long d'une des parois, il y avait un grand tas de bois, un coin idéal pour les serpents du coin. Quand Phoebe avait voulu avancer, Wade s'était placé devant elle, examinant le sol avec attention. Puis il avait poussé la porte de la cabane, s'y était engouffré et avait laissé Phoebe l'y suivre.

Il y avait à peine assez de place pour deux personnes debout. L'étroit espace contenait un poêle à bois, une hache dans un surprenant état de conservation, deux chaises de bois et une table pliante repliée contre le mur, un lit de camp avec un matelas rongé par les écureuils ou les souris, et deux étagères. L'une d'elles ployait sous un assortiment de boîtes de conserve et deux recharges d'allumettes. Sur l'autre, étaient posés une bouilloire, un pot joufflu et une maigre pile d'assiettes dépareillées contenant quelques cuillères et fourchettes. Ni électricité, ni lumière. Une lampe à huile et un seau étaient accrochés aux couchettes par des chevilles.

— Eh bien ! s'était exclamé Wade. Je suppose que c'est pour les cas d'urgence. En tout cas, il y a tout ce qu'il nous faut.

— Ils viennent ici pour nettoyer tous les ans avant le début de la chasse, lui avait expliqué Phoebe. Ils apportent des provisions ainsi que des serviettes et des couvertures.

L'air absent, elle avait tracé un cercle dans la poussière de la table.

— Nous avions l'habitude de venir jouer ici. Nous pensions que c'était le meilleur terrain de jeu du monde.

Nous, il le savait, signifiait elle et Melanie. Il pouvait concevoir qu'aux yeux des petites filles, ce lieu avait dû paraître extraordinaire. Mais il n'avait su que répondre maintenant qu'elle parlait de nouveau de sa jumelle, aussi avait-il préféré ne rien dire.

— Une fois, Mel s'est gravement piquée avec un gros hameçon que nous avions trouvé dans le ruisseau, avait poursuivi Phoebe.

Par la porte ouverte, elle avait pointé un doigt en direction de la colline vers laquelle vagabondait le petit ruisseau dans l'ombre tachetée de soleil, avant de retomber sur les rochers inégaux.

— Et j'ai vu un serpent sur cette pierre un autre jour.

En prononçant ces mots, elle avait eu un petit sourire.

— J'ignore lequel de nous deux a eu le plus peur. J'ai crié et lui n'aurait pas pu filer plus vite.

Elle avait alors fait un pas en arrière, obligeant Wade à reculer contre les lits superposés. Son corps avait légèrement frôlé le sien, et Wade s'était senti gêné par la réaction immédiate de son propre corps. Il s'était exhorté à se calmer. C'était bien le dernier moment pour avoir des pensées troublantes... Pourtant, Phoebe n'avait pas semblé remarquer l'état dans lequel le mettait le simple fait de se trouver si près d'elle. Elle regardait derrière la porte.

Lorsqu'il l'avait vue se figer, il lui avait posé les mains autour de la taille et l'avait écartée légèrement afin de voir ce qui l'avait fait tressaillir.

Et là, gravées dans le bois éraillé de la vieille porte, il avait aperçu des initiales.

PEM. MAM.

Phoebe Elizabeth et Melanie Adeline.

Wade avait retenu un sourire en repensant à quel point Mel avait toujours détesté son prénom. Elle s'en était toujours plainte, disant que Phoebe avait reçu le plus joli.

— Nous avons fait ça, avait murmuré Phoebe, quand nous avions dix ans. Je me souviens à quel point nous nous croyions audacieuses. C'était l'idée de Melanie, bien entendu.

Du doigt, elle avait caressé les initiales grossièrement tracées.

— Je ne l'ai jamais dit à personne et elle non plus, je pense. C'était notre grand secret.

Sa voix avait tremblé, et il avait su qu'elle retenait ses larmes.

— Nous nous étions promis d'amener un jour nos filles ici pour les leur montrer.

Aussitôt, le désir de Wade s'était évanoui, chassé par l'inquiétude. Il l'avait fait pivoter vers lui et, immédiatement, elle lui avait ceinturé la taille de ses bras et l'avait pressé contre lui, tel un petit animal creusant un trou pour se mettre à l'abri.

Puis elle avait éclaté en sanglots.

— Hé, avait-il dit doucement. Phoebe… Chérie…

Il avait fini par abandonner et s'était contenté de lui caresser les cheveux et de la laisser pleurer. Lui-même avait les yeux un peu humides. Comme elle, il avait connu et aimé Melanie. Même si elle s'était parfois conduite comme une sale gamine, elle avait fait partie intégrante de sa vie depuis qu'il était gosse. Pendant une courte période, elle avait été ce qui avait le plus compté dans sa vie jusqu'au moment où il avait compris qu'ils avaient très peu de choses en commun et qu'il ne serait jamais heureux avec elle.

Le moment où il avait décidé de couper les ponts.

Sauf qu'il avait accepté de se rendre à cette fameuse soirée. Il avait d'abord pensé que ce n'était pas une très bonne idée, mais qu'au moins, il pourrait peut-être s'amuser en revoyant des gens qu'il avait perdus de vue depuis longtemps. Au lieu de cela… il avait eu une révélation. Comment aurait-il pu imaginer un seul instant ce qu'il lui était arrivé ce soir-là avec Phoebe ?

Comment diable avait-il pu être aveugle à ce point ? Il y avait tant d'années qu'elle vivait la porte à côté…

Et il n'avait pas vu que la femme de ses rêves était là, juste sous son nez ?

Eh bien non, puisqu'il était même sorti avec sa sœur sans jamais prendre conscience que Phoebe était celle qu'il lui fallait.

Il l'avait compris en dansant, ce soir-là.

Hélas, Melanie aussi.

Même si la réaction de la jeune femme avait été compréhensible, avait-il maintes fois songé plus tard. Si elle n'avait pas été ivre, elle n'aurait jamais réagi aussi violemment en les voyant Phoebe et lui. Lui-même aurait dû se rendre compte à quel point elle avait perdu toute maîtrise d'elle-même. Mais il avait été bien trop absorbé par Phoebe pour y prendre garde.

Alors, si Melanie était morte, c'était sa faute.

A ce moment-là, Phoebe s'était étirée et avait levé la tête, et il avait oublié le sombre cours de ses pensées. La bouche de la jeune femme s'était posée au bas de sa gorge et il avait senti la tiédeur moite de son souffle le pénétrer.

— Hé, avait-il alors tenté de la retenir.

Il était difficile pour un garçon de prendre autant sur lui et là, il venait d'atteindre ses limites, même s'il doutait que Phoebe ait compris à quel point son geste était érotique. Il lui avait légèrement serré le bras et avait tenté de reculer.

— Nous devrions peut-être y aller ?

— Je ne suis pas pressée.

Elle avait parlé tout contre sa peau et cette fois, elle avait déposé un baiser délibéré, bouche ouverte, au même endroit. En même temps, enfer et délices, ses bras l'encerclaient toujours et le maintenaient serré contre chacun des points sensibles de son corps.

— Phoebe ?

La voix de Wade était rauque.

— Je crois que nous ne devrions pas…

Elle l'avait embrassé sous la mâchoire puis sur le menton. Quand elle s'était soulevée sur la pointe des pieds, son poids entier avait basculé contre lui, et il avait poussé un brusque soupir. Non, il n'allait pas baisser les yeux sur elle. S'il le faisait, rien ne pourrait plus l'empêcher de l'embrasser. Et s'il l'embrassait, rien ne pourrait l'arrêter au bout de quelques simples baisers.

Wade avait donc gardé les yeux fixés droit devant lui et avait serré les mâchoires…

Mais Phoebe lui avait alors pris le lobe de l'oreille entre ses dents et sa langue s'était mise à décrire de légers cercles à l'intérieur.

Wade avait poussé une sorte de râle de plaisir.

Et il avait baissé les yeux.

- 6 -

Wade revint tout à coup à la réalité, et se rendit compte qu'il se tenait toujours devant la porte d'entrée. Qu'il venait, par bonheur, de fermer. Sinon, quiconque, passant par là, se serait demandé ce qui pouvait bien le mettre dans un tel état…

Il secoua la tête à regret. Son organisme était en état d'alerte maximum depuis l'instant où ses yeux s'étaient posés sur Phoebe sous le porche, ce mercredi après-midi. Il n'y avait que cinq jours qu'il l'avait retrouvée, se souvint-il brusquement, et seulement deux qu'il avait emménagé avec elle. Et cependant, il éprouvait une impression familière, très agréable, comme s'ils vivaient ensemble depuis très, très longtemps.

C'était bizarre vraiment, puisqu'ils n'étaient jamais sortis ensemble et avaient encore moins vécu ensemble.

Mais tout cela allait bientôt changer.

Pour son premier jour seul avec Bridget, il se sentait plutôt en confiance, malgré son statut de novice. Phoebe lui avait montré comment utiliser les langes et lui avait préparé des biberons et de la nourriture pour bébé. Elle lui avait dit que Bridget se comportait bien tant qu'on s'en tenait à un horaire sûr. Il devait donc s'assurer de suivre les instructions qu'elle lui avait laissées.

Phoebe et lui s'étaient levés tôt et, tout en prenant leur petit déjeuner, elle avait passé en revue les dispositions qu'elle avait prises pour lui.

Puis elle était partie.

Elle avait eu du mal, il le savait, à passer la porte et à les laisser seuls. Elle ne lui avait pas dit une seule fois de l'appeler à l'école s'il avait le moindre problème, mais au moins dix fois de suite !

En souriant, il remonta l'escalier et pénétra dans la chambre de Bridget. Elle le regardait avec un grand sourire, et il sentit une bouffée d'amour l'envahir.

— Allez ma puce, lui dit-il en la prenant dans ses bras pour la sortir de son berceau, tu as bien mérité une promenade !

Il eut quelques instants de doute en habillant la fillette, mais quelques minutes plus tard, il sortit victorieusement sur le perron, sa fille dans les bras.

— A nous deux le grand air !

Il la promena longuement au parc du bout de la rue, pour profiter des rayons de soleil de la matinée, puis, après l'avoir ramenée à la maison, il lui donna son biberon. Il n'eut même pas besoin de la bercer. Il se contenta juste de la déposer dans son berceau car déjà, ses petits yeux étaient presque fermés. Ensuite, pendant qu'elle dormait, il ouvrit une grande enveloppe de courrier qu'il avait apportée avec lui au cas où il aurait du temps à tuer dans une chambre d'hôtel et se plongea dedans.

Bridget se réveilla environ deux heures plus tard. Il étendit donc la couverture sur le sol du living-room et joua avec elle jusqu'à l'heure du déjeuner. Phoebe lui avait dit qu'il devait nourrir rapidement Bridget s'il ne voulait pas qu'elle s'énerve.

Pourvu que l'enfant ne s'énerve pas ! Il aurait détesté devoir appeler Phoebe à l'aide. Il fit donc réchauffer la bouillie qu'elle lui avait préparée avant d'ouvrir un pot de compote d'abricots à mélanger avec des céréales. Bridget dévora le tout comme si elle n'avait pas mangé un vrai repas depuis un mois. Ce qui était une blague parce qu'il l'avait vue avaler la même quantité de bouillie au petit déjeuner. Sans oublier le biberon qu'il lui avait donné avant sa sieste !

Après le déjeuner, il fit le tour du jardin en

tenant la petite fille dans ses bras et ils jouèrent encore un peu avant sa sieste de l'après-midi. A son réveil, il la ramena dans le jardin pour jouer jusqu'au retour de Phoebe.

— Bonjour !

Wade jeta un coup d'œil de l'autre côté de la boîte aux lettres. Une femme d'un certain âge, vêtue d'une robe d'un brun fané recouverte d'un tablier de jardinier taché se tenait derrière la barrière entre les deux jardins. Elle avait l'air d'un elfe minuscule avec ses cheveux blancs ramenés en un chignon serré et ses yeux pétillants dont les coins se plissaient tandis qu'elle lui souriait.

— Bonjour, répondit-il.

Il se releva, souleva Bridget du carré de sable et main tendue, fit les quelques pas qui le séparaient de la barrière. Avant de lui avoir laissé le temps de dire quoi que ce soit, l'elfe lui étreignit la main avec une surprenante vigueur et lui actionna le bras dans un geste énergique de bienvenue.

— C'est tellement agréable de faire votre connaissance, monsieur Merriman. Je m'appelle Velva Bridley, je suis la voisine de Phoebe. C'est une jeune femme tellement, tellement adorable et quant à cette petite, il n'y a pas de mots pour dire à quel point elle est mignonne.

Elle pointa un doigt noueux vers le petit ventre

de Bridget, déclenchant le petit cri maintenant familier.

— Phoebe ne m'a jamais beaucoup parlé de vous. Etes-vous revenu pour de bon, maintenant ?

— Ah euh, oui, en effet. J'étais dans l'armée en Afghanistan. Mais oui, je vais rester ici, dit-il en glissant son mot pendant qu'il en était encore temps.

Il aurait sans doute l'occasion un peu plus tard de déterminer s'il n'avait pas commis une erreur.

— C'est merveilleux ! Tout simplement merveilleux. Bridget atteint juste l'âge où elle a besoin d'avoir son papa près d'elle. Je suis certaine que vous deviez être désespéré d'être à l'étranger quand elle est née. C'est ce qui me serait arrivé si mon Ira avait manqué un événement aussi important que celui-là. Tenez.

Elle plongea dans le panier accroché à son bras sans prendre même le temps de respirer et en tira une pleine poignée de fleurs roses.

— Ce sont les derniers mufliers de la saison. J'étais sur le point de les apporter à Phoebe à son retour mais vous pouvez les prendre et les mettre dans l'eau. Cela pourrait vous faire gagner quelques points, savez-vous ?

— Des mufliers ?

Il avait perdu le fil depuis déjà quelques phrases.

— Oui, des gueules-de-loup. Je les fais toujours germer à l'intérieur. Ne jamais les repiquer avant le 20 mai à cause des dernières gelées, disait toujours mon père. Alors je les fais démarrer dans la maison et je les sors au soleil bien avancées le 20 mai. C'est moi qui ai les premières du voisinage et aussi les dernières.

Et elle ajouta fièrement :

— Les miennes sont très robustes.

— C'est, euh, c'est magnifique.

Wade s'éclaircit la gorge.

— Ainsi, vous connaissez Phoebe depuis son installation ici ?

La vieille dame hocha la tête.

— Une gentille, gentille fille. Je lui ai apporté mon cake aux raisins que j'offre toujours à mes nouveaux voisins et nous nous sommes tout de suite bien entendues. J'ai été enseignante il y a longtemps, avant mon mariage avec Ira et, bonté divine, c'est étonnant à quel point les choses ont changé en cinquante années.

Wade sourit.

— Vous parlez comme mon père. Il retournerait avec joie cinquante ans en arrière vers ce qu'il appelle « le bon vieux temps ».

— Pas moi, non, pas du tout !

Velva secoua la tête.

— A moi l'ère de la technologie, à n'importe quel moment ! J'adore pouvoir passer un message instantané à mes petits-enfants et savoir ce qu'il sont en train de faire à la minute-même.

Wade faillit rire tout haut. Mais il fut incapable de dissimuler son sourire.

— Il est certain que les ordinateurs ont rendu la communication plus facile.

— Mon petit-neveu est en Irak, poursuivit Velva. Alors, quand sa femme reçoit un ou deux e-mails par semaine, cela lui est d'un grand secours. Je suppose que Phoebe et vous connaissez bien tout cela.

— Bonjour vous deux !

Wade se retourna brusquement. Phoebe se tenait sous le porche, derrière sa maisonnette.

Il la héla à son tour et se retourna vers Velva.

— J'ai été très heureux de faire votre connaissance, madame. J'espère que nous nous reverrons.

Elle prit un air amusé.

— Eh bien, puisque vous habitez à côté, je m'attends à vous voir de temps en temps. Maintenant, allez accueillir votre femme comme vous en avez envie.

Oh, la, la ! songea-t-il, cette femme n'a aucune idée de ce qu'elle est en train de suggérer.

Bridget toujours dans ses bras, il traversa le jardin à grandes enjambées et monta les marches menant au porche. Phoebe se tenait là, avec la jupe bleu marine et le pull assorti qu'elle avait mis pour aller travailler.

— Salut, dit-elle. Comment s'est pass…

La phrase s'interrompit brusquement. Wade lui avait passé un bras autour de la taille et l'attirant contre son côté libre avait plaqué sa bouche sur la sienne.

Il chercha sa langue, l'aspira légèrement avant de s'enfoncer plus loin, sentant le corps de Phoebe s'amollir et la tension de ses muscles se relâcher. Au moment où il s'était emparé d'elle, Phoebe avait levé les mains et s'était agrippée à ses épaules, mais au bout d'une minute, elle posa ses paumes à plat sur son dos et le caressa en remontant vers son cou.

L'embrasser était comme une drogue, décida-t-il, en positionnant le bébé de manière à attirer sa mère au plus près. Elle était grisante, oui, absolument grisante.

Quand son baiser se fit plus léger et qu'il laissa aller sa bouche, il poussa un long soupir.

— C'était pourquoi tout ça, exactement ? s'enquit Phoebe.

Elle avait le front posé contre son épaule. Ses mains descendirent le long de son torse et s'arrêtèrent sur ses avant-bras.

— Ack !

Bridget se poussa en avant et Phoebe leva les bras juste à temps pour l'empêcher de tomber.

— Hé, bonjour, ma douce, lui dit-elle. Nous n'avions pas l'intention de t'ignorer.

Son visage s'était empourpré et elle évitait le regard de Wade tout en couvrant de baisers le cou de sa fille et en la faisant rire aux éclats.

— Pour Mme Bridley, répondit Wade.

— Hum ?

Elle leva les yeux vers lui, et parut avoir oublié le lien avec sa précédente question.

— Le baiser, expliqua-t-il patiemment. Ta voisine est ravie que je sois revenu d'Afghanistan. J'ai pensé qu'il ne fallait pas la décevoir.

Le front de Phoebe se plissa.

— Oh !

Wade trouva plutôt gratifiant que son baiser ait pu lui faire perdre ses repères à ce point-là. C'était bon de savoir qu'il n'était pas le seul à ressentir cela.

Il passa la main derrière le dos de Phoebe et lui

tint ouverte la porte grillagée avant de s'effacer pour la laisser franchir le seuil de la cuisine.

— C'est instructif de savoir qu'elle pense que tu as un mari.

Phoebe parut interdite.

— Je ne lui ai jamais dit ça.

— Elle l'a supposé, à mon avis. Une femme vraiment intéressante.

Il avait appuyé sur l'adjectif et Phoebe finit par sourire.

— Oui, elle est unique.

— Le mot me paraît bien choisi. Comment s'est passée ta journée ?

— Ma… ? Oh, très bien. Et vous deux, comment vous êtes-vous entendus ?

— Super, affirma-t-il. Je suis arrivé à lui changer deux fois ses couches et à lui faire avaler plus de nourriture qu'elle n'en a recraché. Et elle a fait deux siestes. Alors, je dirais que nous avons réussi.

— Parfait.

Phoebe avait l'air très contente.

— Pas d'appel d'urgence en direction d'Angie ?

— Pas du tout. Pas un seul.

Il lui reprit le bébé des bras tandis qu'elle posait deux verres sur la table et les remplissait de glace et de thé sucré. Elle y ajouta une tranche de citron puis le remua avec une longue cuillère. Comme elle en faisait glisser un vers lui, Wade remarqua :

— Tu t'en es souvenue ?

Phoebe s'arrêta au moment où elle portait le verre à ses lèvres.

— Souvenue de quoi ?

Il fit mine de trinquer avec elle.

— Mon thé. Au citron.

Les couleurs de Phoebe étaient presque revenues à la normale depuis leur baiser sous le porche, mais elle s'empourpra de nouveau.

— Rien qu'une heureuse intuition, dit-elle.

Parfait, songea Wade, envahi d'un sentiment ardent. Elle s'était souvenue.

Il l'observa tandis qu'elle s'affairait à préparer le repas. Comme c'était bizarre, songea-t-il, de partir à sa recherche au hasard et de se retrouver à vivre avec elle, tout cela en moins d'une semaine.

Il avait prévu — du moins espéré — qu'elle serait libre et aurait encore des sentiments pour lui quand il aurait enfin retrouvé sa trace. Il avait réfléchi à la suite de son existence et compris qu'il souhaitait y inclure Phoebe. Mais il s'était attendu à la courtiser, à sortir avec elle jusqu'à ce qu'elle se sente bien en sa compagnie.

Au temps pour ses attentes, se dit-il en observant la scène de table intime, le bébé dans sa chaise à un bout et la facilité avec laquelle Phoebe tournait autour de lui comme s'il avait toujours été là sur son chemin.

Il se satisferait très bien de cela tous les jours, même si cela ne correspondait en rien à ce qu'il avait imaginé dans ses rêves les plus fous.

Au cours du repas, il lui parla d'autres pères. Celui d'un garçon de dix-huit mois rencontré un peu plus tôt au parc, et Phoebe lui raconta à son tour sa journée. Ensuite Wade posa Bridget dans sa chaise pour pouvoir aider sa mère à débarrasser.

— J'aimerais inviter mon père à nous rendre visite pour Thanksgiving ou Noël, lui dit-il enfin. As-tu une préférence ?

Elle le regarda avec de grands yeux.

— Thanksgiving ou Noël ? répéta-t-elle d'une voix faible. Les fêtes, c'est dans un peu plus d'un mois.

— Oui, dit-il, intrigué. Et alors ?

— Combien de temps exactement prévois-tu de séjourner chez moi ?

Il y avait dans sa voix une note qui ressemblait vraiment à de la panique. Wade la dévisagea, sans être certain d'avoir bien entendu.

— Je n'ai aucun projet de départ, répondit-il d'un ton neutre.

— Mais… mais, tu ne peux pas vivre toujours

avec nous ! Que se passera-t-il si… si je me marie ou n'importe quoi d'autre ?

— Si tu te maries ? Avec qui ?

Même s'il en avait eu l'intention, il n'aurait pu retenir l'agressivité manifeste de son intonation. Il n'avait encore aperçu aucune trace de la présence d'homme dans la vie de Phoebe, mais cela ne voulait pas dire qu'il n'y en avait pas un.

— Y a-t-il quelqu'un dont je devrais m'inquiéter ?

— Non.

A peine les mots étaient-ils sortis de sa bouche qu'elle la referma brusquement comme si elle était consciente de lui avoir donné un avantage tactique majeur.

— Bon.

Il se rapprocha d'elle et elle recula, mais la table était juste derrière elle et elle ne put aller plus loin. Wade avança encore jusqu'à être presque nez contre nez avec elle. Il lui bloqua les poignets entre ses mains puis, très lentement, se pencha vers elle jusqu'à ce que leurs deux corps soient collés l'un contre l'autre du cou jusqu'aux genoux. Comme la première fois sur la piste de danse, il ressentit ce petit frisson qui signalait la proximité du corps de Phoebe, ce sentiment que tout était bien et était à sa place.

— Si tu désires te marier, c'est parfait, dit-il. Mais le seul homme qui te passera la bague au doigt, c'est moi.

Elle en resta bouche bée. Elle se tenait tout près de lui, la bouche grande ouverte à s'en décrocher la mâchoire.

— Me marier avec… toi ?

Sa voix n'était plus qu'un murmure.

— Oui.

Au diable ! se dit-il, elle n'avait pas besoin de paraître aussi rebelle à cette idée !

— Pas question.

Son refus immédiat le fusilla, mais il n'était pas question de le lui montrer.

— Pourquoi pas ? Nous avons un enfant en commun.

— Ce n'est pas une raison pour se marier.

— C'est écrit, répliqua-t-il, luttant pour garder un ton uni. Toi et moi avons grandi dans la même communauté, nous partageons un tas de souvenirs. Nous devons à Bridget de lui donner une base solide.

Ses prunelles se rétrécirent.

— N'as-tu jamais souhaité avoir une enfance un peu différente ?

— Je… Non.

Elle secoua la tête, évitant son regard et il eut

envie de savoir ce qu'il se passait derrière ces yeux si bleus.

— Pourquoi pas ? demanda-t-il de nouveau. Donne-moi trois bonnes raisons de ne pas m'épouser.

Elle garda le silence, regard fuyant, tête baissée.

— Tu en es incapable, n'est-ce pas ?

Il lui tenait toujours les mains. Lentement, il les souleva et les plaça autour de son cou. Phoebe ne l'enlaça pas mais elle ne les laissa pas non plus retomber quand il les relâcha et qu'il l'entoura de ses bras pour la serrer plus fort.

— Nous sommes bien ensemble, Phoeby, dit-il d'une voix plus basse. Tu le sais aussi bien que moi. Nous nous connaissons parfaitement. Nous pourrions faire en sorte que ça marche.

Il lui posa une main sous le menton et souleva son visage vers le sien avant de poser lentement ses lèvres sur les siennes.

La bouche de Phoebe était tiède, ses lèvres dociles sous son baiser, et puis, peu à peu, elle commença à réagir et à lui rendre son baiser avec une ferveur croissante qui lui rappela la seule fois où il lui avait fait l'amour. Cette réponse réveilla en lui le désir d'elle qui gisait toujours juste sous la surface et, avec un râle arraché du fond de sa gorge, il la serra avec plus de force encore, en lui pressant la tête contre son épaule pour mieux explorer la saveur de sa bouche.

Phoebe s'agrippa à lui, lui accordant tout ce qu'il exigeait. Une des mains de Wade remonta le long de sa hanche et se faufila sous le rebord de son pull. Sous la ceinture de la jupe, la peau de Phoebe était tiède et soyeuse et Wade frissonna sous l'emprise d'une montée de désir d'une violence accrue.

— Epouse-moi, murmura-t-il tout contre sa bouche.

— Ce n'est pas loyal, dit-elle en écartant sa bouche juste assez pour laisser passer les mots.

Il égrena des petits baisers autour de ses lèvres.

— Je m'en fiche. Tout ce qui m'intéresse, c'est de faire de nous une famille.

Etait-ce un soudain effet de son imagination ou bien le corps de Phoebe venait-il de se figer légèrement ? se demanda-t-il.

Non, ce n'était pas son imagination. Phoebe s'arracha lentement à leur baiser, fit un pas en arrière et tira sur son pull.

— Accorde-moi le temps d'y réfléchir, dit-elle. C'est du restant de ma vie dont nous parlons maintenant.

Sa voix était calme mais il reconnut l'intonation. Lorsque Phoebe s'entêtait sur un point, il n'était pas question de la faire céder à moins d'utiliser de la dynamite. Et Wade en avait la vague intuition, cette fois, cela risquait de ne même pas suffire.

— C'est pour le restant de *nos* jours, lui rappela-t-il.

— Je sais.

Sa voix était lasse.

— Laisse-moi y réfléchir.

— Quand puis-je espérer une réponse ?

Elle étendit les mains devant elle.

— Je ne sais pas. Nous en reparlerons… à notre retour de Californie. D'accord ?

A regret, il hocha la tête. Il n'était pas très content de la réponse mais il préférait éviter de la forcer au risque de l'ennuyer pour de bon, et qu'elle en vienne à décider qu'elle ne voudrait pas de lui jusqu'à la fin de ses jours.

— D'accord, concéda-t-il.

Le week-end suivant, Wade s'occupa des préparatifs de leur voyage en Californie. Et à la fin de la semaine, le vendredi, ils s'en allèrent juste après la fin des cours de Phoebe, à l'heure du déjeuner.

Bridget protesta un peu au début du vol mais, après un biberon et quelques berceuses, elle se calma et s'endormit pour un bon moment. Phoebe contempla sa jolie petite fille nichée au creux de ses bras, et s'amusa une nouvelle fois de son petit menton décidé. C'était tout le portrait de son père.

Wade…

Son sourire s'effaça quand elle repensa à la proposition qu'il lui avait faite. Devenir sa femme… L'étau qui lui étreignait le cœur se resserra douloureusement. Wade désirait l'épouser afin de fonder un foyer pour leur enfant, et aussi parce qu'ils se connaissaient assez bien tous deux pour que cela puisse marcher…

Mais il n'avait pas parlé d'amour.

Pouvait-elle l'épouser en sachant qu'il ne l'aimait pas comme elle le souhaitait ? Oh, il avait de l'affection pour elle, elle n'en doutait pas. Il la désirait aussi, c'était clair. Mais il avait autrefois aimé et désiré Melanie, et Phoebe savait que sa sœur régnerait toujours sur le cœur de Wade. Elle, Phoebe, ne s'était jamais attendue à posséder même une toute petite part de lui, encore moins l'épouser et porter ses enfants. Alors, comment pouvait-elle se plaindre ?

Au moment où l'avion entamait sa descente, Phoebe jeta un regard de l'autre côté du hublot, et ce qu'elle vit chassa ses idées sombres. Là, juste au-dessous d'elle, se trouvaient Mission Bay et le parcours de golf de La Jolla. Puis l'université, la base navale, le zoo. Le phare, juché sur une falaise. Tous ces éléments familiers qu'elle avait quittés du jour au lendemain, et dont elle comprenait à présent à quel point ils lui avaient manqué.

L'autoroute qui conduisait vers le nord était encombrée par une intense circulation. Des files ininterrompues de voitures toutes plus grosses les unes que les autres se succédaient, pressées d'abandonner la cité derrière elles. En dépit de tout, Phoebe piaffait d'impatience de se retrouver au milieu d'elles.

Et de fait, ce fut ce qui lui arriva moins d'une heure plus tard. Wade avait loué un voiture pour le week-end prolongé car il n'en possédait pas lui-même. Il n'en avait jamais éprouvé le besoin auparavant, lui avait-il expliqué. Lorsqu'il revenait chez lui, il se contentait de conduire l'un ou l'autre des véhicules de ses parents.

Au bout d'une heure de route qui lui parut interminable, ils arrivèrent aux abords de leur ancien quartier, et Phoebe se rendit compte qu'elle retenait son souffle. Rien ne paraissait avoir changé. Il y avait toujours les mêmes petits jardins ombragés par des arbres en fleurs ; des tricycles, des vélos et des planches à roulettes encombraient cours et allées ; des fleurs aux couleurs flamboyantes ornaient la façade des petites maisons très bien entretenues.

On pouvait, elle le savait, apercevoir l'océan depuis le bout du pâté de maisons. Aussi, comme Wade arrivait au bout de l'impasse et se garait le long du trottoir, face à la maison de son père, Phoebe tendit le cou pour examiner la pente raide de la falaise de l'autre côté de la barrière de protection.

Elle ne pouvait discerner la plage, qu'on ne pouvait atteindre que par une route en lacets assez raide depuis le sommet de la colline, mais l'immensité de l'océan s'étendait juste sous ses yeux. Aujourd'hui, il était d'un bleu sombre et profond, agité de vagues qui pulvérisaient de l'écume dans toutes les directions. Telle une lame qui la giflait et la trempait tout entière, une vague de nostalgie emporta Phoebe.

Ce spectacle lui avait tant manqué ! Qui croyait-elle donc leurrer ? Elle n'était pas une fille de la côte Est. Elle adorait le Pacifique sauvage et indompté. Elle désirait que Bridget grandisse en gardant dans sa mémoire le souvenir des galets ronds et polis qui recouvraient la plage, de l'eau si froide qu'elle vous faisait claquer des dents. Elle voulait emmener sa fille à la jolie plage de Laguna Niguel où elle avait passé chaque année quelques jours de vacances, et lui raconter des histoires sur sa grand-mère et sur sa tante Melanie…

Mais ici, songea-t-elle, en avalant avec peine sa salive, c'était plus dur. C'était ici qu'étaient accumulés tous les souvenirs de sa sœur et de sa mère, et il y était bien plus difficile d'ignorer son chagrin et de passer simplement sa route. Ce point avait constitué l'une de ses motivations principales pour aller travailler à New York.

Maintenant, tel un boomerang, le passé auquel elle avait tourné le dos lui revenait en plein visage et, à cause de sa propre bêtise, elle devait faire en sorte que Wade cesse de fuir. Elle devait le laisser apprendre à connaître sa fille.

Le regard de Phoebe se braqua vers son ancienne maison, à quatre portes de là, au bas de la rue, et elle se demanda quelle sorte de famille y vivait désormais. Avaient-ils un animal domestique ? L'image de Boo-Boo, le caniche de sa mère, lui revint à l'esprit, et elle sourit en se rappelant ses frasques. Il avait fait des trous partout dans le jardin jusqu'à ce qu'il devienne trop âgé pour faire autre chose que se coucher sous le porche et japper quand les gamins du voisinage passaient à bicyclette.

Y avait-il des enfants ? De l'extérieur, il lui était difficile d'en juger. La porte du garage était fermée et il n'y avait dans la cour ni vélos ni équipements pour enfants. En outre, une haie élevée empêchait d'apercevoir le jardin derrière la maison. Et le citronnier que sa mère avait planté, était-il toujours là ?

— Hé !

La voix de Wade était calme.

— Ça va ?

Il lui toucha légèrement le dos.

— Oui, ça va, répondit-elle en redressant les épaules. Ça fait bizarre de revenir ici et de ne pas pouvoir rentrer chez soi, si tu vois ce que je veux dire.

Wade hocha la tête.

— Je peux l'imaginer. Même si je n'en ai pas fait l'expérience.

Bien que, d'une certaine manière, cela lui soit déjà arrivé, songea-t-il.

— Ce n'est pas trop dur, pour ton père ? demanda Phoebe. Je veux dire, sans ta mère ?

Il haussa les épaules.

— Ça peut aller. Tu sais, papa lui a toujours donné un coup de main pour le ménage et la cuisine. Ce n'est pas comme s'il était incapable de rien faire. Mais les choses ne sont plus pareilles…

Elle acquiesça en silence. Ça oui, elles n'étaient plus jamais les mêmes… Certains des moments les plus tristes de son existence avaient été les week-ends et les retours de l'université qu'elle avait passés à la maison au cours de la première année suivant la mort de sa mère.

D'abord, ce n'était plus comme avant entre Melanie et elle. Elles avaient souffert toutes deux. Pourtant, au lieu de les rapprocher, leur peine les avait isolées et Phoebe éprouvait toujours une certaine répugnance à revenir. Il lui était plus facile de rester sur le campus et de s'immerger dans sa vie là-bas que de retourner chez elle et de pénétrer de nouveau dans le monde silencieux du chagrin qu'elle partageait avec Melanie.

Mel avait continué à habiter la maison familiale et s'était inscrite à un centre d'enseignement voisin. Elle ne s'était jamais tout à fait éloignée de leurs souvenirs et à certains moments, Phoebe s'était demandé si Melanie lui en avait voulu pour cela. Sa sœur avait fait le choix de continuer à vivre là, mais sa douleur s'en était-elle pour autant adoucie ?

Phoebe souffrait elle aussi. De son côté cependant, la vie avait suivi son cours et quelque part sur sa route, elle avait pris la décision de l'imiter et de trouver son propre chemin, malgré le passé, malgré les épreuves. Le chagrin.

— Je suppose que tu sais tout de la façon dont les

choses changent après un tel… événement ? demanda à côté d'elle la voix tranquille de Wade.

Elle hocha la tête.

— Quand ta mère est morte, continua-t-il, les choses ont changé. Mais après la mort de Melanie, c'est tout ton univers qui est devenu différent, n'est-ce pas ?

La sereine compassion de son intonation était presque réparatrice.

— Oui, reconnut-elle. Perdre maman était dur, mais perdre Mel… Logiquement, je sais que sa mort n'a pas été le catalyseur qui a donné à ma vie un tour tellement inattendu, mais parfois, tout se passe comme si une chose en entraînait une autre.

Un petit silence se fit, soudain lourd d'une étrange tension.

— Peut-être, finit-il par lâcher.

On aurait dit que les mots lui étaient arrachés de la bouche et elle lui jeta un coup d'œil en se demandant ce qui pouvait bien clocher.

— Tu te sens bien ? lui demanda-t-elle en débouclant le siège de Bridget.

La question parut le surprendre.

— Oui.

Il désigna l'enfant endormie.

— Allons présenter la Belle au bois dormant à son grand-père.

Une boule dans l'estomac, Phoebe suivit Wade qui la guidait vers la porte que la famille avait toujours utilisée. Il l'ouvrit et lui fit signe de passer devant lui. Entré à son tour derrière elle, il appela :

— Papa ! Où es-tu ?

— Hello !

La voix profonde, grondante, qui ressemblait beaucoup à celle de Wade, venait de la cuisine.

Contournant Phoebe, ce dernier s'engagea dans le couloir menant dans la cuisine et un instant plus tard, son père apparut.

— Eh bien, en voilà une surprise ! Je te croyais encore sur la côte Est pour au moins un mois.

Les deux hommes s'étreignirent d'une manière typiquement masculine en se donnant des bourrades dans le dos.

Phoebe resta clouée sur place, horrifiée. Une surprise, avait-il dit ? Wade ne lui avait-il donc pas encore parlé de Bridget ?

— … Il y a quelqu'un ici que je voudrais te présenter, était-il en train de dire tandis qu'ils s'avançaient tous deux vers elle.

Dick, le père de Wade, sursauta en l'apercevant.

— Phoebe Merriman ! Je ne te savais pas de

retour en ville, chérie. C'est génial de te revoir… et qui est-ce donc ?

Sa voix était pleine de ravissement.

— Je ne savais même pas que tu étais mariée et maman.

D'un seul coup, un silence tomba, et une impression de gêne telle une épaisse fumée, emplit l'atmosphère.

— Oh, sapristi !

Dick se passa la main sur le visage.

— Oublie ça, veux-tu ? Les mamans n'ont pas besoin de se marier de nos jours, je le sais.

Il se dirigea en trébuchant vers Phoebe, qui se souvint que le vieil homme souffrait d'arthrite, ce qui l'obligeait à s'appuyer sur une seule hanche. Quand il arriva à son niveau, il examina l'enfant endormie au creux de son bras.

— N'es-tu pas une beauté ? demanda-t-il d'une voix tendre.

Il effleura la joue de Bridget puis enroula une boucle rousse autour de son doigt.

Un petit rire lui échappa.

— Elle a attrapé les cheveux roux des Merriman, dirait-on.

Phoebe hocha la tête et se força à sourire.

— Quand elle est née, toutes les infirmières ont

ri parce qu'ils se dressaient tout droit au-dessus de sa tête.

Wade s'éclaircit la gorge.

— Est-ce qu'on pourrait s'asseoir, papa ?

Dick se redressa et adressa à son fils un regard circonspect.

— Bien entendu. Tu m'apportes une mauvaise nouvelle ?

Wade secoua la tête.

— Non, je crois que tu vas apprécier celle-là.

Il fit passer Phoebe devant lui et la fit pénétrer dans le salon avant de s'asseoir à côté d'elle sur le canapé.

— Ce n'est pas très facile à raconter, alors je vais me contenter de dire les choses comme elles viennent. Phoebe et moi… hum…

Wade s'interrompit un instant et jeta un regard vers Phoebe, comme pour lui demander son soutien. Puis il se tourna de nouveau vers son père, et cette fois, il annonça d'un trait :

— Eh bien, voilà : le nom du bébé est Bridget, et je suis son père.

- 7 -

— *Je suis son père…*

Phoebe se demanda si les paroles de Wade produisaient sur son père la même sensation de choc que sur elle-même. Combien de temps allait-il encore lui falloir avant d'accepter que Wade soit bel et bien vivant — et qu'il revienne pour de bon dans son existence, du moins s'il parvenait à ses fins ?

Les yeux de Dick Donnelly s'élargirent de stupeur, et Phoebe vit Wade se figer devant l'air complètement perdu de son père.

— Te voilà grand-père.

Le regard de Dick vola vers Bridget.

— C'est… tu… c'est ma petite-fille ?

Wade hocha la tête.

— Pourquoi…

Son père s'éclaircit la gorge.

— Pourquoi ne me l'as-tu pas dit ?

— Il l'ignorait, se hâta de répondre Phoebe.

Elle avait beaucoup de mal à supporter l'expression peinée de Dick.

— Je suis désolée de ne pas vous en avoir tenu informé…

Mais Wade la coupa net.

— Phoebe me croyait mort. Elle a entendu que j'étais porté disparu, et après l'annonce de mes funérailles, elle m'a cru mort. Elle n'a jamais su par la suite qu'on m'avait retrouvé.

Dick releva brusquement la tête et son expression passa du choc à l'horreur.

— Oh, chérie. Si j'avais su où te trouver, je te l'aurais dit. Mais personne ne savait où tu étais partie, après…

— Je sais. J'avais besoin de prendre un nouveau départ.

Le père de Wade hocha la tête. Puis son regard revint se poser sur l'enfant dans les bras de Phoebe.

— Je peux l'imaginer.

Son regard fila de nouveau vers son fils.

— Comment l'as-tu retrouvée ?

Wade eut un rire bref et rauque.

— J'ai suivi à la trace toutes les personnes qui la connaissaient, dans l'espoir que quelqu'un pourrait me dire où elle était. J'ai enfin eu ma chance avec une de ses amies de lycée.

— Tu as dû avoir le choc de ta vie quand il est reparu bien vivant ?

— Choc est encore un terme trop faible, répondit-elle.

Mais il n'était pas question pour elle d'aller plus loin sur ce terrain miné.

— Voulez-vous tenir votre petite-fille ? proposa-t-elle pour changer de sujet.

— Et comment !

Le cœur de la jeune femme fondit devant le regard du vieil homme. Malgré l'air de profonde stupeur qui ne le quittait pas, il semblait ravi. Attendri.

Dick s'installa dans son fauteuil, et Phoebe s'approcha de lui pour lui mettre Bridget dans les bras. Il la serra délicatement contre lui d'une seule main et de l'autre, lui effleura doucement la joue.

— Oh oui, tu es une vraie petite beauté, murmura-t-il. Bridget. Bridget Donnelly. Voilà un beau nom bien irlandais.

Il secoua la tête et la lumière fit briller de fines larmes dans ses yeux.

— Ta grand-mère t'aurait adorée, il n'y a aucun doute à ça.

Phoebe sentit son cœur se serrer douloureusement et elle réprima un sanglot. Elle n'osa pas regarder Wade. Elle pouvait très bien imaginer son expression glaciale. Mais elle n'essaya pas de corriger la phrase de Dick concernant le nom de famille de Bridget. Il y avait un temps pour tout.

Comme Bridget commençait à couiner, Wade proposa :

— Donne-la-moi. Je vais voir si je peux la calmer.

Cette fois, Phoebe s'enhardit à lui lancer un coup d'œil, mais il ne la regardait pas. Il souleva le bébé et le posa contre son épaule. Son geste, au bout de si peu de temps, était d'un naturel étonnant. Bridget s'apaisa immédiatement et Wade sourit d'un air triomphant.

— Elle est en train de devenir la petite fille à son papa.

Phoebe se détendit, l'un des ces sots petits moments de la maternité qui arrivaient lorsqu'un enfant se conduisait bien. Avant Bridget, elle n'avait jamais compris comment les parents pouvaient être aussi tendus. A présent, elle le savait, une séance de hurlements au beau milieu d'un supermarché pouvait très rapidement changer votre façon de voir les choses.

Elle fouilla dans son sac et passa à Dick un album de photos dans lequel elle avait glissé des clichés de Bridget juste après sa naissance, et à différents moments de sa très jeune vie.

— J'ai pensé que vous seriez heureux de les voir, lui dit-elle.

Dick tapota la place à côté de lui sur le canapé, une expression pleine de douceur sur le visage.

— Et maintenant, raconte-moi ! Je veux tout savoir sur ma petite-fille !

— Je vais me joindre à vous, dit Wade d'une voix tranquille.

Phoebe leva les yeux vers lui, mais il regardait l'album et ne paraissait pas décidé à croiser son regard. Elle savait qu'il avait déjà examiné les photos des albums qu'elle tenait depuis la naissance de Bridget… mais, se rappela-t-elle, elle ne lui avait pas raconté grand-chose sur les premiers jours de sa fille.

Le remords la saisit pour la mille et unième fois et, imitant le geste de Dick, elle tapota le coussin à côté d'elle.

— Bonne idée. Je ne t'ai jamais dit que Bridget a failli naître au beau milieu d'un mariage ?

Wade se figea.

— Quoi ?

Elle le tira par le bras et il se laissa tomber

à côté d'elle, puis se mit à effleurer doucement le dos de Bridget d'un air distrait. En souriant, Phoebe ouvrit l'album. Sur la première page, elle avait collé le seul cliché qu'elle avait d'elle-même pendant sa grossesse.

— Cette photo a été prise le jour de la naissance de Bridget, raconta-t-elle. J'étais allée au mariage d'une collègue et le photographe a pris cet instantané avant le service religieux, alors que je me tenais près du livre de félicitations pour les invités.

Elle se mit à rire.

— Une excellente chose qu'il m'ait prise en photo juste à ce moment !

— Le travail a donc commencé au mariage ? demanda Wade d'une voix où semblait percer une inquiétude rétrospective.

— Le travail était déjà commencé, rectifia Phoebe. Mais j'étais trop sotte pour m'en rendre compte, du moins jusqu'à la moitié de la cérémonie. Je croyais juste avoir mal dans le dos à force d'être restée longtemps debout le jour précédent.

Dick partit d'un grand rire.

— Je suis sûr que tu ne seras pas aussi naïve la prochaine fois !

Un silence suivit son éclat de rire. Un silence prenant, se dit Phoebe à la recherche d'une réponse. Serait-elle jamais enceinte de nouveau ?

Wade désirait l'épouser... Pourtant, elle ne s'était pas encore réellement appesantie sur ce que cela pouvait impliquer. Désirerait-il avoir d'autres enfants, par exemple ?

Un frisson involontaire naquit au plus profond d'elle-même lorsqu'elle imagina la manière dont ces enfants devraient être créés. Ce fut comme si d'un seul coup, toutes les cellules de son corps se tendaient vers le grand corps de Wade, assis si près d'elle qu'elle pouvait en sentir la chaleur.

D'un geste vif, elle lui plaça l'album photo entre les mains et bondit sur ses pieds.

— J'aimerais bien me rafraîchir un peu.

Parfois, tout se passe comme si une chose en entraînait une autre.

La phrase de Phoebe n'avait cessé de le hanter. Etendu sur le petit lit à une place de sa chambre d'enfant, Wade pouvait encore entendre le chagrin vibrer dans sa voix.

Et il avait l'impression d'être le dernier des derniers. Oh bien sûr, elle ne l'avait pas dit et il était même pratiquement certain qu'elle n'avait pas pensé à la façon dont il l'avait comprise. Mais, il le savait, sa vie n'aurait jamais été ce qu'elle était devenue sans son intervention.

C'est-à-dire s'il ne l'avait pas mise enceinte.

S'il avait retenu ses mains, s'il lui avait donné le réconfort dont elle avait vraiment besoin — et non du sexe — pour lui faire oublier sa peine, s'il avait été un peu moins ce propre à rien trop absorbé par lui-même… Si, si, si.

A quoi bon revenir en arrière ? Les choses étaient ce qu'elles étaient, voilà tout. Phoebe et lui avaient un enfant désormais. Tous deux avaient le devoir envers Bridget de résoudre leurs problèmes et de lui donner le foyer heureux et équilibré dont elle avait besoin.

Raison pour laquelle il devait trouver un moyen de pousser Phoebe à l'épouser. Or la jeune femme avait eu l'air si opposée à cette idée qu'il en avait été surpris, et peiné. Pourquoi diable sa proposition l'avait-elle mise dans un tel état ? Ce n'était pas physique, il en était certain. L'alchimie était tellement forte entre eux qu'elle aurait pu faire démarrer un feu de brousse.

Incapable de dormir, il se leva et descendit pieds nus dans le salon. Le petit album photo que Phoebe avait donné à son père était posé sur la table basse. L'éclairage de la rue projetait des rayons de lumière à travers la pièce et Wade saisit l'album pour le feuilleter. Phoebe avait consacré un peu de temps quelques heures auparavant, à les faire pénétrer dans la toute jeune existence de Bridget. On la voyait roulant sur elle-même, assise, le jour de sa première dent. Des détails qui, à l'époque, l'auraient bien fait rire si les types mariés de son unité lui avaient raconté ce genre d'anecdote, songea-t-il avec un petit sourire.

— Wade ?

Surpris, il faillit lâcher l'album mais le rattrapa juste à temps. Phoebe se tenait sur la dernière marche de l'escalier.

— Que fais-tu ?

Elle avait dénoué ses cheveux. Malgré l'ombre qui régnait dans la pièce, Wade pouvait deviner qu'ils étaient longs. Plus longs qu'un an et demi auparavant. Jusqu'à présent, il ne s'en était pas rendu compte parce qu'elle les portait ramassés en un chignon lâche au-dessus du crâne. Cela aurait pu être ridicule mais curieusement, c'était charmant. Et même plus car, il en était maintenant persuadé, elle ne l'avait pas fait pour essayer de produire exprès un petit effet. Pour Phoebe, relever ses cheveux relevait purement du domaine pratique. Tandis que s'il s'était agi de Melanie, elle se serait sans doute escrimée sur sa coiffure une bonne heure devant son miroir pour atteindre la perfection…

Melanie. Allaient-ils toujours devoir parler

d'elle ? Son souvenir n'en finissait pas de flotter entre eux comme un de ces ballons gonflés à l'hélium qui danse au bout d'un fil entre les mains d'un gamin.

Avant même qu'il ait pu se rendre compte de ce que Phoebe avait l'intention de faire, elle était au bas des marches et lui posait une petite main fraîche sur le front.

— Te sens-tu malade ?

Il la regarda, si proche de lui parmi les ombres du salon, avec ses grands yeux inquiets.

— Non, dit-il. Je ne suis pas malade.

Aussitôt, elle voulut ôter sa main mais il la retint.

— Ne pars pas.

Elle s'immobilisa sans prononcer un mot. Son regard vola de nouveau vers son visage au moment où il l'attira vers lui par la main. Il enfouit ses doigts dans ses cheveux, lui prit la joue au creux de sa paume et laissa courir son pouce sur ses lèvres. Phoebe avala difficilement sa salive.

— Wade, je…

Elle s'interrompit et secoua la tête.

— Je suis heureuse que nous soyons venus voir ton père.

Wade sourit. Sa main quitta le visage de Phoebe

pour jouer avec les mèches fraîches et soyeuses de sa chevelure.

— Moi aussi. Bridget en fait déjà tout ce qu'elle veut. Merci de l'avoir laissé lui donner son biberon ce soir.

— Il n'a pas cessé de parler d'elle. Tu as remarqué ?

— Il avait l'air un peu ridicule, non ?

— Comme quelqu'un que je connais.

— Hé ! Je n'ai pas l'air ridicule.

— Tu as raison. Juste gaga. Totalement, ridiculement gaga.

— Impossible de ne pas l'être, admit-il. Elle est parfaite.

— Eh bien, presque… Enfin, peut-être, concéda-t-elle.

— Et elle ressemble beaucoup à sa mère, poursuivit-il. Elle mène les hommes par le bout du nez.

Phoebe s'insurgea doucement.

— Tu sais très bien que je n'ai jamais mené les hommes par le bout de quoi que ce soit.

Un silence tomba. Le temps de digérer la réplique.

D'un seul coup, les pensées de Wade s'envolèrent vers la cabane dans les bois où il lui avait fait l'amour.

Elle s'était enroulée autour de lui. Ses longues

jambes minces s'étaient agrippées à ses hanches tandis qu'il plongeait en elle avec si peu de retenue qu'à ce seul souvenir, il tressaillit et son corps réagit aussitôt.

— Je dois t'avouer que je ne suis pas d'accord sur ce point, dit-il, conscient de la tonalité rauque qu'avait soudain pris sa voix.

Phoebe poussa un léger gémissement et baissa la tête. Dans ce mouvement, ses cheveux retombèrent, dissimulant son visage.

— Disons que les mots sont mal choisis.

Du doigt Wade lui releva le menton. Elle n'avait peut-être pas envie de parler de Melanie, mais il n'allait quand même pas lui laisser ignorer ce qu'il y avait aussi entre eux.

— Pas si mal que ça. Cela me rappelle quand je te faisais l'amour.

De nouveau, son pouce lui caressa la lèvre.

— Tu te souviens comment c'était, nous deux ?

Elle retint son souffle et son corps se raidit. Un instant, il crut qu'elle n'allait pas lui répondre du tout. Mais enfin, elle murmura :

— Je m'en souviens.

Wade fut plus qu'heureux de ces trois petits mots qui impliquaient son acquiescement. Glissant les bras autour d'elle, il la serra contre lui.

— Fabriquons-nous un nouveau souvenir.

Il trouva sa bouche ; elle ne résista pas. Le pouls de Wade se mit à battre à coups redoublés lorsqu'il sentit ses mains se glisser vers son cou. Sa bouche était douce et réclamait la sienne, son corps aussi. Caressant du bout de la langue la ligne fermée de ses lèvres, Wade suivit délicatement le tendre sillon jusqu'à ce qu'il s'ouvre à lui, puis il approfondit son baiser.

Il lui saisit les bras et les enroula autour de son cou sans cesser de couvrir sa bouche de baisers brûlants. Alors, s'abandonnant entre ses bras, elle se pressa contre lui et il sentit ses courbes douces, vibrantes de sensualité, épouser son corps transporté de désir. Passant une main derrière son dos, il resserra encore un peu plus intimement son étreinte, jusqu'à ce que son sexe durci se presse contre elle, lui tirant un gémissement de plaisir.

Arrachant sa bouche de celle de la jeune femme, il déposa une série de petits baisers le long de son cou soyeux avant de repousser l'une des bretelles de sa chemise de nuit sur son épaule, exposant une généreuse étendue de peau claire.

— Tu es belle, souffla-t-il tout contre elle.

Délicatement, il lui emprisonna un sein dans sa paume, et du pouce en effleura la pointe à travers le mince tissu.

Un léger son s'échappa des lèvres de Phoebe et sa tête retomba en arrière.

Soudain, la voix de Dick retentit non loin d'eux.

— La petite était tellement agitée que…

Il s'arrêta au milieu de l'escalier, Bridget dans ses bras. Malgré la chiche lumière, Wade put distinguer l'expression étonnée de son père.

Avec une exclamation de surprise, Phoebe se rejeta brusquement en arrière et tenta de s'écarter, mais Wade refusa de la laisser aller. Tandis qu'il croisait le regard de son père, elle tourna la tête et l'enfouit contre son torse.

— Tu veux en faire une deuxième, c'est ça ? lança Dick.

Wade ne put retenir un léger rire.

— Non, papa, dit-il. Enfin ce n'est pas vraiment ce que j'avais prévu…

En entendant Dick rire à son tour, Phoebe releva la tête et croisa son regard amusé.

— Alors, conclut-il, vous allez vous marier ?

— Oui, dit Wade.

— Non, dit Phoebe.

Dick les regarda à tour de rôle avec un tel air d'étonnement que si la situation n'avait pas été aussi gênante, Phoebe aurait presque pu en rire.

— Je vois, murmura le vieil homme avant de se détourner vers l'escalier.

Il remonta avec le bébé qui semblait s'être rendormi. Mais, juste avant de disparaître, il s'arrêta et jeta un coup d'œil derrière lui. Ses yeux assombris avaient une expression sérieuse qui contrastait avec le sourire qui avait précédé.

— Cela plairait à ta mère, déclara-t-il à l'intention de son fils.

Puis son regard tomba sur Phoebe et elle vit ses épaules s'affaisser.

— Parfois, fit-il en secouant la tête d'un air accablé, je n'arrive toujours pas à croire que ta mère n'est plus ici. Comme elle aurait été folle de joie de connaître cette petite fille...

— Vieux manipulateur ! dit Wade d'un ton tranquille lorsqu'il fut certain que son père était hors de portée de voix.

Phoebe se détacha légèrement de Wade, sans toutefois oser lever les yeux vers lui. Elle ne pouvait encore se résoudre à croiser son regard. Les dernières paroles de Dick résonnaient à ses oreilles, réveillant toute la culpabilité et le remords qu'elle avait ressentis d'avoir gardé pour elle la nouvelle de la naissance de l'enfant de Wade.

En examinant la voie que son existence était sur le point de suivre, point n'était besoin d'être voyante pour prédire qu'elle en aurait le cœur brisé. Encore une fois pourtant, si elle n'épousait pas Wade, ce serait une capitulation.

Mais elle allait dire oui, elle le sut avant même d'ouvrir la bouche. Elle préférait vivre avec Wade, sachant qu'il ne l'aimait pas comme elle le désirait avec tant d'ardeur, plutôt que de vivre sans lui. Elle l'avait cru mort et parti pour toujours et c'était comme si une moitié d'elle-même était morte avec lui.

Elle allait donc le prendre, de n'importe quelle façon, sans se soucier de la douleur qui l'attendait, elle en était convaincue.

— D'accord, prononça-t-elle alors d'une voix calme.

— Pardon ?

Wade paraissait perplexe. Son regard était toujours fixé sur l'encadrement de la porte où son père était apparu l'instant précédent.

— D'accord, répéta-t-elle. Je t'épouserai.

Cette fois, elle retint toute son attention. Le regard de Wade vola de nouveau vers le sien et ses prunelles grises se fixèrent sur elle avec une brûlante intensité qui la fit chavirer.

— Est-ce parce que mon père nous a surpris

en train de nous embrasser que tu as changé d'avis ?

Phoebe haussa les épaules.

— J'ai seulement... Je crois que Bridget mérite d'avoir une famille. Une famille intacte, corrigea-t-elle.

Il était dans le vrai, songea-t-elle tout en parlant. Un enfant était une bonne raison pour se marier. Chaque enfant méritait d'avoir ses deux parents.

Et des grands-parents aussi, ajouta-t-elle en son for intérieur. Elle n'oublierait jamais qu'elle n'avait pas pu connaître son grand-père maternel. Ne serait-ce qu'un jour, un mois ou même des années et des années, elle aurait au moins dû réfléchir à ce qu'ils auraient ressenti.

Wade baissa les yeux sur elle. Ses prunelles étaient comme deux rayons incisifs qui la fouillaient jusqu'à l'âme, et elle se sentit de nouveau vaciller. Seigneur, venait-elle vraiment d'accepter d'épouser cet homme ? Cet homme qu'elle avait aimé dès son enfance sur leur terrain de jeux ?

Après tout, elle avait de bonnes raisons pour cela. Bridget avait besoin d'un père ; elle méritait une enfance stable entre ses deux parents. Elever un enfant avec un salaire d'enseignante était toujours possible, mais ce ne serait pas facile. Avec l'aide de Wade, ils pourraient offrir à leur fille tout ce que Phoebe désirait pouvoir lui donner : musique ou leçons de danse, rencontres sportives, enfin les myriades d'activités auxquelles se livrent les enfants du monde moderne.

Pourtant, au fond d'elle, Phoebe n'avait besoin que d'une seule raison pour épouser Wade : l'amour. Elle l'avait aimé depuis ce qui paraissait être toujours. Ensuite il était mort et elle avait dû l'accepter, même si elle avait éprouvé le sentiment que son cœur en resterait brisé à jamais.

Et puis… et puis, elle avait découvert qu'il n'était pas mort du tout.

Son stupide cœur avait rebondi plus vite que sa tête et elle avait encore du mal à croire que tout cela était bien réel. Mais son cœur lui, n'éprouvait aucune difficulté à aimer Wade avec plus d'intensité encore que lorsqu'elle avait dix-sept ans et que le garçon appartenait à sa sœur.

— Bien, dit enfin Wade.

Phoebe émergea avec un sursaut du débat intérieur qu'elle menait avec elle-même.

L'expression qui passait sur son visage allait de la tendresse à la plus profonde tristesse que Wade ait jamais vue.

— Alors quand ? poursuivit-il, pas tout à fait sûr de vouloir connaître le sujet d'une si intense réflexion.

Une fois encore, elle parut surprise.

— Est-il obligatoire d'en décider ce soir ? demanda-t-elle.

Wade hocha la tête.

— Oui. Avant que tu ne changes d'avis.

Puis il fit claquer ses doigts, comme s'il venait de trouver la solution miracle.

— J'y suis ! Sur le chemin du retour, nous pourrions nous arrêter à Las Vegas.

Devant l'expression horrifiée de Phoebe, il faillit éclater de rire.

— Il n'est pas question que je me marie dans une de ces chapelles de mariages express dans la capitale mondiale du jeu ! De plus, que ferions-nous de Bridget ?

Il haussa les épaules.

— On l'emmènerait avec nous.

— Non, dit-elle. Il n'en est absolument pas question. Rentrons à New York et comme tous les gens normaux, demandons une licence de mariage, attendons de l'obtenir et faisons les choses comme il faut. Je n'ai aucune intention de raconter à Bridget que nous nous sommes mariés à Las Vegas sur un coup de tête.

— Ou à nos autres enfants.

Incapable de résister au plaisir de la taquiner, Wade arborait un air innocent.

— Nos autres…

Phoebe s'interrompit et ses prunelles parurent se rétrécir.

— Tu as dit ça rien que pour me faire réagir, n'est-ce pas ? dit-elle d'un ton accusateur.

Une grimace amusée fendit le visage de son compagnon.

— Ç'a marché ?

Phoebe ne put retenir un sourire.

— J'en ai l'impression.

Wade l'enlaçait toujours, profondément conscient du battement de son pouls, de la douceur de ses courbes, de la manière dont ses hanches s'appuyaient contre les siennes. Le regard planté dans celui de Phoebe, il la pressa un peu plus intimement contre lui, et il éprouva un tel sentiment de bien-être qu'une sorte de râle voluptueux faillit lui échapper.

— J'ai envie de toi, murmura-t-il en un souffle.

Phoebe ferma les yeux.

— Pas ici.

Sa voix était si douce qu'il eut peine à l'entendre.

— Non.

Il plaqua un bref baiser sur les lèvres roses et pleines.

— Pas ici. Mais bientôt.

- 8 -

Descendus d'avion à New York, ils quittaient l'aéroport. Bridget venait de s'endormir dans son siège auto lorsque Wade lança :

— Merci de m'avoir laissé emmener Bridget voir mon père. Il l'a adorée.

Il jeta un coup d'œil à Phoebe, un sourire un peu incertain sur les lèvres.

— Inutile de me remercier, dit-elle.

Le sourire de Wade s'effaça.

— J'aurais dû prendre contact avec toi dès que j'ai su que j'étais enceinte.

Entre eux flottait comme un non-dit, la certitude que la mère de Wade n'avait pas su qu'elle allait avoir un petit-fils ou une petite-fille.

— Tu aurais dû, oui, admit Wade.

Du siège du conducteur où il se trouvait et même sans la regarder, il aurait pu jurer que le corps de Phoebe s'était raidi. A l'intérieur de la voiture, la température venait à l'évidence de se rafraîchir de plusieurs degrés. S'il avait cherché la guerre, songea-t-il, il aurait pu se satisfaire de la première salve, mais…

— Mais je comprends pourquoi tu ne l'as pas fait, enchaîna-t-il. Et peut-être cela n'aurait-il pas eu autant d'importance.

En même temps que les mots, la dure bulle de colère dissimulée au plus profond de lui finit par remonter à la surface et éclater.

— Le corps de ma mère n'en pouvait plus. Après sa première attaque, j'ai appris pas mal de détails supplémentaires sur ces attaques, leurs causes, et le genre de progrès que pouvaient faire les malades qui en souffrent. Des détails sur les thérapies, aussi… Et à vrai dire, c'est sans doute une bénédiction pour elle et mon père qu'elle n'ait pas eu à vivre des années avec des fonctions diminuées.

— Comment peux-tu dire ça ? Tu ne crois pas que ton père aurait préféré la voir vivante quel que soit son état physique…

— Je suis certain que si. Mais pendant ma convalescence, j'ai vu pas mal de victimes de blessures à la tête et des soldats qui avaient fait une attaque après de très graves blessures. Et je sais que ma mère n'aurait jamais voulu vivre ainsi.

Il s'interrompit un instant.

— Il n'y a pas de dignité dans certaines conditions d'existence. Je n'aurais souhaité cela pour aucun d'eux.

Phoebe approuva de la tête et ses cheveux lisses et souples glissèrent sur le dos de sa main. On aurait dit de la soie et l'esprit de Wade, orienté vers une seule pensée, se projeta vers la nuit qui s'annonçait.

La nuit où après avoir mis Bridget au lit, ils seraient enfin seuls tous les deux.

Seuls…

Les heures qui suivirent s'écoulèrent rapidement. Arrivés derrière la maison de Phoebe, ils déchargèrent la voiture et prirent un tardif repas. Avec le décalage horaire, ils avaient perdu trois heures pendant le voyage de retour vers l'est, mais il était toujours 20 heures lorsqu'ils déposèrent Bridget dans son berceau pour la nuit.

Debout devant le petit lit, ils la contemplèrent un long moment.

— Elle est magnifique, murmura Wade.

Phoebe sourit.

— Oui, n'est-ce pas ?

Un bras autour de ses épaules il l'entraîna hors de la chambre. Phoebe ferma la porte avec soin, et quand elle se retourna vers lui, elle croisa son regard avec un sourire un peu forcé et laissa échapper un soupir.

— Je suis un peu nerveuse, dit-elle en riant.

Wade sourit.

— Tu n'as aucune raison de l'être.

La prenant par la main il l'entraîna vers la chambre, puis vers le grand lit où elle avait l'habitude de dormir. Seule… Les mains posées sur ses épaules, il l'attira vers lui et se contenta de l'étreindre, grisé par l'étourdissante sensation de tenir Phoebe entre ses bras. A son tour, elle glissa les bras autour de sa taille et se blottit contre lui.

L'instant était doux, si doux. Le cœur de Wade se gonfla d'une exquise émotion. *Je t'aime*, pensa-t-il.

Il faillit le dire tout haut. Il aurait très bien pu le faire, mais il n'était qu'un froussard. Un sacré, un abominable froussard.

La nuit où ils avaient dansé, il avait bien cru que Phoebe lui avait démontré qu'il comptait pour elle. Mais pourrait-elle garder ces sentiments très longtemps ? Bien sûr, elle avait fait l'amour avec lui — après les obsèques de sa sœur, dans un moment où aucune personne sensée n'aurait pu affirmer qu'elle disposait de tout son jugement. Puis, selon toute apparence, elle avait été ravie de le revoir après l'avoir cru mort. Mais il était le père de son enfant et ils étaient amis depuis l'enfance, raisonna-t-il. Elle n'avait donc pas besoin d'être amoureuse de lui pour manifester sa joie de le revoir vivant.

Elle devenait tellement calme chaque fois que le nom de Melanie surgissait dans la conversation, que Wade avait du mal à le supporter. Lui en voulait-elle ? Dieu sait qu'elle n'aurait pas eu tort.

Jamais, au grand jamais, il n'aurait dû laisser Mel s'en aller seule cette nuit-là.

Aussi préféra-t-il ne pas parler. Le silence même de Phoebe suggérait que son cœur n'était pas entièrement acquis à leur relation et cela le rendait nerveux. Il était possible qu'elle ne lui pardonne pas la mort de Melanie, mais il n'était pas question de la laisser l'écarter de son existence. Il l'aimait, même s'il ne parvenait pas à le lui dire.

Cette nuit, eh bien, il le lui démontrerait.

Il s'immobilisa près du lit et la prit entre ses bras. Au bout d'un instant, elle leva le visage vers lui et, le cœur battant, il abaissa sa bouche vers la sienne. Quoi qu'il puisse y avoir d'autre entre eux, ce qu'il ressentait lorsqu'il était si proche d'elle et de son corps si troublant ne ressemblait à rien de ce qu'il avait jamais vécu. C'était plus fort, plus intense, presque douloureux. Magique. Une véritable alchimie.

Wade l'embrassa un long, très long moment, comme s'il voulait lui faire comprendre par ce baiser tout ce qu'il n'osait pas lui dire. Il lui fit l'amour avec sa bouche jusqu'à ce qu'ils en perdent le souffle et que leur sang se mette à battre dans leurs veines au même rythme que leur cœur.

Quand il glissa une main sous le T-shirt de Phoebe, elle frissonna, et quand il la débarrassa du fin tissu, elle leva les yeux vers lui, un air gourmand dans le regard. Ses longs cheveux s'étaient déployés sur ses épaules, mettant en valeur le soutien-gorge de dentelle blanche qu'elle portait, et ce fut comme s'il ne pouvait détacher les yeux de ce spectacle infiniment troublant.

— Tu es si belle, dit Wade.

D'une main passée derrière son dos, il dégrafa son soutien-gorge, et tandis que la minuscule pièce de dentelle découvrait la rondeur ferme et pleine de ses seins, gonflés de désir, il retint son souffle. Il les prit en coupe entre ses mains et ses pouces en effleurèrent les pointes sensibles, et la jeune femme laissa échapper un petit gémissement qui le ravit. Wade sourit et baissa la tête vers ses seins offerts pour en goûter la tendre chair, et les gémissements redoublèrent.

Alors, n'y tenant plus, il se redressa, et se déshabilla à la hâte, impatient de sentir la peau nue et soyeuse de Phoebe contre la sienne, brûlante. Il s'approcha de nouveau d'elle, nu, plein de désir, et fit glisser à ses pieds le pantalon qui la couvrait encore, révélant des jambes parfaites, exactement comme il se les rappelait. Alors, sans la quitter des yeux, il passa un doigt sous l'élastique de sa petite culotte de dentelle, et la dévêtit entièrement.

Il se délecta du splendide spectacle qu'elle lui offrait, puis il l'attira à lui et l'allongea sur le lit.

— As-tu la moindre idée du nombre de fois où j'ai rêvé de cet instant ? murmura-t-il, avant de la rejoindre et de presser son corps contre le sien.

Du bout des lèvres, il effleura ses seins tendus par le désir, avant de relever la tête vers elle.

— Tu m'as tenu chaud pendant pas mal de ces damnées nuits glacées dans l'autre moitié du monde.

Bouleversé, il vit des larmes emplir ses yeux.

— Je t'en ai tellement voulu d'être parti, dit-elle. De ne pas m'avoir dit au revoir. Et puis… et puis…

Et puis, elle l'avait cru mort. Parti pour toujours. Dans les yeux de Phoebe, Wade put lire toute l'angoisse qu'elle avait éprouvée.

— Chut, dit-il. Je suis là et je ne m'en irai plus jamais.

Il lissa de la main la peau soyeuse de son ventre et tête penchée, prit de nouveau un mamelon dans sa bouche. Phoebe se cambra sous sa caresse, tandis que ses mains s'enfonçaient dans ses cheveux pour mieux le retenir. Ivre de désir, il avait l'impression qu'il ne pourrait jamais se rassasier du goût de sa peau, de ses petits gémissements de plaisir, de la sentir s'abandonner sous ses caresses. Mais il en voulait plus, bien plus.

Il se redressa légèrement et vint presser son sexe raidi contre sa peau brûlante, contre la douce toison entre ses cuisses. Alors, sans plus attendre, il la pénétra d'un mouvement puissant.

— Détends-toi, bébé, ça va bien, dit-il en la sentant si contractée.

Il cessa de se mouvoir et chacun de ses muscles resta en attente, bien que son corps lui criât de continuer à bouger. Un sentiment de culpabilité le rongeait maintenant. Il aurait dû d'abord penser à Phoebe. Au lieu de cela, il avait juste été capable de vouloir la pénétrer en force.

Un instinct qui n'était même pas tout à fait sexuel, mais un quelque chose de plus qui le poussait à poser son empreinte sur chaque centimètre de sa peau, d'y laisser son odeur et le souvenir de son contact, de la faire sienne une nouvelle fois de la manière la plus élémentaire qui soit.

— Je suis désolée, chuchota Phoebe, en se tortillant un peu, l'air mal à l'aise. On m'a fait deux points de suture quand Bridget est née et…

— Chut, répéta-t-il, en cueillant des lèvres une larme au coin de son œil. Tout va bien se passer. Nous ne sommes pas pressés.

Elle respirait à grandes bouffées rapides. Ses seins se soulevaient dans sa lutte pour coopérer et Wade comprit qu'il devait venir à son aide.

Il ne voulait surtout pas que sa première fois après la naissance de Bridget puisse devenir un souvenir qu'elle désirerait écarter à jamais.

Il se souleva et s'éloigna un peu d'elle. Puis sa main se faufila entre eux. Il la fit descendre le long du ventre de Phoebe jusqu'au point où leur deux corps se rejoignaient. Alors, avec légèreté, il effleura son sexe moite du bout du doigt.

Un sursaut involontaire la souleva, l'entraînant plus profondément en elle et le cœur de Wade battit follement, au bord de l'explosion. Il l'entendit retenir sa respiration, et murmura :

— Ça te plaît ?

Il sentit plus qu'il ne la vit hocher la tête dans l'obscurité. Enhardi, il se mit à dessiner un cercle autour de sa chair brûlante pour la caresser doucement, tout en entamant un doux et langoureux mouvement de va-et-vient. Les hanches de Phoebe commencèrent à onduler sous lui, et ses muscles frémirent. Les siens tremblaient aussi dans l'effort qu'il faisait pour ne pas bouger alors que tout en lui le pressait de la prendre sans attendre, de se laisser aller au torrent de désir qui le consumait. Pourtant, il parvint à se maîtriser.

Les hanches de Phoebe se mouvaient maintenant sur un tempo régulier et délicieux, accompagnant le rythme qu'il lui insufflait, et il l'entendait pousser des petits cris de plaisir chaque fois qu'il se perdait en elle. Tout le corps de Wade à présent ne réclamait plus qu'une chose : laisser libre cours au feu qui l'envahissait.

— Oh oui, soupira-t-il entre ses dents serrées. Oh bébé, je suis désolé. Je ne peux pas… je ne peux pl…

Attendre, voulut-il dire. Il n'en eut pas le temps. Sans avertissement, Phoebe se cambra sous lui avec un cri de plaisir, et il fut saisi par la sensation incroyable de la sentir emportée par des vagues puissantes de sa jouissance, encore et encore. Toute maîtrise abandonnée, il accéléra le rythme, haletant, et alors que Phoebe était encore agitée par les spasmes de la volupté, il sentit son propre corps prendre son élan, se rassembler et s'abandonner dans un jaillissement brûlant de plaisir qui dura et se prolongea jusqu'à ce qu'ils gisent tous deux complètement épuisés, cherchant leur souffle.

La tête sur l'oreiller contre celle de Phoebe, il lui sourit lorsqu'elle se tourna vers lui et lui posa un baiser sur les lèvres.

La douceur de son geste le confondit. Comment avait-il pu quitter cette femme sans lui dire auparavant qu'il avait l'intention de revenir afin de la faire sienne pour toujours ? Il s'était tellement tourmenté à l'idée de ce qu'il lui avait fait à un moment où elle souffrait et était vulnérable ; tellement déterminé à lui accorder un peu d'espace pour réfléchir, qu'il avait failli perdre sa chance à jamais.

Que se serait-il passé si, après avoir appris qu'il avait été tué, elle avait rencontré et épousé quelqu'un d'autre ?

Il n'osait même pas y penser.

Il préféra plutôt se concentrer sur une question qui n'avait cessé de le tracasser depuis leur discussion du week-end précédent.

— Alors, demanda-t-il, quand veux-tu te marier ?

Il la sentit sourire contre son cou.

— J'ai l'impression que tu as déjà une date en tête.

— Oui… Hier ! Combien de temps faudra-t-il pour obtenir une licence ici, à New York ?

— Je n'ai aucune idée de la législation en vigueur ici, dit-elle. Puisque tu restes à la maison cette semaine, pourquoi ne te renseignerais-tu pas ? Comme ça, dès que nous aurons la licence, nous pourrons nous rendre tout droit au palais de justice.

— Très bien. Est-ce ce que tu désires ? Une cérémonie civile ?

Phoebe haussa les épaules, un mouvement qui déclencha une exquise réaction en chaîne dans le corps de Wade.

— Je n'ai pas besoin d'un grand mariage à l'église, si c'est ce que tu demandes. Ce ne serait pas dans la norme, étant donné que nous avons déjà un enfant.

Elle s'interrompit avant d'ajouter :

— A moins que tu n'estimes que ce soit important pour ton père. Comptes-tu l'inviter ?

Le souci qu'elle manifestait pour les sentiments de son père réchauffa le cœur de Wade.

— Je l'inviterai, oui, mais je doute que papa soit décidé à prendre l'avion. Même pour nous. Il ne se formalisera pas si nous nous marions ici.

— Très bien.

Phoebe hocha la tête, l'air de considérer que la chose était entendue.

— Tu n'auras qu'à te mettre en quête de toutes les formalités que nous devrons accomplir et nous choisirons une date.

Il approuva de la tête.

— Je m'en occupe.

Il bougea un peu les hanches, et sourit lorsqu'il sentit le corps de Phoebe se plaquer contre le sien.

— Hum, dit-il. Je me demande ce que nous pourrions bien faire en attendant ?

Phoebe se mit à rire et attira sa tête contre la sienne. Comme il recommençait à l'embrasser, une idée germa soudain dans l'esprit de Wade. Il venait de trouver ce qu'il allait lui offrir en cadeau de mariage. C'était un peu inhabituel, mais c'était le cadeau idéal, il en était certain. Alors elle comprendrait tout ce qu'il ressentait pour elle. Et qu'il avait enfin fait la paix avec son passé. Il était grand temps, pensa-t-il, d'envoyer certains fantômes reposer en paix. Mais cela pouvait bien attendre le lendemain.

Pour l'instant, il avait beaucoup mieux à faire…

Une semaine s'écoula, puis deux. Ils décidèrent finalement de se marier au cours de la première semaine de décembre. Ce serait une cérémonie très simple au palais de justice du comté et Phoebe avait prévu de prendre un jour de congé.

Un soir du début novembre, Wade lui annonça :

— J'ai passé une annonce aujourd'hui, afin de trouver un emploi dans le secteur privé. La perspective de rester coincé derrière un bureau à travailler pour le ministère des armées et d'être obligé de déménager tous les deux ans ne me séduit pas du tout.

Phoebe leva les yeux des feuilles qu'elle annotait.

— De quel emploi s'agit-il ?

Wade s'empara d'un dossier sombre et luisant qu'il venait de consulter et le lui tendit.

— Sécurité privée.

— Comme garde du corps ?

Phoebe essaya de ne pas manifester sa consternation. Garde du corps, cela signifiait peut-être qu'il devrait vivre avec ou près de son employeur, se dit-elle. Et peut-être même voyager avec lui.

— Pas exactement.

Wade sourit.

— J'ai entendu parler de cette société par un de mes amis qui a fini son service militaire et est allé travailler pour eux. Cette boîte propose un certain nombre de services spécialisés. On l'appelle dans les affaires d'enlèvements et aussi dans des opérations que le gouvernement désire effectuer sans le crier sur tous les toits. Ils ont mis au point des services de protection pour les personnes et les biens. L'année dernière, ils ont aussi mis en place un service de sécurité pour une énorme exposition de bijoux.

— Comment s'appelle cette société ? C'est dans le coin ?

— Protective Services Inc.

Wade eut une hésitation.

— Le siège se trouve en Virginie, mais ils comptent étendre leurs activités et mettre en route au moins une extension. La première sera basée à L.A.

— Nous devrions donc nous installer là-bas ?

Il hocha la tête.

— Si tu n'y vois pas d'inconvénient.

— Non, dit-elle avec un sourire. Cela ne me dérangerait pas. Sais-tu pour quel genre de travail ils t'engageraient ?

— En fait, j'espère diriger l'ensemble du bureau, dit-il. C'est le poste qu'ils cherchent à pourvoir et mon grade d'officier m'en a donné la compétence.

Il sourit de nouveau.

— La Longue Ligne Grise est partout.

Phoebe le fixa, un air d'incompréhension sur le visage.

— Quoi ?

— La Longue Ligne Grise, répéta-t-il. Les officiers de l'académie militaire américaine sont appelés ainsi à cause de la couleur grise de l'uniforme qu'ils portent lorsqu'ils sont encore cadets. Les diplômés de West Point sont en contact informatique avec le monde entier. Un soldat en retraite qui travaille pour les services secrets a obtenu son diplôme quelques années avant moi. L'un des copains de Walker a parlé à un de mes amis qui savait que j'allais sans doute chercher un job et lui a dit un mot en ma faveur.

— C'est stupéfiant. Tu n'avais même pas cherché dans ce secteur, n'est-ce pas ?

— Pas exactement. Mais j'avais déjà décidé de quitter l'armée pour raison médicale. Donc, cela pourrait très bien marcher. Et je crois que ce genre de défi me plairait beaucoup.

Il fit une petite grimace.

— Je me serais ennuyé à mourir à faire toujours le même travail, jour après jour.

— C'est la raison pour laquelle j'aime mon métier d'enseignante, approuva Phoebe. Il y a toujours quelque chose qui m'interpelle. Un enfant avec un besoin particulier, une nouvelle approche à tenter, et même les réunions de parents d'élèves m'ennuient rarement.

— Je suis sûr que tu es une excellente enseignante, dit Wade.

— Je m'y efforce. A mon avis, enseigner aux futures générations est l'une de nos tâches les plus importantes.

Elle fit un geste en direction des piles de devoirs posés devant elle.

— Et à propos de tâches, je ferais mieux de me remettre à mes copies d'orthographe.

— Tu parles comme un prof ! dit-il avec un sourire éclatant. Ça m'excite.

Phoebe suspendit son geste et leva les yeux vers lui.

— Le langage des enseignants t'excite ?

Wade quitta son fauteuil et s'avança vers elle.

— Absolument. Tu veux voir ?

— Wade !

Phoebe fit un vain effort pour lui échapper lorsqu'il l'attira et la serra contre lui.

— Il faut que je finisse de noter ces devoirs. Je n'en ai pas pour longtemps.

Il s'arrêta.

— Combien de temps ?

— Pas longtemps.

Elle retourna son poignet pour consulter sa montre.

— Dix minutes à peu près.

— Dix minutes ? Désolé, je ne pourrai pas attendre aussi longtemps.

— Tu es impossible, dit-elle comme il baissait la tête et posait sa bouche sur la sienne puis la soulevait pour l'appuyer contre lui.

— Impossible à dissuader, murmura-t-il tout contre sa peau.

Il déposa une myriade de baisers sur sa joue avant de lui pincer le lobe de l'oreille du bout des lèvres. C'était chaque fois un tel délice pour Phoebe qu'elle sentit ses genoux se dérober sous elle. Elle noua les bras autour de son cou et renversa la tête en arrière. Wade fit aussitôt glisser sa bouche le long de la peau soyeuse du cou ainsi offert, et du bout des lèvres, il se mit à lui mordiller l'épaule. Phoebe fit entendre un murmure de plaisir et Wade sentit le feu du désir embraser tous ses sens.

Il se courba, glissa les bras sous ses genoux et la souleva comme une plume, avant de l'emporter vers l'escalier dont il monta les marches quatre à quatre.

— Je suis trop lourde pour toi, protesta-t-elle. Tu vas te faire mal. Remets-moi par terre.

Il partit d'un grand rire.

— Sais-tu combien de kilos je portais quand je crapahutais au flanc d'une montagne ? Fais-moi confiance, chérie, tu n'es pas trop lourde.

Il s'arrêta en haut des marches pour l'embrasser passionnément.

— De plus, ajouta-t-il lorsqu'il releva la tête, quand j'avais un fardeau à porter en montagne, je ne m'attendais pas à quelque chose d'aussi excitant une fois arrivé au sommet !

Il ne lui fallut qu'un instant pour grimper les marches et gagner la chambre de Phoebe. Et à peine un petit instant de plus pour traverser la pièce et remettre Phoebe debout à côté du lit.

Bien qu'elle eût refusé avec obstination de se laisser aller à penser à lui au cours des heures où elle ne dormait pas, Phoebe avait rêvé de Wade sans discontinuer, même lorsqu'elle l'avait cru mort.

Mais aucun de ses rêves n'avait jamais approché la réalité grisante d'être dans ses bras. Même maintenant, il lui arrivait parfois encore de ne pas être certaine que tout cela soit bien réel.

Wade la déshabilla à la hâte, avant d'envoyer valser ses propres vêtements à l'autre bout de la pièce. Et quand ils furent nus tous les deux, il se pressa contre elle, et, d'une main, il s'empara d'un de ses seins. Ses pouces frôlèrent avec délicatesse les mamelons rosés, et il les sentit se durcir sous ses caresses. Tout comme il sentait son membre se durcir de plus en plus contre sa peau brûlante.

Wade arracha son regard du spectacle des splendides seins laiteux qui lui emplissaient les paumes pour la regarder au fond des yeux. La passion exaltée qu'il y vit le transporta. Il lui prit la main et la guida entre eux vers son sexe brûlant.

— Aide-moi, dit-il.

Quand la main se referma sur lui, il sursauta. Savourant la sensation soyeuse de ce corps dur et tendu, Phoebe raffermit son étreinte et entreprit un mouvement qui le combla de plaisir, d'abord lent, puis plus rapide, toujours sensuel. Haletant, Wade se pressa un peu plus contre elle.

— Laisse-moi te prendre, murmura-t-il d'une voix rauque.

Doucement, Phoebe le guida vers le triangle palpitant niché au creux de ses cuisses, et se frotta contre lui. Alors, n'y tenant plus, il la pénétra, et laissa échapper un râle. C'était si bon de la sentir palpiter autour de lui, brûlante, moite, offerte…

Elle plaqua les mains sur ses fesses, comme pour le presser de bouger et il accéléra son va-et-vient, imprimant son rythme à leur deux corps, jusqu'à ce qu'elle crie de plaisir. Alors seulement, tout son corps se raidit, il cria son nom d'une voix rauque, et il se laissa emporter par une jouissance sauvage qui le laissa pantelant, à la recherche de son souffle.

Lorsque enfin Phoebe put à son tour respirer, penser, elle s'étira et lui déposa un baiser sur l'épaule.

— Pas mal…, murmura-t-elle avec un petit sourire.

Wade eut un petit rire.

— Seulement pas mal ?

Il roula sur le côté et l'attira dans ses bras. Phoebe se détendit contre lui, ravie d'être ainsi câlinée.

— C'était mieux que pas mal, plastronna-t-il. Une maîtrise parfaite, tu veux dire.

— Vraiment ? En ma qualité d'enseignante, je peux t'affirmer que toutes les études ont démontré que lorsqu'une compétence a été maîtrisée, une certaine dose de pratique est ensuite nécessaire pour la renforcer.

— Ah bon ?

La main de Wade descendit avec douceur vers sa hanche et effleura ses courbes rebondies.

— Dans ce cas, le pense que nous allons devoir nous entraîner jusqu'à ce que nous soyons certains que tout est parfait.

Ce fut au tour de Phoebe de rire.
— Ça pourrait prendre un moment, dit-elle.
Wade fit semblant de réfléchir.
— C'est bien possible, admit-il.

- 9 -

Le vendredi, Wade avait un entretien d'embauche avec la compagnie installée en Virginie, cette fameuse société spécialisée dont il avait parlé à Phoebe, qui ouvrait un nouveau bureau. Il avait déjà rencontré le directeur des ressources humaines et l'entretien d'aujourd'hui, annonça-t-il à Phoebe, devait cette fois avoir lieu avec le propriétaire de la société.

— Il va t'adorer, dit-elle en soulevant sa tasse de café tandis qu'il se levait pour mettre les assiettes dans le lave-vaisselle.

Ils s'étaient installés dans une agréable routine. Les matins, ils prenaient le petit déjeuner ensemble, et quand Phoebe rentrait de l'école, le soir, Wade s'était en général occupé des préparatifs du repas. Elle-même s'arrangeait pour ne plus passer autant de temps sur ses copies quand elle en rapportait à la maison, et après le dîner, ils allaient ensemble mettre Bridget dans son lit, puis ils se couchaient eux aussi.

Du moins, corrigea-t-elle mentalement, ils allaient dans la chambre. Mais ils ne dormaient pas…

Car chaque nuit il lui faisait l'amour, attisant le feu qui les consumait, les transformait en un furieux brasier de désir. Au matin, elle se réveillait entre ses bras, avec une incroyable impression d'irréalité.

Phoebe avait mis plus d'un an à s'habituer à l'idée que Wade ne ferait plus jamais partie de sa vie, et pendant la moitié de cette période, elle l'avait cru mort. Parfois, il lui paraissait difficile de croire qu'elle pouvait vraiment être heureuse. Même si le mot bonheur était une pâle description des sentiments qui la ravageaient lorsqu'elle passait la porte le soir et le voyait qui l'attendait, tenant leur fille dans le creux de son bras musclé.

Lorsqu'il l'attirait vers lui pour l'embrasser à en perdre haleine, elle était capable de faire taire l'unique petite voix dérangeante au fond de sa tête qui lui rappelait que Wade la désirait peut-être… mais qu'il ne l'aimait pas.

— Ne t'inquiète pas pour Bridget, lui dit-elle. Angie veillera sur elle toute la journée.

Wade approuva de la tête.

— Si ça ne marche pas, je pourrai être de retour

à la maison pour le déjeuner. Si ça marche… je reviendrai tard.

Phoebe se haussa sur la pointe des pieds pour l'embrasser pendant qu'il remettait de l'ordre dans son uniforme. Il était content de sa façon de dire *la maison*. Comme s'ils étaient déjà une famille…

— Bonne chance, dit Phoebe.

Elle le regarda monter dans la voiture de location qu'il avait gardée et lui fit un signe au moment où il s'éloignait.

— Je t'aime, murmura-t-elle.

Serait-elle jamais capable de le dire à voix haute ? se demanda-t-elle. Wade paraissait heureux et, c'était clair, il était enthousiasmé par sa paternité. Et lorsqu'il la touchait… eh bien, ils n'avaient vraiment aucun problème de ce côté-là.

Une vague tiède l'envahit, et elle se sourit à elle-même. Il lui arrivait quand même de temps à autre de surprendre Wade le regard perdu dans le vide, une expression lointaine sur le visage, et elle se demandait alors à quoi il pouvait bien songer.

En fait, elle avait peur de le savoir. Et elle craignait de lui poser la question.

Melanie, bien sûr.

Oh bien sûr, elle se rappelait tout ce qu'il s'était passé le soir du bal, la façon dont il la contemplait comme si elle était un nouveau trésor qu'il venait de découvrir.

Mais cela n'avait duré qu'une seule nuit. Et même alors, au moment où il avait compris à quel point Melanie était bouleversée, il avait été prompt à courir derrière elle.

Pour la rassurer et lui dire qu'il n'y avait rien entre lui et Phoebe ?

Elle ne le saurait jamais. Exactement comme elle ne pourrait jamais savoir à quelle fréquence il pensait encore à sa sœur, et si son cœur souffrait souvent de l'avoir perdue à jamais.

Les incertitudes de Phoebe, les sentiments qui avaient dominé ses rapports avec sa sœur la plus grande partie de sa vie, remontaient à la surface et de temps à autre, monopolisaient son attention, lui rappelant que Wade avait appartenu à Melanie.

Et jamais à elle.

En vérité, il paraissait satisfait désormais. Mais cela pouvait-il avoir un quelconque lien avec les rapports si familiers induits par leur vieille amitié ? Avec sa récente paternité ? Ou bien encore avec le sentiment de culpabilité de l'avoir laissée seule et enceinte ?

Peut-être bien les trois à la fois ?

Mais maintenant, il était avec elle, essayait-elle de se rassurer. Il ne pourrait pas lui faire ainsi l'amour s'il n'éprouvait pas un petit quelque chose pour elle, n'est-ce pas ? Allons, il fallait cesser d'être aussi pessimiste.

La journée à l'école se traîna. Phoebe n'arrêtait pas de se demander comment se déroulait l'entretien de Wade. Au cours de la journée, elle consulta son mobile à maintes reprises pour vérifier si elle avait eu des messages, mais il n'avait pas appelé. Et même si elle ne s'était pas attendue à ce qu'il le fasse, elle s'inquiétait à la pensée que les choses aient pu mal se passer.

D'ailleurs, songeait-elle, il n'appellerait sans doute pas si l'entrevue n'avait pas été fructueuse. Depuis le temps qu'elle le connaissait, Wade avait toujours été quelqu'un de très réservé sur ses sentiments profonds ; Phoebe suspectait que s'il n'avait pas envie de parler, chercher à lui arracher la plus mince bribe d'information frisait la mission impossible.

Ce ne fut que lorsqu'elle arriva en vue des contours familiers de sa maison que son moral remonta. Bridget était à l'intérieur avec Angie. La vue de sa fille, la sensation de son petit corps serré entre ses bras était toujours un baume pour elle dans les moments de tristesse.

Angie était assise sur le canapé, jambes croisées devant la télévision et regardait un feuilleton lorsque Phoebe franchit le seuil.

— Bridget a été formidable aujourd'hui, l'informa Angie. Je l'ai couchée vers 2 heures pour sa sieste et elle ne s'est pas réveillée avant 4 heures. J'ai posé le journal et le courrier sur la table.

— Merci beaucoup, dit Phoebe. J'apprécierais que tu partes le plus tôt possible.

— Pas de problème, répondit la jeune fille. Il faut que j'aille réviser pour mon test de psycho, c'est demain !

— Bonne chance.

Au moment où la jeune fille s'éclipsait, Phoebe lui fit un clin d'œil et lui sourit. Ensuite, elle posa son sac contenant les copies de la journée et se débarrassa de ses chaussures avant de se diriger vers la cuisine en quête d'une boisson.

En sirotant son thé, elle jeta un coup d'œil sur le courrier qu'Angie avait déposé sur la table. Elle écarta deux factures, jeta à la poubelle trois offres de cartes de crédit et saisit deux enveloppes de courrier apparemment personnel qui retinrent son attention.

La première missive était une lettre de remerciement d'une enseignante à qui ses collègues et Phoebe avaient offert un cadeau de mariage. La seconde portait une adresse de retour inconnue en Californie. Sa curiosité maintenant éveillée, Phoebe déchira l'enveloppe et en sortit une unique feuille de papier.

« Cher monsieur Merriman, » lut-elle.

« Les Mères Contre l'Alcool au Volant (MCAV) vous remercient de votre don généreux à la mémoire de votre être cher, Melanie Merriman. Permettez-nous de vous exprimer nos plus profondes condoléances pour la perte que vous avez subie. Melanie devait être une jeune femme tout à fait spéciale.

» Avec votre don… etc, etc. »

Interdite, Phoebe ramassa l'enveloppe et relut l'adresse du destinataire avec plus d'attention. L'expéditeur s'était trompé de nom : il avait écrit Wade Merriman et Phoebe n'avait même pas remarqué que la lettre ne lui était pas adressée. En outre, un avis de changement d'adresse était superposé à la première et elle se rendit compte qu'elle avait été réexpédiée depuis la maison de son père en Californie.

Elle relut la lettre et soudain, son sens — horrible — lui sauta aux yeux, faisant éclater la fragile petite bulle d'espoir qu'elle s'était autorisée à abriter en elle.

Wade avait fait une donation à la mémoire de Melanie — *à la mémoire de votre être cher* — à une organisation charitable connue sur le plan national pour ses programmes éducatifs pour lutter contre l'alcoolisme au volant.

Son être cher… Phoebe reçut un coup au cœur.

Un sentiment de désolation la submergea et des larmes lui picotèrent les yeux.

Non qu'elle regrettât l'argent donné ou la pensée. Une part d'elle-même se réjouissait de savoir que la mémoire de sa sœur avait été honorée. Mais désormais, elle n'avait aucun moyen de prétendre que son mariage avec Wade ne serait autre chose de plus qu'une union de convenance.

Maintenant, elle en avait la certitude : c'était sans espoir. Wade ne l'aimerait jamais.

Parce qu'il était toujours amoureux de sa sœur.

Phoebe se laissa tomber sur une chaise de cuisine et relut encore la lettre deux fois. Puis elle prit conscience du fait que si elle ne lui avait pas été réexpédiée, elle n'aurait jamais appris l'existence de la donation.

Sans prévenir, un sanglot lui échappa et elle plaqua une main sur sa bouche. Mais elle ne pouvait nier la vérité qui s'étalait devant elle et ses efforts pour résister aux larmes étaient futiles. Elle avait toujours su que Wade ne l'aimait pas, essaya-t-elle de se consoler. Elle n'aurait donc pas dû être aussi bouleversée.

Pourtant, elle l'était. Et pas simplement bouleversée. Elle était dévastée.

Comment l'épouser, dans ces conditions ? Son cœur n'aurait pas la possibilité de battre aussi douloureusement, jour après jour. Elle s'était leurrée en se persuadant qu'elle pourrait aimer Wade suffisamment pour réussir son mariage. Même pour le bien de son adorable petit bébé qui dormait là-haut, elle ne pourrait s'y résoudre.

A cette pensée, un autre sanglot enfla dans sa gorge et les larmes commencèrent à ruisseler sur son visage. S'abandonnant à son chagrin, Phoebe enfouit la tête entre ses bras et se mit à pleurer.

Wade pénétra dans la maison en se demandant où était Phoebe. Le moniteur du bébé au bout de la table était silencieux. Elle n'était donc pas dans la chambre de Bridget. Peut-être faisait-elle un petit somme ? C'était peu probable. Peut-être alors avait-elle emmené Bridget au jardin ?

Traversant le living-room, il se dirigea vers la cuisine — et s'arrêta net en l'apercevant. Affaissée sur une chaise, elle avait la tête cachée entre ses bras posés sur la table. La peur s'empara de Wade.

— Phoebe ! Mon cœur, qu'est-ce qu'il y a ?

Il se précipita vers elle. Etait-elle malade ? Etait-il arrivé quelque chose à Bridget ? Dans sa peur, il eut l'impression que son cœur s'arrêtait de battre.

— Il y a quelque chose qui ne va pas ? s'écria-t-il. C'est Bridget ?

Il s'agenouilla près de la chaise et lui passa un bras autour des épaules pour l'attirer contre lui et la réconforter. Phoebe se releva aussitôt d'un bond et s'enfuit de l'autre côté de la cuisine.

— Ne fais pas ça, dit-elle entre deux sanglots. Ne fais pas ça !

Elle farfouilla dans un tiroir à la recherche d'un mouchoir en papier et se détourna, les épaules secouées par des frissons de douleur.

— Bridget va bien, murmura-t-elle.

Une énorme vague de soulagement submergea momentanément Wade, avant de revenir en force lorsqu'il comprit qu'elle ne lui avait rien dit sur elle-même.

— Alors de quoi s'agit-il ? Es-tu…

Il eut de la peine à prononcer le mot.

— Malade ?

Elle se retourna vers lui avec vivacité, comprenant ce qu'il sous-entendait. Sa mère était tombée malade et était morte ; celle de Wade également.

— Oh non, Wade. Il n'y a rien qui ne marche pas chez moi.

Sauf que… il y avait bien quelque chose. Ses yeux étaient gonflés à force d'avoir pleuré, son nez tout rouge. Elle s'essuya les yeux et se moucha pendant que Wade se redressait.

— Alors… quoi ? parvint-il enfin à demander.

Phoebe essaya de sourire, mais ses lèvres tremblaient et elle abandonna.

— Je ne peux pas t'épouser, dit-elle.

— Quoi ?

C'était la question la plus évidente à poser. Wade était trop confus pour en trouver une meilleure.

Phoebe soupira.

— Je ne peux pas, c'est tout. Ce ne serait pas juste.

Juste pour qui ? se demanda Wade.

— De quoi diable veux-tu parler ? demanda-t-il, sentant la rage monter en lui.

Sa voix était trop rude, trop empreinte de colère, il le savait, mais…

— Mais enfin, Phoebe, tu te rends compte que tu m'as fait une peur horrible ! Je pensais qu'il était arrivé quelque chose à Bridget, ou à toi. Et maintenant, tu me dis que tu ne m'épouseras pas sans même vouloir me dire pourquoi ?

Un silence fragile suivit ce furieux torrent de paroles. Pourtant, Phoebe ne dit mot. Elle se contenta de rester là, en détournant les yeux, une posture que Wade ne connaissait que trop bien.

— Alors qu'… ?

D'un seul coup, l'évidence le frappa. Hébété, il se laissa tomber sur la chaise qu'elle avait abandonnée.

— C'est à cause de Melanie, n'est-ce pas ?

Phoebe retint son souffle et hocha la tête. Une larme dégoulina le long de sa joue.

— Seigneur ! s'exclama Wade.

Le silence retomba pendant qu'il digérait l'information. Il s'était demandé — non, il avait craint — pendant plus d'une année, qu'elle ne lui en veuille de la mort de Melanie. C'était la raison qui l'avait empêché de prendre contact avec elle après cette première fois où ils avaient fait l'amour.

Et cela lui avait coûté les premiers mois de vie de son enfant.

Lorsqu'il s'était enfin décidé à essayer de lui en parler, elle s'était envolée. Ensuite, après l'avoir retrouvée, après avoir appris l'existence de Bridget, son sentiment de culpabilité était passé à l'arrière-plan de son esprit, car il s'habituait à sa paternité en se berçant de l'illusion que tout allait bien, que Phoebe l'aimerait et qu'ils passeraient le reste de leur vie ensemble.

Il se passa la main sur le visage et baissa les yeux vers la table, incapable de rester là à supporter la pitié et le regret qu'il allait découvrir, il en était sûr, au fond des yeux de la femme qu'il aimait.

Une lettre était posée sur la table et son propre nom attira son regard. Tout au moins son prénom. Il l'examina et comprit très vite de quoi il s'agissait. La fondation à qui il avait fait un don à la mémoire de Melanie lui avait adressé un mot de remerciement.

— Je l'ai ouverte par accident, dit Phoebe d'une voix atone.

— Et moi qui voulais t'en faire la surprise comme cadeau de mariage, fit-il, dépité.

— Un cadeau de mariage ? répéta-t-elle incrédule.

— Je suis désolé. Je sais qu'il n'y a rien que je puisse dire pour m'excuser…

— C'est inutile…

— … et si ça peut aider en quoi que ce soit, je ne me pardonnerai jamais d'avoir laissé Melanie mourir. Si j'avais été plus rapide, j'aurais pu la rattraper. J'ai revécu cette soirée des milliers de fois et je sais pourquoi tu m'en veux.

Il s'interrompit un instant.

— Je m'en veux moi aussi, alors pourquoi ne devrais-je pas m'attendre à la même chose de ta part ?

— Wade…

— Non.

Ses épaules fléchirent, signe d'abandon.

— Dis-moi seulement ce que tu veux que je fasse maintenant. Veux-tu que je m'en aille ?

Sa voix se brisa.

— Je le ferai. J'espère que tu me laisseras voir Bridget de temps en temps, mais je n'abuserai pas…

— Wade !

La voix de Phoebe était si aiguë qu'il cessa abruptement de parler pour la première fois depuis qu'elle s'était arrachée à son étreinte.

Devant son expression angoissée et la tristesse de son intonation, la jeune femme comprit soudain à quoi il pensait.

Cela n'avait rien à voir avec un amour perdu.

Il se blâmait pour la mort de Melanie !

Une déferlante dans laquelle se mêlaient le choc, la confusion et la compassion s'abattit sur son esprit et elle oublia sa propre peine.

— Wade, répéta-t-elle.

Mais il ne la regarda pas et, en répétant une nouvelle fois son nom, elle tendit la main à travers la table et lui toucha le bras.

— Wade, regarde-moi.

Lentement, son regard remonta vers celui de Phoebe, stupéfaite de constater son expression suppliante.

— Je ne t'en veux pas, chuchota-t-elle.

Elle s'agenouilla près de la chaise de Wade.

— Je ne t'en ai jamais voulu. Melanie était impulsive. Il y avait en elle une bonne part de mauvais caractère. Elle avait le cœur trop grand aussi. Elle avait bu. Aucun de nous deux n'est responsable de ce qui est arrivé cette nuit-là.

Elle s'interrompit et lui caressa le visage.

— Je ne t'en veux pas, dit-elle encore d'un ton pressant en voyant l'expression de Wade s'éclairer un peu.

— Alors pourquoi ?

Il avala péniblement sa salive.

— Pourquoi ne veux-tu plus m'épouser ? Bon sang, Phoebe, je sais que je n'apprends pas très vite, mais c'est cette nuit-là en dansant que j'ai compris que tu étais tout ce qui m'avait toujours manqué dans la vie.

Il évita ses yeux.

— Après l'enterrement, j'ai profité de toi. Je n'ai aucune excuse, sauf d'avoir découvert ce jour-là que je t'aimais et que je ne n'aurais pas plus été capable de m'éloigner de toi que de cesser de respirer.

De nouveau, il s'interrompit. On n'entendit plus dans la pièce que sa respiration hachée et les soupirs saccadés qui suivent la fin d'une tempête de larmes.

Phoebe resta immobile. Les paroles de Wade lui martelaient la tête sans avoir aucun sens. Tout au moins, sans avoir de sens dans le cadre habituel de sa réalité.

— Phoebe ?

Elle s'accroupit sur ses talons et il parut inquiet.

— Je suis désolé. Je n'aurais pas dû…

— Tu m'aimes ?

Il s'arrêta. Chercha ses yeux d'un air incrédule.

— Tu ne le savais pas ?

Il renifla.

— Je croyais pourtant bien que n'importe qui pouvait s'en apercevoir.

— Je ne le savais pas, confirma-t-elle. Je pensais… je croyais que tu l'aimais encore.

— Melanie ?

Elle hocha la tête.

— Lorsque j'ai vu la lettre, j'ai pensé que tu avais fait cela parce qu'elle te manquait et que c'était pur accident si la lettre était parvenue à cette adresse.

— Oh, mon cœur, non !

Les mains sous les coudes de Phoebe, il se redressa et l'obligea à se lever.

— C'était censé te rendre heureuse. Je désirais faire quelque chose d'extraordinaire pour célébrer notre mariage.

Il s'interrompit et baissa les yeux sur elle. Phoebe put se rendre compte qu'il choisissait ses mots avec soin.

— Mes sentiments pour ta sœur n'étaient qu'un béguin. Une toquade. Mel et moi n'étions pas faits l'un pour l'autre. Tu aurais sûrement pu t'en apercevoir. Longtemps avant cette soirée, c'était fini entre nous et je ne l'ai jamais regretté.

Leurs yeux se croisèrent encore une fois et, dans ceux de Wade, Phoebe vit se profiler l'aube d'un espoir.

— Tu m'aimes ? répéta-t-elle.

C'était stupide, elle le savait, mais elle n'était pas encore tout à fait certaine d'avoir bien entendu la première fois.

L'expression fermée de Wade se détendit et l'espoir fleurit dans un regard qui lui réchauffa le cœur.

— Je t'aime, dit-il. Je t'ai aimée dès ce premier soir où tu m'as invité à danser, parce que j'ai compris à ce moment que je courtisais depuis trop longtemps une fille qui n'était pas pour moi.

Les yeux de Phoebe s'emplirent de larmes.

— Je t'aime, moi aussi, murmura-t-elle. Oh, Wade, tellement… tellement !

Elle eut un sourire tremblant.

— Pince-moi. Je crois que je rêve.

— C'est hors de question. Pour le pinçon et pour le rêve. Tout ceci est réel, mon cœur. Aussi réel que la petite fille qui dort là-haut.

Il l'attira contre lui et lui pressa le front contre son torse.

— Veux-tu m'épouser, s'il te plaît, Phoebe ?

Serrée contre lui, Phoebe tenta de hocher la tête.

— Oui. J'adorerais être ta femme.

— La mère de mes enfants ? suggéra-t-il.

— Des enfants ? Tu veux dire, d'autres enfants que la nôtre ?

Elle lui glissa les bras autour du cou et joua avec son col de chemise.

— Entièrement d'accord. Bridget serait gâtée-pourrie si elle était fille unique.

Wade garda le silence un instant.

— Quand as-tu compris… ?

— Que je t'aimais ? demanda-t-elle en riant. Au risque de faire gonfler ton ego jusqu'à un niveau insupportable, je n'arrive pas à me rappeler un jour où je ne t'ai pas aimé. Je te vénérais à huit ans, neuf ans, dix ans. Je t'idolâtrais à onze et douze ans. A treize ans, j'étais désespérément amoureuse. Quand tu as commencé à sortir avec Mel, tu m'as brisé le cœur.

— Je ne l'ai jamais su.

Il y avait comme une interrogation dans sa voix.

— Je me demande comment je ne m'en suis pas aperçu.

— Je n'étais pas vraiment une gosse qui s'extériorisait, lui rappela-t-elle.

— Oui, mais tu as toujours été agréable avec

moi. Tu étais… amoureuse de moi ? dit-il, d'un air sombre.

Son expression se modifia.

— Bon sang ! J'aurais vraiment pu passer à côté, non ?

Elle haussa les épaules.

— Possible.

Dix minutes plus tard, il l'avait allongée dans le grand lit de sa chambre. *Leur* chambre, corrigea Phoebe tout bas. Très bientôt, elle lui confierait sa personne et tout ce qui lui appartenait.

Son attention revint à l'instant présent lorsqu'une jambe tiède se glissa entre les siennes et que le poids de Wade la cloua sur le lit. Elle bougea sous lui et Wade grogna :

— Attends.

— Pour quoi faire ? le taquina-t-elle.

Elle glissa les mains entre eux et d'une caresse fit durcir les petits mamelons plats de Wade.

— Dis-moi, demanda-t-il en relevant légèrement la tête pour la contempler. Dis-moi que tu as ressenti la même chose toi aussi, le soir où nous avons dansé ensemble. Dis-moi que je n'étais pas le seul.

Elle fit glisser ses mains derrière le dos de Wade et il frémit lorsqu'il les sentit descendre plus bas pour l'attirer encore plus contre elle.

Wade se recula un peu et pénétra lentement dans

la chaleur accueillante de ce corps qui n'attendait plus que lui.

Phoebe émit un petit gémissement de plaisir, et souleva les hanches pour l'accueillir plus profondément en elle.

— Tu n'étais pas le seul, murmura-t-elle.

Alors, Wade baissa la tête et réclama sa bouche, puis il commença à bouger contre son corps brûlant, pour lui faire l'amour comme jamais il ne l'avait encore fait. Alors, elle oublia tout ce qu'elle avait eu l'intention de lui dire, et elle s'abandonna entre ses bras.

Eperdue de bonheur, Phoebe gisait, pelotonnée contre Wade. Il était étendu sur le dos, le bras passé autour d'elle et lui caressait l'épaule.

Soudain, une pensée fit sursauter Phoebe.

— Bonté divine ! J'avais complètement oublié ton entretien. Comment s'est-il passé ?

La main de Wade ralentit un instant sa caresse avant de la reprendre sur un rythme presque hypnotique.

— A la perfection ! dit-il.

Phoebe inclina la tête pour le dévisager et il lui décocha un grand sourire.

— On m'a offert le job.

— Et bien sûr, tu as dit oui.

La question n'était que pure rhétorique. Aussi fut-elle stupéfaite lorsque Wade secoua la tête.

— J'ai dit « peut-être ».

Son expression devint sérieuse et son visage exprima une sorte de timidité.

— J'aurais pu te raconter des histoires.

— Me raconter des histoires ? s'écria-t-elle, sidérée. Tu as refusé le job ?

— Non, non, dit-il hâtivement. C'est un véritable emploi et il sera à moi si je le veux. Mais il n'est pas à New York. En fait, il n'est même pas sur la côte Est.

— Où alors ? En Californie ? C'est ça ?

Phoebe n'aurait pas pu être plus surprise.

— Au sud de la Californie, précisa-t-il. Nous devrions déménager pour San Diego si…

— Oui ! cria-t-elle avec un enthousiasme qui ressemblait bien peu à la Phoebe d'antan, en lui tambourinant sur le torse de sa main libre. Tu as dit oui, n'est-ce pas ? Nous repartons ?

— J'ai dit « cela dépend de ma femme ».

Wade la retint avec facilité lorsque Phoebe se jeta sur lui et lui noua les bras autour du cou.

— Nous ne serions pas à Carlsbad, la prévint-il. Il faudra sans doute que je m'installe quelque part plus près de Mission Bay.

— Appelle-les tout de suite pour leur dire que tu acceptes.

Phoebe s'arracha à ses bras et saisit brusquement le téléphone qu'elle lui lança.

Wade se mit à rire.

— D'accord, d'accord. Je le ferai dans quelques minutes.

Il se tut, mit le téléphone de côté et la reprit entre ses bras.

— Tu en es certaine ? Je veux dire, je sais que tu voulais rester ici et te faire titulariser, alors je peux très bien continuer à chercher un emploi par ici si tu préfères ne pas t'en aller.

Phoebe détecta une très légère trace d'hésitation dans sa voix et son cœur fondit de nouveau.

— Tu ferais réellement ça pour moi ?

— Pour nous, rectifia-t-il. Quel que soit l'endroit où nous déciderons de vivre, je désire que tu sois totalement heureuse de la décision que nous prendrons.

En soupirant, Phoebe lui passa les mains dans les cheveux et attira sa tête contre la sienne.

— Espèce de bêta ! Tu ne sais donc pas que je serai heureuse n'importe où avec toi ?

Elle l'embrassa tendrement.

— Tout ce dont j'ai besoin c'est de toi et de notre famille. Retourner en Californie serait formidable, mais la seule chose que je désire vraiment c'est de passer le reste de ma vie avec toi.

Et, tandis qu'il la couchait de nouveau sur le lit, elle comprit que le rêve dont elle s'était bercée depuis tant d'années était devenu réalité.

— Je t'aime, murmura-t-elle.

— Moi aussi, je t'aime.

Wade l'embrassa, puis ses mains descendirent le long de son corps.

— Je dois te le confesser quand même, ce n'est pas la *seule* chose que je désire faire avec toi.

Phoebe se mit à rire, bien trop heureuse pour répondre avec des mots. Elle avait tout, désormais : Wade, l'enfant de l'amour qu'ils avaient eu ensemble, et un avenir qui s'annonçait aussi rose que les joues de Bridget. Elle pensa à Melanie et, pour la première fois, un véritable sentiment de paix s'installa au fond de son cœur. Elle soupçonnait que, où qu'elle puisse être, Mel était en train de danser pour elle comme l'ange qu'elle était devenue.

Et bien entendu, elle charmait tous les anges mâles qui passaient à proximité.

LINDA CONRAD

Nuit d'orage

*éditions*Harlequin

Titre original : SEDUCTION BY THE BOOK

Traduction française de FLORENCE MOREAU

83/85 boulevard Vincent Auriol 75646 PARIS CEDEX 13.
Service Lectrices — Tél. : 01 45 82 47 47

- 1 -

Il est des batailles que même les plus forts et les plus courageux n'auraient pas dû livrer, pensa Annie Riley en éloignant le téléphone de son oreille. Affronter la colère de sa mère, Maeve O'Brien Riley, entrait dans cette catégorie-là.

Allons ! Ne se trouvait-elle pas à plus de mille kilomètres de la maison familiale ? Et n'était-il pas incontestable qu'elle avait mûri depuis son départ de Boston, six mois auparavant ? Elle était désormais bien plus forte que par le passé, et mieux armée pour faire face à l'adversité.

Rapprochant le combiné de son oreille, Annie tenta d'interrompre le flux ininterrompu de paroles, à l'autre bout du fil — savant mélange de gaélique et d'anglais, aux intonations mélodieuses mais déterminées.

— Maman, s'il te plaît, plaida-t-elle. Je ne cours aucun danger en restant sur l'île. Selon la météo, l'orage passera à quatre-vingts kilomètres de la côte.

— Selon Michael, le cyclone fonce droit dans votre direction, rétorqua Maeve.

Merci, Michael ! Annie maudit son frère aîné. Il travaillait pour une chaîne de télévision, et avait sans aucun doute accès à de bonnes sources. Il n'empêche qu'il n'était pas lui-même météorologue. Pourquoi avoir fourni ces précisions ? Ne pouvait-il donc pas se mêler de ses propres affaires au lieu d'apporter de l'eau au moulin de sa mère ?

Certes, sa famille manquait à la jeune femme. Mais si elle avait quitté Boston et les Etats-Unis, c'était aussi à cause de ses nombreux frères et sœurs, qui estimaient avoir un droit de regard sur sa manière de vivre.

— Est-ce ton chef qui insiste pour que tu restes ? s'enquit sa mère. Je parie que pour sa part il a déjà quitté l'île.

— Eh bien tu te trompes ! répliqua Annie. Nick refuse de quitter l'île alors que deux personnes du centre de recherches marines se sont portées volontaires pour prendre sa place.

Annie se garda bien de préciser qu'elle avait eu de grandes difficultés à convaincre Nick de la nécessité de sa propre présence sur l'île. Il était parfois si borné !

— Oh, j'oubliais ces *adorables* poissons ! fit Maeve, railleuse. Quel sera leur sort pendant le cyclone ?

— Ce ne sont pas des poissons, maman, mais des dauphins. Un plan d'urgence a été élaboré depuis longtemps concernant leur survie.

Si elle s'efforçait de rester patiente, la conversation commençait néanmoins à lui porter sur les nerfs.

— Il est normal que ton chef veuille rester, repartit Maeve d'un ton énergique. Après tout, la famille Scoville ne possède-t-elle pas la quasi-totalité de l'île ? Mais toi, tu n'es qu'une simple employée. Tu n'as rien à perdre… si ce n'est la vie.

— Je t'en conjure, maman, ne verse pas dans le mélodrame. *Je ne suis pas en danger*. Les îles Caraïbes sont souvent traversées par des cyclones, les habitants ont sécurisé les fenêtres de toutes les maisons avec des planches et j'ai moi-même fait assez de réserves d'eau et de nourriture pour tenir un siège.

— Ah, *dervla* ! soupira Maeve — ce qui, en gaélique, voulait dire « fille ». Es-tu vraiment obligée de rester sur cette île privée ? Ta pauvre mère va finir par avoir une attaque.

Voilà à présent qu'elle cherchait à la culpabiliser ! Attention, Annie ! Plus d'un millier de kilomètres seraient-ils suffisants si Maeve commençait à s'apitoyer sur elle-même ?

Prenant une longue inspiration, elle décida d'opter pour une tout autre tactique.

— Maman, je te rappelle que tu as six autres enfants, et neuf petits-enfants. Je ne dois pas être l'unique objet de tes préoccupations. D'autant que, contrairement à moi, certains d'entre eux ont des problèmes bien réels ! En l'occurrence, il s'agit juste d'un cyclone. Fichtre, est-ce qu'un Riley digne de ce nom reculerait devant un petit orage ?

Le coup parut porter.

— A propos, enchaîna-t-elle, papa a-t-il retrouvé toute sa vitalité, depuis sa crise cardiaque ? Si mes calculs sont bons, elle remonte à un an, maintenant.

La mention de ses petits-enfants et de l'accident cardio-vasculaire de son mari eut le pouvoir de calmer Maeve Riley. Annie devait-elle pour autant triompher ?

Elle avait bien conscience d'avoir usé d'arguments douteux, puisque, en réalité, tous les membres de la famille Riley se portaient à merveille et que son père s'était remis depuis fort longtemps. Elle savait aussi que sa mère aurait toujours un comportement surprotecteur à son endroit. Aux yeux de cette dernière, elle demeurerait une éternelle enfant.

Annie avait accepté cette fatalité ; l'important était qu'elle avait trouvé un moyen de quitter la maison pour mener sa propre vie.

Tout en prêtant une oreille distraite aux doléances de sa mère — qui regrettait que ses proches ne fassent pas preuve du bon sens que Dieu leur avait donné, etc. —, Annie laissa ses pensées vagabonder vers celui qu'elle considérait comme le prince d'un conte, égaré au cœur des Caraïbes : Nicholas Scoville, l'homme pour qui elle aurait volontiers affronté des ouragans tous les jours de sa vie.

Annie passa la tête par la porte entrouverte et jeta un coup d'œil vers le ciel…

La couleur en était curieuse. Ce n'était pas le gris presque noir que revêtaient d'ordinaire les cieux durant les tornades qui secouaient les îles tropicales.

Non, cette couleur lui rappelait le costume des dimanches que portait son père ; une sorte de gris pigeon. De gros nuages tirant vers le jaune passaient à la vitesse de l'éclair sur ce fond grisâtre, comme si quelque esprit farceur, là-haut, avait appuyé sur la touche « Accéléré ».

L'orage devait être proche. Pour savoir où il se trouvait exactement, il lui suffisait de tourner le bouton de la radio ; toutefois, pour l'instant, c'était son chef qu'elle devait localiser.

La dernière fois qu'elle avait vu Nick, il se dirigeait vers le centre de recherches marines dans le dessein de vérifier la nacelle destinée aux dauphins durant le passage du cyclone. Etait-ce vraiment utile ? songea-t-elle. Elle était convaincue que les animaux ne couraient aucun danger dans le lagon. N'étaient-ils pas sous bonne garde ?

L'un des deux collaborateurs qui s'étaient proposés de rester était un ancien chercheur de la marine fédérale. Quant à l'autre, c'était une universitaire bardée de diplômes scientifiques internationaux. On disait même qu'elle communiquait avec les dauphins dans leur propre langue !

A cette pensée, Annie sourit. Les dauphins étaient des mammifères attendrissants et paisibles, qu'elle appréciait beaucoup. Les quelques escapades qu'elle avait faites au centre l'avaient enchantée.

Mettant enfin le pied dehors, elle manqua perdre l'équilibre, tant les bourrasques étaient violentes. Sans se laisser décourager, elle carra les épaules et fit face au vent.

La sensation était grisante ! Certes, on se sentait tout petit face à la nature ; cependant, l'air salé, la rumeur du vent et de l'océan procuraient une incroyable impression de vie. Ses boucles folles voltigeaient autour de son visage, l'empêchant de voir où elle allait. Elle tâchait de les maîtriser avec plus ou moins de bonheur.

Depuis qu'elle était la kinésithérapeute personnelle de Nick, l'épaisse masse de sa chevelure rousse n'avait pas croisé les ciseaux du coiffeur. Pour tout dire, il s'agissait d'un acte délibéré de rébellion. Quand elle était enfant, sa mère coupait toujours ses boucles afin qu'elles ne s'accrochent pas aux objets. Aux poignées de porte par exemple, quand elle sortait en trombe de la cuisine…

Lorsqu'elle arriva au bout de l'immense patio, Annie maintint sa crinière en arrière et scruta la plage de sable blanc qui s'étendait au pied de la falaise où elle se tenait.

Ce fut alors qu'elle découvrit, se découpant sur l'océan, la silhouette de Nick. Il lui tournait le dos, et fixait les remous de l'eau.

Elle voulut l'appeler. Peine perdue ! Sa voix s'évanouit dans le rugissement des éléments. Il fallait pourtant qu'il se mette à l'abri ! N'avait-elle pas promis à sa mère, Mme Scoville, de veiller sur son fils ? Elle prenait l'engagement très au sérieux.

Depuis qu'elle était au service de Nick, il la troublait chaque jour un peu plus. Aujourd'hui, plus que jamais, il ressemblait à un prince solitaire surveillant son royaume…

Descendant les marches creusées dans la falaise, Annie s'élança vers lui, dans le sens inverse du vent.

— Nick, cria-t-elle quand elle se crut à portée de voix, rentrez, s'il vous plaît !

L'avait-il entendue ou avait-il juste senti sa présence ? Toujours est-il qu'il fit brusquement volte-face.

— Que voulez-vous, Annie ? dit-il avec dureté. Et surtout, que faites-vous ici ? Vous devriez être dans la maison.

En dépit de son ton renfrogné et de son front plissé, il était d'une beauté stupéfiante. Il émanait une virilité troublante de tout son être, impression accentuée par ses vigoureux bras croisés. Annie sentit sa gorge se serrer.

Non content d'habiter un manoir féerique, juché sur une falaise qui surplombait l'océan, il fallait aussi qu'il lui évoque le héros d'un conte. Un personnage qui se languissait de son aimée perdue, seule capable de lever le sortilège maléfique qui l'avait frappé.

Pour être tout à fait honnête, Annie devait reconnaître que le prince aux allures romantiques n'était pas toujours apathique ; de temps à autre, il entrait dans de terribles colères…

C'était un homme à la fois distant et exigeant. Au départ, Annie avait imputé son humeur changeante à la douleur physique et ne lui en avait pas tenu rigueur. Récemment, toutefois, elle avait été sur le point de mettre un terme à son contrat. Nick était presque guéri, ses souffrances n'étant plus que de vagues échos. Or, son caractère ne s'était pas du tout amélioré…

Au dernier moment, elle avait renoncé. Et ce pour deux raisons. La première, c'était la promesse qu'elle avait faite à Mme Scoville : elle s'était engagée auprès de cette dernière à faire sortir Nick de l'hibernation dans laquelle le malheur l'avait précipité. Drôle de gageure, du reste, dans la mesure où l'intéressé minait tous ses efforts, comme s'il se complaisait dans sa propre souffrance.

La deuxième raison tenait à la beauté envoûtante de Nick. Bien sûr, ce « détail » n'aurait pas dû entrer en ligne de compte, mais…

Mais ses cheveux souples, semblables à de l'or traversé de quelques éclats d'argent, venaient caresser son cou. Mais son mètre quatre-vingt-cinq savait la toiser avec élégance…

En général, il portait des vêtements de couleur sombre, gris ou noir. Le bleu spectaculaire de ses yeux suffisait, cela dit, à animer toute sa personne. Des yeux si troublants, si fascinants… Et qui, à présent dirigés vers elle, la fixaient avec colère parce qu'elle avait interrompu sa méditation !

Tant pis pour lui ! pensa Annie. Il pouvait bien être irrité ! Il était de son devoir de veiller sur lui. Et qu'y pouvait-elle si la vue de Nicholas Scoville déclenchait de curieuses vibrations en elle, vibrations qu'elle n'avait ressenties en présence d'aucun autre homme avant lui ?

— Je suis dehors parce que vous-même l'êtes, déclara-t-elle lorsqu'elle fut certaine que, cette fois, il l'entendrait. L'orage est tout proche ; il est dangereux de rester dehors.

Tout à coup, les vagues étaient devenues énormes. Depuis son arrivée sur l'île, Annie adorait la façon dont elles venaient se briser gentiment contre les rochers… Et voilà que de terribles lames venaient se fracasser contre les profondeurs obscures des criques ! Des lames dont les cimes écumantes atteignaient des hauteurs impressionnantes avant de s'effondrer dans un claquement furieux… Les merveilleux camaïeux de bleu et de vert qu'elle aimait à contempler avaient disparu ; des eaux brunâtres et bouillonnantes avaient envahi l'horizon.

En dépit de la chaleur et de l'humidité, Annie frissonna.

— Les dauphins ne craignent rien, n'est-ce pas ? hasarda-t-elle.

— Je mc fais du souci au sujet de Sultana, répondit Nick. Elle doit donner la vie dans quelqucs jours, c'est la première naissance qui aura lieu au centre. Bien sûr, nous avons pris toutes les précautions possibles, mais on ne sait jamais…

Annie tendit la main vers lui. Il n'accepta pas son soutien, et, fermant le poing, lui tourna de nouveau le dos.

Aujourd'hui, la tempête faisait rage dans les yeux de Nick, pensa Annie, et cela le rendait bien plus humain.

Nick avait besoin de quelques minutes supplémentaires de solitude. Pourquoi fallait-il que le cyclone terrasse l'île aujourd'hui, en ce jour si particulier ? En outre, l'idée d'être incapable d'aider l'équipe du centre pendant l'ouragan le renvoyait à une autre expérience, où il avait payé cher son impuissance…

D'un air absent, il se frotta les tempes : la douleur bien familière des souvenirs lui revint alors.

Mais ce qui le tracassait le plus, c'était la

perspective de devoir passer le reste de la journée et de la nuit seul avec Annie. Ah, au diable l'orage et la belle kinésithérapeute !

Annie le hantait et cette obsession lui déplaisait au plus haut point. Ainsi qu'il ne cessait de se le répéter, il était l'homme d'une seule femme. Depuis la disparition tragique de son épouse, toutes les autres, aussi ravissantes fussent-elles, ne représentaient que des distractions dont il pouvait tout à fait se passer.

Annie ne ferait pas exception à la règle.

Avec elle aussi, il demeurerait de glace. C'était la condition *sine qua non* pour que son équilibre émotionnel ne se rompe pas. Les cœurs froids n'étaient pas tourmentés par la culpabilité. En se claquemurant en lui-même, il tenait la souffrance en lisière.

Il avait passé deux longues années à prendre ses distances avec la vie. Pourquoi avait-il fallu qu'Annie vienne briser le *statu quo* en répandant sur l'île le parfum sulfureux du désir ?

Lui qui s'était interdit toute émotion !

Toutefois, s'il renvoyait Annie, sa mère allait lui déclarer une guerre ouverte. Selon elle, la présence de la jeune femme lui était salutaire. Ah ! S'il devait supporter quelques semaines encore la bienveillance enjouée d'Annie, il allait finir par craquer !

Ce soir, son seul recours était de la convaincre de rester dans ses quartiers, c'est-à-dire dans l'aile arrière du manoir, tandis qu'il s'isolerait dans son bureau. Il voulait commémorer en paix l'anniversaire de la mort de Christina.

Toutes les promesses qu'il n'avait pas été capable de tenir du vivant de sa femme et qu'il ne voulait surtout pas reléguer dans les oubliettes de sa mémoire…

— Sultana n'est pas en danger, au moins ?

La question d'Annie fit presque sursauter Nick.

— Elle est en bonne santé, c'est vous-même qui l'avez affirmé, poursuivit la jeune femme en se rapprochant de lui.

Il hocha la tête et recula de quelques pas afin d'éviter tout contact avec sa sémillante praticienne. Depuis peu, chaque fois qu'elle posait ses doigts sur lui, il avait la sensation qu'une langue de feu le caressait. L'attirance qu'elle lui inspirait le surprenait — attirance qu'il trouvait par ailleurs méprisable et qu'il repoussait de toutes ses forces.

Ces dernières semaines, il s'était efforcé de pratiquer seul ses exercices de rééducation pour établir une réelle distance avec elle. Hélas ! Son titre de kinésithérapeute privée l'obligeait à garder un œil vigilant sur lui. Et s'il ne s'était agi que des yeux… Elle continuait à poser ses mains sensuelles sur son corps, lorsqu'il s'entraînait dans sa salle de gym.

A cette pensée, il réprima un frisson.

Le désir qu'il éprouvait pour elle devenait si difficile à contrôler qu'il avait même envisagé de défier sa mère et de prendre une autre personne qu'Annie à son service.

Bien que cette dernière ne fût qu'une employée, sa mère avait noué une réelle amitié avec elle, au cours de ses fréquentes visites. Et nul doute que les deux femmes devaient conspirer contre lui, songeait Nick, dépité.

Hélas, pouvait-il risquer de se mettre sa mère à dos, dans la mesure où son père lui tenait déjà grief d'avoir quitté l'entreprise familiale afin de s'installer sur l'île et de se dédier corps et âme au projet de Christina ?

La famille représentait un point d'ancrage trop important pour qu'on la traite sans considération. Mais, malgré tout l'amour filial qu'il ressentait, force lui était de reconnaître que sa mère fourrait son nez dans des affaires qui ne la concernaient pas.

Depuis la mort de sa femme, deux ans auparavant,

Nick avait souvent l'esprit ailleurs. L'atmosphère d'Alsaca, en Europe, lui était devenue insupportable. Aussi, renonçant à toutes ses occupations, s'était-il installé sur l'île de ses ancêtres pour y honorer la mémoire de Christina et transformer le centre marin dont elle avait élaboré les plans en un lieu digne des rêves de la disparue.

Sa mère, qui se souciait de façon disproportionnée de sa solitude et de ses absences, était convaincue qu'Annie pourrait « le ramener dans le monde des vivants », selon ses propres termes. Nick estimait pour sa part que sa kiné était bien trop vivante !

— Je vous en prie, Nick, venez avec moi, le supplia de nouveau celle-ci.

En prononçant ces mots, elle leva vers lui ses yeux émeraude. Un regard d'une beauté stupéfiante, tant par sa couleur vive et saturée que par la chaleur qui s'en dégageait.

Jamais il n'avait rencontré une femme aussi vibrante et brûlante. Elle était si différente de Christina !

Raison de plus pour se protéger d'elle. Et éviter tout contact, notamment aujourd'hui où il se sentait si vulnérable.

Après lui avoir adressé un regard insistant, Annie esquissa une ravissante moue puis, effectuant une preste virevolte, avança de quelques pas, avant de se retourner de nouveau vers lui pour s'assurer qu'il la suivait bien.

A contrecœur, il lui emboîta le pas… et comprit qu'il avait commis une grave erreur en la laissant marcher devant lui. Il ne parvenait pas à détacher les yeux de ses hanches ; elles ondulaient avec grâce, moulées dans un short blanc bien trop court pour la paix de son esprit.

Dans la lumière sombre d'avant l'orage, Annie était radieuse ; et la force de vie qui émanait de tout son être malmenait les vœux de célibat qu'il avait proférés, à la mort de sa femme… La tentation de glisser ses doigts fébriles dans la masse cuivrée de ses boucles désordonnées le rendait fou. Celle de verser une pluie de baisers sur son nez piqué de taches de son le bouleversait…

L'énergie qu'elle dégageait répondait à l'électricité qui vibrait dans l'air. Soudain, à son corps défendant, il l'imagina dans ses bras, toute frémissante contre lui…

Serrant les poings, il les enfonça dans les poches de son jean. Il était impératif qu'il se concentre sur les préparatifs liés à l'ouragan et qu'il garde secrets ses désirs.

Pour lui, l'amour charnel se concevait dans le cadre du mariage ; il reposait sur un lien sacré qui vous unissait pour la vie à un être unique. Un lien dont le but principal était la procréation. La fidélité et l'honneur revêtaient une bien plus grande importance à ses yeux que des besoins d'ordre physique. Il était exclu qu'il trahisse la mémoire de Christina en se jetant sur la première femme qui lui avait fait tourner la tête depuis son décès.

Affairée devant les fourneaux, Annie remuait la fricassée qui mijotait dans la marmite lorsque les premières gouttes de pluie résonnèrent contre les carreaux. Avant de regagner le continent, le cuisinier lui avait donné des instructions très précises sur la façon de nourrir Nick et elle-même durant l'ouragan et la période chaotique qui s'ensuivrait.

Le congélateur était rempli de victuailles qui, après avoir subi d'intempestives coupures d'électricité, devraient être grillées sur le barbecue extérieur, une fois le cyclone passé. Pour l'heure, elle préparait une recette irlandaise qu'elle tenait de sa mère et qu'elle pourrait faire réchauffer sur un gaz d'appoint, en cas de black-out.

Elle entendait Nick vaquer à ses occupations dans le manoir. Il était notamment en quête de lampes de poche et de bougies. Aujourd'hui, elle ne s'inquiétait plus sur sa capacité à se mouvoir seul, à l'inverse des premiers jours, lorsque son genou blessé était encore instable.

Grâce à ses connaissances approfondies en anatomie et à son expérience, elle avait permis à Nick de retrouver la quasi-totalité de sa force dans les jambes. Il lui avait fallu se battre ; son patient manquait parfois de motivation. Chaque fois qu'elle tentait de repousser ses limites, il lui lançait un regard noir et s'écartait d'elle, comme si son contact le brûlait.

Depuis quelques jours, la tension qui régnait entre eux atteignait des paroxysmes… Cette constatation la rendit nerveuse. Bien plus nerveuse qu'elle ne voulait l'admettre.

— Voulez-vous vous joindre à moi pour prendre une tasse de thé ?

Annie tressaillit et laissa échapper la cuillère de bois dans la marmite.

— Oh ! fit-elle en posant une main sur son cœur. Vous m'avez fait peur.

— Désolé, marmonna-t-il.

Attrapant une pincette nichée parmi d'autres ustensiles de cuisine sur un tourniquet, il récupéra la cuillère de bois, la passa sous l'eau du robinet, l'essuya et la lui rendit en s'inclinant poliment devant elle.

— Et voilà, *signorina*. Le mal est réparé.

— Quelle adresse, Nick ! J'ignorais que vous étiez si à l'aise en cuisine. Sans doute cela tient-il à vos origines européennes. Et moi qui croyais que vous ne saviez même pas où se trouvaient les cuisines du manoir… Sans parler de l'emplacement des ustensiles.

— Ne le répétez à personne, dit-il alors d'un ton pince-sans-rire, mais depuis ma plus tendre enfance, j'ai passé beaucoup de temps dans les cuisines, en quête de bonbons et de gâteaux.

Annie sourit. Puis, plaçant un couvercle sur la marmite, elle réduisit le feu et repartit :

— Si votre proposition de préparer du thé est toujours d'actualité, je serais ravie d'en boire une tasse.

— Certainement, répondit-il d'un ton formel.

Il se saisit d'une boîte de thé, remplit une boule de feuilles qu'il plaça dans la théière et fit bouillir de l'eau. Elle l'observait, guettant un geste maladroit de sa part ou bien une demande d'aide. Comme devinant ses pensées, il lui ordonna sur un ton agacé :

— Asseyez-vous ! Le thé sera prêt dans quelques minutes.

Docile, elle prit place à la table de la cuisine…

avant de déclarer, incapable de tenir sa langue plus longtemps :

— Je ne voulais pas vous mettre mal à l'aise en vous observant. Seulement, je ne suis pas habituée à me faire servir… Vous savez, je vous suis reconnaissante d'avoir accepté que je reste sur l'île pendant l'ouragan. L'idée d'être sur le continent sans savoir ce qu'il advenait de vous m'était intolérable.

Désireuse de préciser sa pensée afin de lever toute ambiguïté, elle ajouta :

— Ce que je veux dire, c'est que je n'ai jamais vécu une telle expérience. Un cyclone, ce doit être terrifiant, non ? Je pense que nous sommes prêts à l'affronter, n'est-ce pas ? Y a-t-il encore des choses à organiser ?

— Calmez-vous ! dit-il en se tournant vers elle. Tout se passera bien, faites-moi confiance.

Il esquissa un sourire rassurant.

Et voilà que cela recommençait ! pensa Annie. Ces derniers temps, chaque fois qu'il lui souriait, elle avait la sensation qu'un changement imminent allait bouleverser sa vie…

Nul doute que sa mère aurait parlé d'intuition irlandaise. Le destin semblait prêt à passer à l'assaut, entraînant dans son sillage son lot de turbulences… Cela ne pouvait pas être lié à l'ouragan qui s'annonçait ; le cyclone était prévu depuis des jours et des jours. Non, cette sensation les concernait au premier chef, Nick et elle. Elle en avait l'intime conviction.

Aujourd'hui, il était en bien meilleure forme que lorsqu'elle avait débarqué sur l'île. Peut-être songeait-il d'ailleurs à lui donner son congé. Si tel était le cas, elle ne devrait pas s'en étonner. N'était-ce pas dans l'ordre logique des événements ? Il ne l'avait pas employée à vie…

— Parlez-vous toujours autant lorsque vous êtes nerveuse ?

— Oui, je crois, acquiesça-t-elle tout en le regardant disposer deux tasses en porcelaine sur la table.

De la porcelaine pour une partie de thé improvisée ? Elle imaginait le regard sévère que porterait sa mère sur une telle frivolité.

Après avoir posé la théière sur un set, Nick prit place à son tour autour de la table.

— Inutile d'être inquiète au sujet du cyclone, Annie. J'en ai vécu plusieurs ; l'essentiel est de bien les préparer, ce qui est en l'occurrence le cas. La plupart n'ont pas de retombées directes graves, ils causent juste des désagréments.

Nick se trompait. Ce n'était pas l'ouragan qui la rendait nerveuse, mais son imagination débordante le concernant et la perspective de ne plus le voir, s'il renonçait à ses services.

Le simple fait d'être assise à côté de lui la bouleversait ; ses mains étaient toutes tremblantes. N'était-ce pas curieux ?

— Voulez-vous des petits gâteaux en accompagnement ? proposa-t-il.

Elle hocha la tête et se força à sourire.

Il se tenait si près d'elle que ses poumons étaient saturés de son eau de Cologne. Eau dans laquelle les embruns du large se mêlaient à une touche de musc qui prêtait une richesse extraordinaire à l'ensemble. Sans compter l'odeur naturelle de sa peau…

Elle se sentit soudain à cran. Ce mélange comportait des notes troublantes, qu'elle ne reconnaissait pas. Décidément, des sensations bien étranges remuaient son être, aujourd'hui.

— Savez-vous pourquoi je ne voulais pas que vous restiez avec moi pendant l'ouragan ? demanda-t-il tout à trac en lui versant une tasse de thé.

— Parce que vous vous inquiétiez pour ma sécurité ?

— Pas uniquement. En réalité, j'avais décidé de vous donner congé pour une journée, ainsi qu'au reste du personnel, afin de me retrouver seul. L'ouragan est venu troubler mes plans.

Elle savait qu'aujourd'hui était le deuxième anniversaire de la disparition de Christina. Contrairement à lui, elle aurait préféré être entourée par sa famille et ses amis pour commémorer la perte d'un être cher.

— C'est un petit rituel qui me permet de redire au revoir à Christina, précisa-t-il.

— Tout est-il donc remis en cause ?

— Pas forcément. Si vous passez le reste de la nuit dans vos appartements et que vous me laissez jouir de ma solitude dans mon bureau, tout peut encore s'arranger.

— Comme vous voudrez, fit-elle à contrecœur, tout en maudissant le goût de Nick pour la solitude. Il faut toutefois me promettre de m'appeler en cas de besoin.

Allons, pensa-t-elle en se ressaisissant, qui pourrait se plaindre de disposer d'une suite fabuleuse et d'une bibliothèque remplie des meilleurs livres ?

N'était-ce pas son rêve de toujours, son rêve de petite fille, de lire pendant des heures sans être interrompue ? Si grandir parmi une grande tribu présentait des avantages, la famille pouvait parfois être envahissante…

— J'espère que vous parviendrez à dormir en

dépit de l'orage, Annie. C'est la seule façon de ne s'apercevoir de rien. C'est si ennuyeux.

Ennuyeux ? Rien ne pouvait l'être avec Nick dans les parages. Il avait choisi de se retirer dans un monde morose ? Libre à lui. Celui d'Annie vibrait de couleurs depuis le jour où elle avait croisé sa route.

- 2 -

Le dîner terminé, Annie débarrassa la table et porta les couverts dans l'évier.

— Prendrez-vous du café avec votre dessert ?

— Volontiers, répondit Nick en se levant à son tour. Que puis-je faire pour vous aider ?

Question purement formelle ; en réalité, il avait hâte de se retrouver seul dans son bureau.

Pour toute réponse, Annie éclata de rire et le son de son rire résonna de façon curieuse en lui. Une excitation inconnue s'empara de son être : la jeune femme possédait-elle des dons d'enchanteresse ? se demanda-t-il, à la fois intrigué et irrité.

— J'avoue que vous voir faire la vaisselle constituerait un bien curieux spectacle à mes yeux, reprit Annie. Aussi étrange d'ailleurs que ce dîner en tête à tête dans les cuisines du manoir.

— Peut-être suis-je encore un peu trop maladroit pour faire la vaisselle, admit-il sans épiloguer sur ses ultimes propos, mais je peux au moins l'essuyer.

En réalité, il avait adoré ce repas improvisé avec la belle Annie. Et même si son désir de solitude le tenaillait, l'envie de prolonger leur intimité quelques minutes encore l'emporta.

Il s'empara d'un torchon pour occuper ses mains, qui semblaient invinciblement attirées par la jeune femme, toute proche de lui.

Du dos de sa main couverte de mousse, cette dernière repoussa une mèche de cheveux avant de proposer :

— Laissons la vaisselle tremper ! Afin que vous puissiez vous retirer au plus vite, je vais préparer le café, puis faire flamber l'omelette norvégienne.

— Allez-vous vous en sortir ?

— Tout à fait ! dit-elle en relevant le menton. J'ai pris des leçons de cuisine auprès de votre chef. J'ai noté de nombreux conseils et recettes dans mes calepins.

— Tiens, vous vous intéressez à la cuisine ? s'étonna-t-il. N'êtes-vous pas issue d'une famille irlandaise ? Je pensais que…

— Que quoi ? coupa-t-elle en braquant des yeux plein de défi sur lui. Que les Irlandais sont trop occupés à nourrir leur nombreuse progéniture pour apprendre les raffinements de la cuisine ? Ou bien qu'ils n'ont aucun sens culinaire et préfèrent les pommes de terre bouillies aux subtilités des recettes françaises ou italiennes ?

— Pas du tout ! se défendit-il. Ce n'est pas ce que je voulais dire.

Qu'avait-il voulu dire au juste ? Il ne s'en souvenait plus, mais ne pouvait que constater l'effet désastreux de ses propos. Aïe ! Comment sortir de l'impasse ? Bonne joueuse, Annie vola elle-même à son secours. Lui adressant un sourire aussi charmeur que timide, elle déclara alors :

— Oubliez ce que je viens de dire, Nick, je m'emporte si vite. Je suis désolée. Et à présent, asseyez-vous, le spectacle va commencer.

Sur ces mots, elle embrasa une allumette et une flamme se répandit sur le dessus mousseux de l'omelette norvégienne, soulevant sur son passage une odeur de sucre caramélisé.

— Mm, comme j'aime cette odeur ! murmura Annie en se délectant par avance du dessert.

Mmm ! comme il aimait la façon dont elle avait fermé les yeux et poussé ce petit gémissement de plaisir ! pensa Nick. Un son sensuel qui avait déclenché des picotements de désir dans le creux de ses reins…

Il était impératif qu'il cesse de l'écouter, de la regarder, bref de s'intéresser à elle. Oui, il avait tort de fantasmer sur Annie. En toute décence, il ne pouvait pas encourager leur entente naissante.

N'avait-il pas appris à ses dépens à quel point l'amitié était douloureuse, quand la vie vous la reprenait ? C'était une part de vous-même qui s'évanouissait alors.

D'ailleurs, à bien y réfléchir, Annie lui inspirait des sentiments trop violents. Or, l'amour était pour Nick une vue de l'esprit. Il n'avait jamais été amoureux et n'avait pas la moindre idée des émotions que cet état pouvait procurer. En outre, l'unique amitié qu'il ait connue, c'était celle qu'il partageait avec Christina, et elle s'était terminée de façon tragique.

Voilà pourquoi il était résolu à maintenir ses distances avec Annie. D'ailleurs, sa décision était prise : une fois le cyclone passé, il lui donnerait son congé. Avant qu'il ne soit trop tard…

Lorsque l'omelette eut bien flambé, Annie servit le café, puis se rassit à la table, en face de lui. Ses yeux brillaient quand elle approcha de sa bouche une cuillerée de sucre chaud et de crème glacée.

— Ma mère estimerait que ce chaud-froid est un péché, dit-elle d'un air gourmand.

Et elle, une femme capable de vous envoyer directement en enfer, pensa Nick en la regardant enfourner cette bouchée de pur plaisir.

Il devait de toute urgence alimenter la conversation ! Etre assis en face d'elle et la voir lécher ses lèvres saupoudrées de sucre allait finir par le jeter dans les griffes du diable.

— Parlez-moi de votre mère ! dit-il en repoussant son assiette encore à moitié pleine. Ainsi que de toute votre famille, d'ailleurs.

— Etes-vous sérieux ? Nous sommes toute une ribambelle, cela risque de prendre du temps.

— « Toute une ribambelle », répéta-t-il d'un air amusé. Combien êtes-vous exactement ?

— J'ai trois frères et trois sœurs, tous plus âgés que moi. Ma mère est elle-même issue d'une famille de dix enfants, et mon père est le benjamin d'une fratrie de treize. J'ai également neuf neveux et nièces, ainsi que soixante cousins. Pour l'instant, du moins.

— Je suis fils unique. J'ai du mal à me représenter ce que peut être une famille nombreuse. Vivez-vous tous à Boston ?

— Pour la plupart, oui. Deux de mes cousins se sont engagés dans l'armée et ont été envoyés à l'étranger. Mais, une fois leur mission accomplie, ils sont revenus bien vite à Boston.

Elle prit le temps d'avaler une gorgée de café avant de poursuivre :

— Un de mes oncles à l'esprit aventurier est

reparti en Irlande, avec sa famille. Il voulait respirer le grand air de sa terre natale.

Son air sceptique intrigua Nick.

— Et vous-même, n'avez-vous jamais pensé vous établir en Irlande ?

— Ah non alors ! répondit-elle du fond du cœur. Ce serait comme à la maison. Aussi étouffant. Là-bas, tout le monde connaît tout le monde, et chacun croit avoir son mot à dire sur la vie d'autrui.

— Aimerait-on les commérages, dans votre famille ?

— Ce n'est pas tout à fait cela… Disons que chacun prétend connaître les intentions de l'autre et s'emploie à les corriger quand elles ne lui plaisent pas. A ce petit jeu-là, ma mère est la plus douée !

— La mienne a aussi tendance à se mêler de ce qui ne la regarde pas.

— Votre mère est une sainte ! se récria Annie. Je vous assure que vous ignorez ce qu'est une fouineuse professionnelle.

Il se mit à rire, un rire franc et sonore qui n'était pas sorti de sa gorge depuis des années.

Annie était un véritable bijou. Une émeraude étincelante qu'il commençait à convoiter bien plus qu'il n'aurait dû.

— Décrivez-moi votre enfance parmi vos

nombreux frères et sœurs, dit-il en hâte afin de chasser ses troublantes pensées.

La jeune femme soupira.

— Elle comporte des aspects positifs et négatifs…

— Citez-m'en un positif.

— Vous n'êtes jamais seule.

— Cela peut être agréable, concéda-t-il. Un négatif, à présent ?

— Vous n'êtes jamais seule, répliqua-t-elle dans un sourire espiègle.

Annie fut ravie de voir que sa réponse avait fait naître un sourire sur les lèvres de Nick. Oh, un sourire bien timide, dans la mesure où des ombres continuaient à voiler les profondeurs de ses yeux ! Elle n'ignorait pas que Nick était venu se murer en lui-même sur cette île perdue des Caraïbes. Il avait passé de si nombreuses heures seul, depuis la disparition de sa femme, que c'était un miracle qu'il fût encore capable de dialoguer avec ses semblables.

Oui, elle était heureuse de constater qu'avec elle, il communiquait. Et ses paroles lui allaient droit au cœur, même si parfois, le langage des yeux lui suffisait pour comprendre Nick.

En ce moment précis d'ailleurs, l'écho de la peine qu'elle lisait dans son regard se réverbérait dans son propre cœur…

Allons, elle ne devait pas se nourrir d'illusions ! Elle ne serait pas celle qui briserait le charme maléfique. Ce qu'il fallait à Nick, c'était une belle princesse blonde et raffinée, pas une innocente irlandaise à la chevelure rousse ébouriffée, issue des quartiers pauvres de Boston.

— Pourquoi passez-vous tout votre temps seul, Nick ? le questionna-t-elle d'un air effronté, désireuse de chasser la tristesse qui plissait son front. Vous me faites l'effet d'un prince sous l'emprise d'un mauvais sortilège. Vous pourriez avoir des amis… et des petites amies. Je ne comprends pas pourquoi vous fuyez la compagnie.

— Mon amie… La femme qui était à la fois ma seule amie et mon épouse est morte, dit-il avec douceur. Je déshonorerais sa mémoire si je…

Il s'interrompit et lui lança un regard empli de culpabilité.

— Vous n'êtes pas obligé de tout me dire, c'est votre vie, dit-elle en observant la façon dont le bleu de ses yeux virait au gris orageux. Néanmoins, si vous aviez besoin de vous confier à quelqu'un, sachez que je sais écouter et que je suis une tombe.

Nick baissa lentement la tête et se mit à fixer sa tasse de café.

— Ma grand-mère est une dame fort respectable, reprit Annie, un petit sourire aux lèvres, et d'une grande sagesse. Elle répète à l'envi qu'il est bon de parler des gens qui nous ont précédés au paradis. Les évoquer permet d'en conserver un souvenir vivant. Raconter des anecdotes sur nos chers disparus permet de mieux comprendre la spécificité de la relation qu'on entretenait avec eux et de les rapprocher de nos cœurs.

Nick esquissa un vague sourire, mais ne releva pas les yeux, ni ne prononça un mot. Doucement, Annie l'encouragea :

— Parlez-moi de Christina. Dites-moi comment vous vous êtes rencontrés.

Annie posa alors de façon innocente la main sur le bras de Nick, en signe de réconfort… Au contact de sa peau, elle ressentit comme un choc électrique. Déconcertée, elle retira sa main.

Avec une nonchalance feinte, elle se leva et se mit à débarrasser. Elle ne souhaitait pas que Nick ait l'impression de subir un interrogatoire ! Cependant, elle pressentait qu'il avait besoin de s'ouvrir.

En outre, elle devait analyser les curieux sentiments qu'il lui inspirait. Même s'il avait des sautes d'humeur, c'était un bel homme, et sa beauté était d'autant plus touchante qu'il semblait malheureux. Mais ce qu'elle désirait, c'était l'aider, pas le harceler.

— Le père de Christina et le mien étaient des amis de longue date, commença-t-il avec lenteur. En réalité, ils étaient des partenaires commerciaux plutôt que des amis. Mon père ne cultivait pas des amitiés de façon désintéressée.

Sa voix s'était assourdie. Comme Annie lui tournait le dos, elle ne pouvait pas voir son expression. Elle préféra ne pas l'interrompre et entreprit de laver les assiettes à dessert en attendant la suite.

— Christina et moi nous connaissions depuis le berceau. Lorsque je dus quitter l'Europe pour poursuivre mes études dans une prestigieuse université des Etats-Unis, mon père m'annonça que, si j'épousais Christina, je servirais les intérêts de nos deux familles.

A ces mots, Nick poussa un soupir ; Annie dut se faire violence pour ne pas se retourner.

— Je compris parfaitement son point de vue et me pliai à sa volonté. Je fis part à Christina de mes intentions à son égard, de sorte que nous puissions trouver un accord avant que je ne quitte Alsaca.

Annie fut cette fois si surprise qu'elle fit volte-face.

— A peine sortis de l'adolescence, vous étiez donc promis l'un à l'autre ?

— Bien sûr, répondit-il, étonné de sa réaction. Je sais que ce n'est pas une pratique répandue aux Etats-Unis… En Europe, en revanche, il arrive que des familles de notables associent leurs intérêts par des mariages.

— Et l'amour, dans tout ça ?

— Christina et moi étions très proches l'un de l'autre. Nous avions toujours été amis, il était tout naturel que nous devenions mari et femme.

Naturel, peut-être, pensa Annie, mais pas romantique du tout ! Et la magie de l'amour, alors ?

A cet instant, Nick se leva et, s'emparant d'un torchon, se mit à essuyer les assiettes de façon machinale.

— Puisque vous avez changé d'avis concernant la vaisselle, je vais vous aider.

Annie considéra l'évier… En effet, elle était en train de faire la vaisselle, contrairement à ses intentions premières. C'était le récit de Nick qui l'avait perturbée !

— Comme vous voudrez, marmonna-t-elle.

— Le temps passe plus vite quand on est occupé.

— Combien d'années avez-vous été mariés, tous

les deux ? s'enquit-elle alors en lui tendant une assiette mouillée.

— Nous venions de célébrer notre quatrième anniversaire de mariage juste avant que…

— Quatre ans ? Et vous n'avez pas eu d'enfants ?

— Non, dit-il avec lenteur, comme si l'aveu le peinait.

Nul doute qu'elle venait de commettre un impair, pensa Annie. Pourquoi fallait-il toujours qu'elle parle sans réfléchir ? Elle aurait mieux fait de tourner sa langue sept fois dans sa bouche.

— J'imagine que votre vie était si passionnante que vous n'aviez pas envie que des enfants viennent perturber votre bonheur. Les enfants peuvent être si pénibles, parfois.

— Non, ce n'est pas cela. Christina… Enfin, nous désirions tous les deux un enfant. Hélas ! Le diagnostic des médecins fut impitoyable : nous ne pourrions pas avoir de descendance, ni l'un ni l'autre.

Saisissant une deuxième assiette, il enchaîna :

— Et avant que vous ne me posiez la question, oui, j'ai suggéré à Christina que nous en adoptions un. Mais ma femme n'arrivait pas à se faire à cette idée.

— Je suis désolée, ça n'a pas dû être facile.

— C'était surtout difficile pour Christina. Elle était anéantie. C'est ce qui l'a incitée à fonder le centre de recherches marines. Ce projet lui tenait à cœur depuis tant d'années…

— Votre famille possède cette île depuis longtemps, j'imagine.

— Des générations, effectivement. Il y a cinquante ans, mon grand-père a légué, par acte notarié, le village à ses habitants. La plupart travaillait pour ma famille depuis des années et mon grand-père voulait les remercier de leur loyauté.

Qu'il devait être plaisant d'être riche au point de faire don d'une ville entière ! Ce n'était pas la famille d'Annie qui aurait pu se permettre une telle excentricité.

— Le centre n'était pas encore ouvert quand votre femme est morte, n'est-ce pas ? C'est vous qui avez œuvré à sa mise en fonctionnement.

— Je souhaitais…

Il hésita, posa le torchon qu'il tenait à la main, et reprit :

— Je voulais que ses désirs de toujours deviennent réalité. Je n'ai pas pu lui donner l'enfant de ses rêves ; en revanche, je pouvais faire en sorte que le centre dont elle avait tant rêvé voie le jour.

A ces mots, la compassion serra le cœur d'Annie.

Les yeux de Nick exprimaient une telle tristesse et une si grande culpabilité…

— Vous avez risqué votre vie pour la sauver. Votre blessure à la jambe était très grave. Vous deviez l'aimer très fort.

Malgré elle, une larme lui échappa.

Contre toute attente, Nick la saisit par le menton pour la forcer à croiser son regard. Puis il essuya gentiment sa larme et repoussa une boucle cuivrée derrière son oreille.

— Il est préférable que je me retire dans mon bureau, à présent, déclara-t-il. Merci pour l'excellent dîner. Je ne pense pas que le cyclone soit si terrible que cela.

— Ne vous inquiétez pas pour moi, murmura-t-elle bien vite.

Le contact de sa main l'avait fait frissonner des pieds à la tête.

— Bonne nuit, Annie, dit Nick en se dirigeant vers la porte.

— Si vous avez besoin de quelque chose, n'hésitez pas à m'appeler, lança-t-elle.

Il ne répondit pas ; il était déjà parti.

Un grand froid enveloppa alors la jeune femme — le froid de l'absence. Et les doigts glacés de la solitude étreignirent douloureusement sa poitrine.

- 3 -

Se saisissant de la carafe, Nick se servit un doigt de whisky. Son bureau, avec ses dalles gris ardoise, ses meubles de bois clair et son sofa au confort suédois lui apportait en temps normal une paix intérieure ; aujourd'hui, ce décor familier ne l'apaisait pas. Toutes ses pensées étaient tournées vers Annie. Comment allait-elle gérer l'ouragan, seule dans sa chambre ?

Et que pouvait-elle bien porter, étendue sur son lit, dans l'attente de l'orage ? Telle fut la question surprenante qui lui traversa alors l'esprit.

Un déshabillé en dentelle transparente, comme certaines femmes les aimaient ? Si tel était le cas, nul doute qu'il s'agissait d'un tissu soyeux, aux couleurs vives, comme Annie elle-même. Il était certain que ses tenues de nuit ne se déclinaient pas en noir et blanc.

Ou pourquoi pas un coloris assorti à ses yeux ?

Un turquoise aussi étincelant que les eaux des Caraïbes, orné de quelques touches orangées…

Secouant la tête, il porta son verre à ses lèvres : un feu liquide coula dans sa gorge. Il avait tort de fantasmer sur une femme qui était son employée. C'était indigne de lui et déloyal envers son ancienne femme.

Après tout, Annie portait peut-être un simple T-shirt en coton. A moins qu'elle ne se glisse nue entre les draps…

A cette pensée, des picotements de désir coururent le long de ses reins. Se laissant tomber sur le sofa, il se mit à fixer le portrait de Christina, sur la console.

Il avait toujours aimé la façon dont sa coupe de cheveux sophistiquée s'harmonisait avec sa garde-robe raffinée. Sa blondeur et la douceur de son regard lui évoquaient un ange à la fois parfait et fragile. Mais jamais il n'avait éprouvé pour elle le désir aigu que suscitait en lui la seule imagination des déshabillés d'Annie.

Pas plus d'ailleurs qu'il n'avait ressenti envers Christina une émotion proche de l'amour. Et Dieu sait s'il aurait souhaité qu'il en aille autrement.

Fermant les yeux, il attendit que passe la vague familière de la mélancolie. A trente ans, il n'avait connu qu'une partenaire sexuelle. Quitte à paraître démodé, il n'avait jamais voulu coucher avec une autre femme que la sienne. En outre, son incapacité à procréer le confortait dans son choix de rester fidèle à la mémoire de sa femme.

Or, ce soir, il était fort irrité de constater qu'au lieu de se rappeler le visage parfait et éthéré de Christina, tout ce qu'il pouvait visualiser, c'était Annie, bien ancrée dans la réalité. Il entendait encore son rire vibrer dans l'air ; il était venu s'enraciner dans son corps.

Annie était la tentation incarnée. Avec son regard hypnotique et sa voix sensuelle de sirène, elle lui donnait envie de s'évader de son monde gris et sécurisant.

Rejetant les pensées que sa kinésithérapeute lui inspirait, Nick se leva et se servit un autre verre. Puis il se tourna de nouveau vers la photographie de sa femme et leva son verre dans sa direction.

— A toi, ma chère et tendre… J'ai tenu toutes mes promesses. Ton centre dédié aux dauphins fonctionne à merveille et je veillerai toujours à ce que l'on y effectue les meilleures recherches.

Avalant une gorgée de whisky, il se laissa envahir par une bouffée de culpabilité et poursuivit :

— Je suis navré de n'avoir pu te donner cet enfant que tu désirais tant. Désolé aussi de t'avoir contrainte à te conformer à l'image que j'avais de toi.

Un sentiment glacé le submergeait toujours quand il pensait à son épouse perdue à jamais, et à toutes les occasions manquées ; or il se rendit compte qu'il se sentait juste peiné. Sa souffrance avait perdu de son acuité… Elle était plus floue, plus indistincte.

Il fallait que la douleur violente d'autrefois revienne ! Pour qu'il continue d'honorer les promesses qu'il avait faites à son épouse, sur son lit de mort, et les engagements qu'il avait pris envers lui-même.

Son deuxième verre achevé, Nick s'en servit un troisième. Il était presque l'heure d'appeler le centre, comme convenu, pour s'assurer que tout était prêt en vue de l'orage.

L'idée que les dauphins seraient la proie des éléments s'ils s'échappaient du lagon où ils avaient grandi le remplissait d'effroi. Hélas ! Il n'était pas en son pouvoir d'arrêter le déchaînement des forces de la nature et d'empêcher la mer de causer des dégâts.

Poussant un soupir, il décrocha le combiné. Après quoi, il s'allongerait sur le sofa, la bouteille de whisky à la main, et oublierait toutes les pensées frivoles qui l'avaient traversé ce soir.

*
* *

La lumière vacilla une fois de plus et Annie posa son livre sur la table de nuit. Allait-elle pouvoir finir son chapitre ? se demanda-t-elle en fixant sa lampe comme si elle cherchait à l'hypnotiser.

Pour être honnête, elle avait éprouvé des difficultés à se concentrer sur le nouveau roman d'amour que sa sœur avait joint au colis arrivé hier. Adorable Brenda ! Elle lui avait envoyé des barres chocolatées, du vernis à ongles, du savon parfumé à la vanille et le dernier essai de son auteur favori. Que demander de plus ?

Annie regarda ses doigts vernis et sourit. Ce n'était pas à l'épicerie du village qu'elle aurait pu trouver ce bleu turquoise…

Un formidable coup de tonnerre la fit presque sursauter et résonna longuement entre les quatre murs de sa chambre. Le vent soufflait et les branches des arbres battaient contre le toit et les fenêtres. Toutefois, dans ses appartements privés, elle se sentait en sécurité.

L'aile de la maison qu'elle occupait était flambant neuve, ayant été construite à peine cinq ans plus tôt. La décoration était raffinée, dans des tons de beige et de saumon, avec des motifs de coquillages. Bien plus sophistiquée que sa chambre, à Boston.

Son regard tomba de nouveau sur son roman. Il

était passionnant, mais elle ne pouvait s'empêcher de penser à Nick, en le lisant.

Depuis des semaines, elle fantasmait sur son mystérieux patron. Des fantasmes qu'elle avait d'abord tenté de repousser car ils n'entraient pas dans le contrat qu'ils avaient signé…

Peine perdue ! Chaque fois qu'elle fermait les yeux, sa chevelure blonde et soyeuse, sa bouche sensuelle venaient danser devant ses paupières closes. Comme elle aurait aimé poser ses mains sur le visage du beau Nick ! Pas que sur cette partie de son corps, d'ailleurs, mais cette pensée, elle n'était pas prête à l'avouer, ne serait-ce qu'à elle-même.

Désormais, quand elle se trouvait près de lui, elle était nerveuse. Des frissons la parcouraient inopinément et elle avait tendance à rire pour un rien. Mon Dieu, elle devait se ressaisir !

Elle avait beaucoup réfléchi à son attitude et, en dépit de l'humeur changeante de Nick, elle devait bien admettre qu'elle avait le béguin pour lui.

Elle avait vu ses sœurs tomber plusieurs fois amoureuses, lorsqu'elles étaient au lycée. Elles se battaient pour obtenir de leurs parents des autorisations de sortie, et trouvaient toujours, le cas échéant, le moyen de braver leurs interdictions.

Adolescente, Annie avait elle-même passé de

nombreuses heures au téléphone, avec ses amies, à rêver du prince charmant. Néanmoins, elle était bien trop accaparée par ses autres passions, l'athlétisme, ses études et les livres, pour se mettre en quête de l'homme idéal.

A l'université, elle était sortie avec quelques garçons, mais là encore d'autres préoccupations l'avaient détournée du projet de trouver la perle rare : quitter la maison familiale et Boston avait été sa priorité.

Après quoi, elle avait eu envie de voir le monde et les endroits magiques dont ses lectures lui avaient donné la curiosité. En venant sur cette île paradisiaque nichée au cœur des Caraïbes, elle avait été largement contentée.

L'île de Nick lui rappelait l'atmosphère de son roman préféré. Elle exerçait un métier qu'elle adorait. Et voici qu'à vingt-quatre ans elle serait tombée amoureuse ? Non, la vie ne pouvait pas être si généreuse !

Idiote ! Elle devait faire appel à son bon sens, ainsi que sa mère le lui avait appris : Nicholas Scoville était aussi inaccessible que le prince ténébreux d'un conte.

*
**

Durant la soirée, l'orage s'amplifia : une pluie battante et des vents d'une force redoutable assaillirent le toit et les fenêtres. Plusieurs fois, Nick se réveilla, à cause d'un bruit sourd intrigant. Quelque chose de lourd semblait taper contre les murs du manoir.

A minuit, il arpentait les couloirs de la demeure, inquiet au sujet des dauphins du lagon. Le cyclone avait un peu dévié de la trajectoire qu'on avait annoncée et l'île allait en pâtir davantage qu'on ne l'avait annoncé.

Le courant était coupé depuis une heure à présent et il ne parvenait pas à joindre le centre. Une lampe de poche à la main, il gagna la cuisine. Tout de suite, ses pensées se tournèrent vers Annie. Par pitié ! Cela n'allait pas recommencer ! Il devait mettre un terme à ce genre de rêveries.

Ce fut alors qu'un bruit épouvantable résonna dans tout le manoir. Si terrible qu'il avait couvert celui de l'orage. D'un bond, Nick s'élança dans le noir vers l'aile qu'occupait Annie.

— Annie ! Où êtes-vous ? s'époumona-t-il.

Sans s'embarrasser de formalité, il ouvrit la porte de sa chambre qu'il balaya du rai de sa lampe de poche.

Le lit était vide, constata-t-il, le cœur battant.

Les grondements de l'orage avaient redoublé

et il sentait un courant d'air anormal. Après une légère hésitation, il ouvrit la porte de la salle de bains…

Et se retrouva face au chaos total.

Le faîte d'un énorme palmier gisait dans la pièce ; le reste de l'arbre était retenu par l'angle du toit. Des feuilles et des bris de verre étaient répandus sur le dallage, et l'eau montait à grande vitesse. Juchée sur le rebord de la baignoire, Annie tentait à l'aide de serviettes éponge de colmater le trou de la toiture.

En jurant, Nick se dirigea vers elle, parmi les débris.

— Tout va bien ? s'enquit-il. Ne vous préoccupez pas de ce trou et venez.

— Je n'ai pas de chaussures et je me suis déjà coupée avec les éclats de verre, répondit-elle en forçant la voix pour passer le bruit de la pluie.

— Je vais vous porter…

— Non, je suis trop lourde. Votre condition physique ne vous le permet pas.

Se rapprochant d'elle, il répliqua :

— Ma kinésithérapeute personnelle ne serait pas d'accord avec vous sur ce point. Elle prétend que je suis bien plus fort que je ne le crois.

Sur ces mots, il esquissa un bref sourire et tendit les bras vers Annie.

Laquelle s'y glissa sans plus protester, passant même un bras autour de son cou.

Elle était légère comme une plume, pensa-t-il alors, attendri.

De façon instinctive, elle lova son corps trempé et froid contre son torse chaud et nu.

Et Nick de retenir un grognement effaré, tout en faisant appel à ses ultimes forces pour conserver la maîtrise de lui-même, le contact de sa peau contre la sienne menaçant de lui faire perdre la tête…

Annie dans les bras, il sortit de la salle de bains, referma la porte du pied, avant de déposer avec douceur la jeune femme sur le lit.

— Je me demande si la toiture va résister, dans cette partie du manoir, lui dit-il. Vous allez vous changer et nous irons attendre la fin du cyclone dans mon bureau. Il se trouve dans une aile qui a résisté à de nombreux ouragans.

— A vos ordres, fit-elle d'un ton malicieux en faisant mine de se lever.

— Ne bougez pas. Indiquez-moi juste où trouver des vêtements secs. Il faut soigner vos blessures avant que vous ne reposiez le pied par terre.

— Je peux marcher à cloche-pied. Vous…

— C'est ici, n'est-ce pas ? coupa-t-il en se dirigeant vers le dressing. Nous devons nous hâter. Dites-moi ce dont vous avez besoin.

— Un short et un T-shirt, répondit-elle de le voir disparaître dans le dressing, arn sa lampe de poche.

Il lui aurait aussi fallu des sous-vêtements rechange ; cependant, en toute décence, elle pouvait pas le prier de chercher, dans sa lingeri un soutien-gorge et une culotte.

Nick revint sans tarder et, lui tendant ses vêtements et la lampe, déclara :

— Portez cela et moi, je vais vous porter.

De nouveau, il la souleva sans difficulté.

L'espace d'une seconde, elle ferma les yeux, troublée par le contact de ses mains…

Allons ! C'était elle qui détenait la lampe de poche, et qui devait l'éclairer pour qu'il retrouve son chemin dans la maison plongée dans l'obscurité. Elle ne pouvait pas se laisser aller de la sorte…

Il la tenait fermement tandis qu'elle se pressait contre son torse nu. Les muscles qu'elle l'avait aidé à reconstruire se contractaient comme il évitait des obstacles. Pour sa part, elle s'accrochait à son cou afin de ne pas tomber. Tous deux étaient trempés, en sueur, accablés par la chaleur et l'humidité.

Comme elle glissait, il la releva et elle sentit au passage l'odeur son eau de Cologne qui émanait de sa peau luisante. Cette odeur familière lui parut soudain d'une incroyable masculinité… Une onde

électrique la parcourut alors et elle se mit à respirer de façon saccadée. Leur déambulation nocturne représentait une des expériences les plus érotiques de sa vie, songea-t-elle en frissonnant.

Quelques minutes plus tard, Nick entrait dans une salle de bains qu'elle n'avait jamais visitée.

— Pourrez-vous vous changer sur un pied tandis que je vais chercher la trousse des premiers secours ?

Elle hocha la tête et, lorsqu'il la laissa glisser à terre, contre lui, elle sentit la preuve irréfutable de son excitation. Troublée, elle en vacilla presque. Il se méprit sur son vertige.

— Agrippez-vous au rebord de la baignoire. Dès que vos blessures seront soignées, vous vous sentirez mieux.

Elle lui tendit la lampe.

— Non, merci, je n'en ai pas besoin. Je sais où en trouver une autre.

— Nick, je…

Il était déjà parti.

— Tendez-moi votre pied, Annie.

Nick se tenait devant cette dernière, à présent assise sur le rebord de la baignoire. Elle avait l'impression qu'il occupait tout l'espace de la

salle de bains qui, de prime abord, ne lui avait pas paru exiguë… Il avait apporté une trousse de premiers secours, ainsi qu'une lampe au kérosène. Distinguer son expression et ses yeux bleu acier renforçait sa nervosité.

Elle lui tendit le pied. Un pied aux ongles vernis, se rappela-t-elle, gênée. Ce qui n'échappa pas à Nick.

— Quelle est cette couleur ? Du vert ou du bleu ?

Comme il était curieux que Nick touche sa cheville nue de cette façon… Et qu'il était embarrassant qu'il ait découvert sa petite frivolité. Elle qui d'ordinaire portait toujours des baskets !

— C'est ma sœur qui me l'a envoyé. Comme je m'ennuyais, tout à l'heure, je me suis peint les ongles. Je n'ai pas l'habitude de choisir des couleurs si vives, mais…

— Cela vous va à ravir, l'interrompit-il. C'est frais et plein d'énergie. Comme vous.

A ces mots, une bouffée de chaleur la submergea.

Nick lui tenait toujours le pied ; elle se rendit compte que cela l'excitait terriblement. Et elle ne croyait pas se tromper en affirmant que le trouble était partagé.

Mon Dieu ? Qu'allait-il se passer, à présent ?

— La coupure n'est pas profonde, annonça-t-il après avoir étudié la blessure avec attention. L'avez-vous lavée avec soin de sorte qu'il n'y ait plus de verre à l'intérieur ?

— Oui, affirma-t-elle.

En lui posant cette question, il avait levé les yeux vers elle.

Son visage était à quelques centimètres du sien. Il lui suffirait de se pencher en avant pour embrasser ses lèvres pleines…

A cette pensée, l'imagination d'Annie se mit en marche, et des sensations inconnues traversèrent son corps lorsqu'il se mit à lui bander le pied. Des sensations si intenses qu'elle préféra fermer les yeux pour ne pas se trahir…

Nick serra les dents pour terminer le bandage. S'il avait écouté son instinct, il aurait tout abandonné séance tenante pour la posséder, ici même, dans la salle de bains.

Il lui avait été aisé de deviner qu'elle le désirait : son regard lascif s'était attaché à ses lèvres et ses seins s'étaient durcis, lorsqu'il avait soigné ses blessures…

De toute évidence, elle ne portait pas de soutien-gorge. Pourquoi s'en étonnait-il ? Ne l'avait-il pas découverte en pyjama de soie, tout à l'heure, dans la salle de bains dévastée ? En général, une femme ne portait pas de soutien-gorge sous un pyjama.

La savoir nue sous son T-shirt le rendait fou. Il évita de regarder en direction de sa poitrine. N'était-il pas suffisant que son anatomie l'ait trahi, tout à l'heure ? Il était certain qu'elle s'en était aperçue.

Nick put de nouveau respirer quand, une fois le pied d'Annie soigné et bandé, ils se retrouvèrent sur le sofa de son bureau. Il ne restait plus qu'à trouver une occupation, en attendant que l'orage passe… Et il était hors de question qu'il cède aux besoins de son corps. N'était-il pas un homme d'honneur ?

— Voulez-vous dormir un peu ? proposa-t-il. Le sofa est très confortable.

— Vous plaisantez ? Comment dormir, dans ces circonstances ? En toute franchise, avez-vous sommeil ?

— Non, admit-il à contrecœur. Nous allons donc devoir nous tenir compagnie…

Il aurait tant aimé qu'elle dorme, pour que sa libido cesse de le tourmenter. Mais avec Annie, rien n'était simple. Un souffle de passion, de sensualité et de vie auréolait toute sa personne.

— J'ai entendu dire qu'on donnait des

surprises-parties, pendant les ouragans, dit-elle en souriant.

— C'est-à-dire ?

— Nous pourrions écouter de la musique.

— Sans électricité, cela me semble difficile, fit-il en souriant malgré lui. D'ailleurs, je n'ai pas de chaîne hi-fi.

— Oh, fit-elle, déçue. Je ne peux pas imaginer vivre sans musique. A la maison, dans chaque chambre, chacun écoutait ses propres disques. N'aimez-vous donc pas la musique ?

— Chez moi, nous n'écoutions que ce que ma mère voulait bien nous jouer au piano. Ou bien des concerts organisés lors de réceptions d'affaires.

— Savez-vous jouer du piano ?

— J'aurais aimé… Mon père s'y est toujours opposé, car il prétendait que cela ne servait à rien, dans les affaires. Il devait aussi penser que ce n'était pas une activité très virile.

— Mon frère Ryan bondirait en entendant de tels propos. C'est un virtuose du piano, ce qui ne l'empêche pas d'être un grand sportif.

Elle parlait toujours de sa famille avec enthousiasme, ce qui prouvait l'affection qu'elle ressentait pour les siens. Annie était si enjouée, si… craquante.

Bon sang, ce qu'il la désirait !

Il aurait donné un mois de sa vie pour capturer sa bouche charnue. Pour glisser ses doigts dans ses boucles folles. Pour caresser sa peau soyeuse. Pour s'enfouir en elle…

— Ne vous inquiétez pas pour l'absence de musique, dit-elle. Ce qu'il nous faudrait, en revanche, c'est un peu de bière. C'est un élément indispensable.

— Désolé, il n'y en a pas ici.

— N'aimez-vous pas la bière ? Mon père vous traiterait d'hérétique.

Après avoir prononcé ces paroles provocatrices, elle éclata de rire et l'éclair vert qui traversa son regard le renseigna sur son degré d'excitation.

— Allons, un peu de sérieux ! la sermonna-t-il. Nous pourrions jouer aux échecs…

Annie fit une drôle de moue avant de répondre :

— Je ne sais pas y jouer.

Puis, sur un ton guilleret, elle enchaîna :

— Et si nous jouions aux cartes ?

— Il n'y en a pas dans cette maison.

— Eh bien ! Une maison sans bière ni cartes est un bien triste endroit !

Devant sa franchise, Nick se mit à rire à ses propres dépens.

— Vous êtes impossible, Annie ! Je suppose qu'à vos yeux je vis dans un monde bien morose.

— Oh, pas du tout ! Vous habitez une demeure fantastique, sur une île exotique. Avec votre jet privé, vous pouvez vous rendre n'importe où dans le monde. Enfin, vous possédez un centre de recherches marines qui vous permet de jouer avec les dauphins et de communiquer avec eux. Si ce n'est pas une vie haute en couleur, alors je ne sais pas ce que c'est.

La plaidoirie d'Annie était si convaincante que, soudain, tout se mit à vibrer autour de Nick, comme s'il était au cœur de la vie. Décidément, il adorait parler avec cette jeune fée ! Sa voix exerçait un pouvoir magique sur ses sens.

— Et si nous nous contentions de bavarder pour passer le temps, proposa-t-il tout à trac.

— Entendu ! acquiesça-t-elle spontanément avant d'ajouter : Nous pouvons nous raconter des histoires.

— Quel genre d'histoires ?

— Des histoires de fantômes ! Sans électricité et avec toutes les ombres qui dansent dans la pièce, sous la lumière tremblante des bougies, ce serait très amusant, ne trouvez-vous pas ?

Prenant place à côté d'elle sur le sofa, Nick avoua :

— Je ne connais aucune histoire de fantôme.

— Pardon ? Quelle sorte d'éducation avez-vous donc eue ? s'exclama-t-elle, une lueur mutine dans le regard.

Tout à coup, elle jeta un coup d'œil par-dessus l'épaule de Nick, et il la vit s'assombrir. Il se retourna pour voir ce qui l'avait chagrinée… et se heurta au portrait de Christina.

Se levant, il posa le cadre à un autre endroit et répondit :

— Il est des histoires de fantômes qu'il est préférable de ne pas raconter.

— Je vous en prie, ne déplacez pas cette photo à cause de moi…

— Je voulais de toute façon la mettre ailleurs. Christina n'aimait pas beaucoup ce cliché.

Posant de nouveau son regard sur Annie, il remarqua qu'elle avait les yeux remplis de larmes.

— Annie ?

— Navrée, dit-elle en agitant la main. C'est une histoire d'amour si tragique. Un jeune couple avec tant de projets…

Si elle avait su ! pensa Nick dépité.

La tragédie de toute cette histoire n'était-ce pas justement l'absence d'amour ? Il fallait à tout prix que la belle Annie retrouve le sourire. Quand elle souriait, le monde s'éclairait. Aussi, lorsqu'une lourde larme roula sur sa joue, avança-t-il la main vers son visage pour l'essuyer.

— Annie, je vous en supplie, ne pleurez pas, murmura-t-il.

D'un coup, l'atmosphère de la pièce changea...

Et ce fut plus fort que lui !

Lui soutenant le menton, il se pencha vers elle et suivit avec sa langue le contour de ses lèvres ourlées. Annie poussa un léger gémissement avant de nouer ses bras autour du cou de Nick et d'approfondir le baiser.

Elle était irrésistible, songea-t-il. Elle représentait tout ce qu'il avait toujours désiré et s'était toujours refusé. Et, bien qu'il éprouvât des difficultés à l'admettre, il savait que ses scrupules et ses promesses de fidélité allaient se dissoudre sous peu, dans la nuit qui l'attendait avec Annie. Oui, tout partirait avec son honneur...

De nouveau, Annie gémit doucement. Un désir chauffé à blanc le terrassa et il perdit la raison.

- 4 -

Annie se lova contre lui avec empressement. Jamais elle n'avait ressenti une telle puissance — ni une telle faiblesse auparavant.

Quelque part, au fond de son cerveau, elle entendait la voix de sa mère la condamner : Nick était son employeur, leur histoire n'avait pas d'avenir.

A moins que…

Dans un soupir, elle s'abandonna aux caresses de sa langue sur ses lèvres et, frémissante, entrouvrit la bouche… Leurs langues s'unirent en une lente danse érotique, un baiser que Nick fit bien vite plus impétueux. Il l'embrassa alors avec force, désespoir, passion.

Au bout d'un long moment, il écarta avec douceur sa bouche de la sienne, puis enfonça son visage dans la nuque d'Annie.

— Je suis désolé, marmonna-t-il. Je n'aurais pas dû… Mais j'en avais tellement envie.

— Moi aussi, répondit-elle en s'agrippant à ses épaules.

Et le monde d'Annie se voila soudain d'une brume vaporeuse, tandis que le grondement de l'orage se transformait, dans sa tête, en une suave mélopée.

— Depuis le premier jour, ajouta-t-elle alors dans un souffle.

Poussant un grognement, Nick traça un sillon avec sa bouche le long de son cou ; Annie rejeta la tête en arrière pour lui donner toute licence. Il embrassa bientôt le contour de sa joue avant de venir mordiller son lobe…

Le souffle chaud de Nick lui picota l'oreille et des étoiles de bonheur se mirent à danser devant ses yeux.

— Oh, mon Dieu ! C'est aussi merveilleux que ce qu'on décrit dans les…

A cet instant, il fit glisser son pouce sur les pointes de ses seins durcis et elle en oublia le reste de sa phrase…

C'était heureux, du reste. Car elle devait rester vigilante en ce qui concernait son manque total d'expérience ; oui, il lui fallait à tout prix le lui dissimuler, de crainte qu'il ne s'arrête en si bon chemin.

Elle souhaitait tant qu'il fût le premier !

Elle garda donc le silence. Et, quand il glissa ses mains sous son T-shirt et que ses paumes entrèrent en contact avec ses seins, elle crut qu'elle allait se consumer sur place...

Soudain, elle eut l'impression que ses vêtements étaient trop étroits. Son T-shirt l'étouffait, son short la serrait, la faisait transpirer...

Nick l'enlaça par la taille et la pressa très fort contre son torse, de sorte qu'elle puisse apprécier toute la puissance de son désir, contre son ventre. Forte de cette constatation, elle prit son courage à deux mains et, d'un geste habile, fit passer son T-shirt au-dessus de sa tête avant de le retirer.

L'air frais sur sa peau brûlante lui fit reprendre ses esprits.

Mon Dieu, venait-elle de commettre un sacrilège ?

A voir Nick déglutir avec difficulté, elle devina que lui aussi était dépassé par l'initiative. Consciente de s'être montrée trop audacieuse, elle voulut se recouvrir les seins avec les mains. Il lui saisit les poignets au vol et, lui écartant les bras, déclara :

— Laisse-moi te contempler. Tu es si belle. S'il te plaît, juste une minute.

La vue de ses délicats tétons couleur rose thé et des taches de son qui ornaient sa gorge firent vibrer un désir ardent dans tout le corps de Nick.

Un désir si intense qu'il ne respirait plus qu'à grand-peine…

Annie incarnait à elle seule tout un kaléidoscope de sensations. Quand il relâcha ses mains, ce fut pour se remettre à explorer le corps de la jeune femme…

De ses doigts fébriles, il parcourut d'abord son beau visage, les yeux attachés à son regard aussi éclatant qu'une émeraude, et en même temps lascif et passionné. Passant une main derrière la nuque d'Annie, il enfouit ses doigts dans ses boucles épaisses ; il lui sembla cueillir une poignée de flammes. C'était comme de l'or liquide coulant entre ses doigts…

A tâtons, Annie déboutonna la chemise de Nick et dégagea ses épaules.

— Moi aussi, j'ai envie de t'admirer, dit-elle en plaquant sa main sur son torse.

Ils retinrent tous deux leur respiration.

Le cœur de Nick tambourinait dans sa poitrine tandis qu'elle traçait de lents cercles sur sa chair et ses muscles. Un mouvement qui se déplaçait peu à peu vers son bas-ventre…

Une chaleur intense le submergea.

Tout son corps était tendu de désir.

De sa main libre, il prit subitement l'un de ses seins en coupe, avant de relever les yeux pour affronter son regard, anxieux d'y lire de la désapprobation.

Il était vierge de tout blâme. Bien au contraire ! Nick se mit alors à palper son mamelon, grisé de le sentir se roidir sous sa caresse. Puis il captura de nouveau la bouche d'Annie.

Elle ferma les yeux, tâchant de reprendre sa respiration, comme si la sensation de ses mains sur sa peau était l'expérience la plus inouïe qui lui soit arrivée. Elle se cambra même pour l'inviter à poursuivre…

Nick avait bien conscience que le petit jeu devait bientôt cesser. Mais il voulait se repaître encore quelques secondes, quelques minutes de la délicieuse Annie.

— Nick, dit-elle d'une voix languide, les paupières lourdes.

Entendre son nom le ramena d'un coup à la réalité.

— C'est une énorme erreur, dit-il en la relâchant.

— Non, je t'en prie, plaida-t-elle.

Lui saisissant la main, elle la reposa sur ses seins et la maintint avec la sienne.

— Continue. Fais-moi l'amour…

Sous son regard suppliant, Nick sentit ses reins

se creuser. Mais son sens de l'honneur ne l'abandonna pas pour autant…

— Annie, je n'ai rien à t'offrir, à part cette nuit, répondit-il, en toute honnêteté. Je ne peux rien te donner. D'ailleurs, je ne peux rien donner à aucune femme…

— Je sais, et cela m'est égal. Je comprends.

Sur ces mots prononcés avec une douce mélancolie, elle lui adressa un merveilleux sourire où se lisait tout le désir qui la dévorait. Un désir qui se reflétait aussi dans ses yeux clairs et brillants…

Il sut qu'il était perdu.

Sans plus réfléchir, il prit sa bouche. Il était si bon de la déguster ! Elle avait un goût de cerise et de chocolat et l'entraînait dans un tourbillon de couleurs et de magie.

Oublieux de l'orage qui se déchaînait à l'extérieur, il s'abandonna à la tempête intérieure de leur désir partagé.

Agrippant ses épaules, Annie se pressa plus étroitement contre lui. C'était la première fois qu'elle tremblait de désir pour un homme. Les vibrations qui secouaient son corps se concentraient de façon plus vive dans un recoin secret de son anatomie…

Elle s'entendait gémir malgré elle et elle redoutait de tout gâcher par trop de démonstration. Elle craignait aussi qu'il ne change d'avis.

Soudain, la pensée qu'elle pouvait tomber enceinte lui traversa l'esprit. Puis elle se rappela que Nick ne pouvait pas avoir d'enfant.

Bientôt, sous ses caresses expertes, elle oublia toute pensée rationnelle pour n'être plus qu'un maelström de sensations.

— Nick, murmura-t-elle au bout d'un moment, moi aussi je veux te toucher.

Relevant la tête, il croisa son regard luisant. A quoi bon résister encore ? Son monde venait de basculer.

Lisant son consentement dans ses yeux, Annie se mit à caresser son visage, son cou, sa poitrine… Ce faisant, son regard vert s'enflammait de plus en plus.

Nick respirait avec une difficulté grandissante.

L'orage faisait rage en lui, son sang courait à toute allure dans ses veines, son pouls battait à tout rompre. Annie était plus attrayante que jamais. Son visage s'était teinté de rose, tout comme sa gorge. Elle était flamboyante.

La quintessence même du désir.

Baissant les yeux vers la pointe de ses seins, il constata qu'ils avaient pris une teinte pourpre. Quelle couleur prenaient d'autres parties de son corps sous l'aiguillon du désir ? se demanda-t-il alors.

Du calme ! s'exhorta-t-il. Il ne fallait brûler aucune étape. Cela faisait si longtemps qu'il n'avait pas connu la douceur de l'amour…

Oui, deux ans déjà qu'il n'avait pas touché une femme. Qui plus est, il n'avait jamais ressenti un désir si intense entre les bras de Christina. Avec Annie, il voulait expérimenter tous les raffinements du plaisir, apprécier chaque seconde du feu qui les brûlait.

Il caressait à présent sa poitrine avec dévotion. Ses paumes correspondaient exactement à la rondeur de ses seins. Avait-il trouvé sa moitié ? s'interrogea-t-il, troublé — ému…

Il mordilla avec tendresse les lèvres gonflées d'Annie ; laquelle enfonça ses ongles dans ses épaules…

Le velours de sa bouche combiné à la griffure de ses ongles sur sa peau aviva son excitation. Le souffle court, il la fit basculer sur le sofa.

Alors, éperdument, il laissa ses mains courir sur son corps et lui retira son short. L'instant d'après, son voluptueux corps de déesse était nu entre ses bras…

Il voulait la toucher partout. Déguster la moindre parcelle de son anatomie. Une faim féroce le dévorait, le poussait à des audaces inédites.

Enfouissant la tête dans son ventre, il se mit à tracer des cercles avec sa langue. Sa peau était douce, satinée… Bien plus exquise qu'une gorgée de whisky savamment vieilli.

Avec lenteur, il creusa un sillage le long de son mont de Vénus doré afin d'atteindre son entrecuisse. Il leva alors des yeux langoureux vers elle… Le plaisir qu'elle éprouvait était inscrit sans ambiguïté sur son visage.

Nick voulait accomplir le moindre de ses désirs, tout comme elle comblait tous les siens, au-delà même de ce qu'il avait pu imaginer.

Baissant les paupières, il se dédia de nouveau au cœur chaud et humide de son être, tandis qu'Annie gémissait et ondoyait des hanches… Soudain, elle glissa ses doigts dans ses cheveux de façon impatiente, presque violente.

Oh, comme il partageait son impatience !

Il n'était plus question de prendre son temps. D'un bond, il se releva et retira son pantalon en toute hâte : il ne pouvait plus attendre.

Reprenant son souffle, il fixa Annie pendant quelques secondes…

Les joues en feu, le regard enflammé, elle tendit la main vers son membre viril. Un grognement lui échappa, et il lui saisit le poignet pour le détourner de sa cible. C'était plus qu'il ne pouvait endurer ! Sans plus respirer ni penser, il s'allongea sur elle.

De sa main, elle lui palpait le dos, se cambrant sous lui, provocante.

Fou de désir, il s'apprêtait à s'enfouir en elle…

A cet instant, et contre toute attente, Annie s'immobilisa. Il crut qu'il s'agissait d'une stratégie pour faire encore monter d'un cran le désir. Et ce fut alors que, tentant de poursuivre son chemin en elle, il comprit.

— Annie ? Mon Dieu ! Oh non, tu es…

Il s'interrompit, incapable de prononcer le mot fatidique. Il était si surpris, si confus. Annie, ce concentré de passion et d'érotisme, ne pouvait tout de même pas être vierge !

— Je t'en prie, continue, l'implora-t-elle.

Son ton plaintif, son besoin désespéré n'auraient sûrement pas suffi à le faire céder. Mais elle accrocha de façon si habile ses pieds à ses jambes, tout en se pressant contre lui, qu'il ne put que capituler.

— Vite, Nick ! Je t'en prie…

Quand elle se referma sur lui, la raison l'abandonna.

Elle émit un petit gémissement, entre la plainte et le plaisir… Puis elle renfonça ses ongles dans ses épaules et la volupté les grisa.

Une fois encore, Nick eut la sensation que tout était dans l'ordre des choses. Curieux, pensa-t-il, avant de plonger et replonger en elle avec vigueur, en quête d'un oubli salvateur, jusqu'à ce qu'un plaisir véhément le saisisse.

Et, enlacés, ils remontèrent ensemble le fleuve de l'extase, bien loin des terres arides de la réalité.

Après l'euphorie et le vertige, alors que leurs membres étaient encore intimement emmêlés, la raison revint à Annie par palier.

C'était donc *cela* dont ses sœurs rêvaient…

Et pourtant, c'était bien mieux que tout ce qu'elle avait entendu raconter ou lu. Elle en était encore tout éblouie.

Dressé sur ses coudes, Nick avait pris tendrement son visage entre ses mains.

— Tout va bien ? demanda-t-il.

— A merveille, répondit-elle d'une voix sensuelle. Et toi ?

Nick lui sourit du regard avant de déverser une pluie de tendres baisers sur ses paupières, ses tempes, son nez, ses joues. Des baisers si doux qu'elle en aurait presque pleuré de joie.

— Tu me rends fou, Annie. Je voudrais te prendre encore et encore.

De fait, lorsqu'il se pressa contre elle, la vigueur nouvelle de son désir ne fit pas de doute. L'enlaçant par la taille, elle repartit, mutine :

— Le programme me convient.

Elle aurait pu rester pour l'éternité dans ses bras.

Butinant ses lèvres, il dit alors :

— Tu es si libre. Si généreuse, si exquise.

Elle émit un petit rire aigu, tandis qu'il continuait :

— Toutefois, pour cette nuit, cela suffit. Pourquoi ne pas m'avoir dit que tu étais vierge, Annie ?

— Je ne voulais pas gâcher cet instant. Je te désirais et c'était ce qui importait. Le reste…

— C'est important pour moi ! se récria-t-il. J'aurais préféré ne pas être le premier.

— Pourquoi ? Tu m'as offert le plus beau cadeau qui soit, murmura-t-elle. L'ultime faveur dont j'ai toujours rêvé et que je n'ai jamais eu le courage de demander à aucun homme. Allons, ne compliquc pas une situation qui ne le mérite pas.

Tout en la caressant d'une main distraite, Nick attacha ses yeux aux siens. Des yeux qui la sondèrent comme s'il voulait se frayer un chemin jusqu'à son âme. Il finit par se pencher sur elle et embrassa longuement ses seins, l'un après l'autre.

Une immense chaleur brûla bientôt tout le corps d'Annie…

Alors elle décida de prendre son destin en main. N'était-elle pas une adulte ? Elle le désirait de nouveau et allait le lui dire.

Au diable ses précautions !

— Tu sais, je suis athlétique et en bonne santé, je ne crois pas que cela me sera préjudiciable, si nous recommençons. Là, maintenant. S'il te plaît…

Et, tout en plaidant sa cause, elle pressa ses hanches contre une partie bien précise de l'anatomie de Nick.

— C'est déloyal, Annie, murmura-t-il.

Et en même temps qu'il lui faisait ce reproche, il glissa la main dans l'entrecuisse de la jeune femme.

— C'est vraiment ce dont j'ai envie, dit-elle en lui mordillant l'épaule.

Un frisson le parcourut.

Il lui lança un dernier regard interrogateur…

Oh, il ne pouvait savoir à quel point elle était sûre d'elle, de cette nuit, de lui ! Soulevant les hanches, elle soupira d'aise lorsqu'elle le sentit la pénétrer. Tout était si étrangement familier, tout semblait si naturel entre les bras de Nick.

Ce dernier se mit à chalouper au-dessus d'elle, avec une savante lenteur. Il promena ses lèvres sur sa peau, embrassa ses épaules, ses lèvres, ses seins… Il préparait les braises d'un feu qui les emporterait à coup sûr vers des sommets aussi exquis qu'inoubliables.

Elle ondoya sous lui, et cette fois, lorsque les flammes de la passion jaillirent, elles embrasèrent son être tout entier.

Elle sentit Nick trembler, en équilibre sur les cimes du plaisir…

L'explosion qui les terrassa fut violente, et le monde chavira en même temps pour tous deux dans un feu d'artifice de passion et de tumulte.

Annie eut la folie de croire qu'elle avait pour toujours gagné une autre planète.

- 5 -

Un véritable sortilège avait envahi la nuit, pensa Annie, en se redressant sur le sofa pour contempler Nick, assoupi à côté d'elle.

C'était l'homme au physique le plus parfait qu'elle ait jamais rencontré. Elle était fascinée par les traits aristocratiques de son visage. Ses hautes pommettes et ses mâchoires déterminées s'accordaient de façon harmonieuse avec ses larges épaules et ses longs membres musclés. Elle trouvait également fort attachante la façon dont ses yeux bleus s'assombrissaient lorsqu'elle le surprenait en train de l'observer, à la dérobée.

Du bout de l'index, Annie caressa le front plissé de Nick.

Son cœur se pinça. Pourquoi faisait-il des cauchemars ? Ce n'était pas très flatteur pour elle, alors qu'ils venaient de faire l'amour.

Allons, ces tourments étaient plutôt imputables à la tragédie qu'il avait vécue…

Par la mère de Nick, elle avait appris que Christina était morte dans un accident de yacht, accident au cours duquel Nick lui-même s'était sérieusement blessé au genou. Elle lui avait aussi confié qu'en tentant de sauver sa femme de la noyade, il avait failli perdre la vie.

Nul doute que c'était cet accident qui venait le hanter en rêve, et qui le rendait si irritable parfois. L'idée que Nick fût tourmenté par un sentiment de culpabilité lié au décès de sa femme juste après qu'ils avaient été si intimes suscita un certain malaise chez elle.

Bien que, pour sa part, elle n'eût aucun regret d'avoir fait l'amour avec ce superbe homme torturé, Annie sentit la tristesse l'envahir… Pourquoi avait-il fallu qu'elle trouve enfin l'accomplissement total de son être entre les bras d'un homme qui serait à jamais prisonnier de ses souvenirs ?

La vie vous jouait parfois de ces tours…

Pourtant, comme elle était heureuse d'avoir vécu une expérience si exaltante, même si elle devait rester unique ! Elle ne cessait d'en revivre les délicieux moments… La bouche de Nick sur la sienne. La chaleur et la tendresse de ses caresses.

Les éclairs, dans ses yeux, lorsqu'ils s'étaient posés sur son corps nu.

Un frisson la parcourut.

Elle était bien consciente qu'il ne s'agissait que d'une nuit éphémère. Tous deux devaient être sous l'effet d'un sortilège… Ne se trouvaient-ils pas au cœur des Caraïbes ? Qui savait s'ils n'étaient pas sous l'influence de quelque pratique vaudoue… En tout état de cause, elle n'allait pas s'en plaindre. Oh non ! Elle ne regrettait rien.

Annie baissa les yeux vers Nick. Encore une fois, son cœur se serra : elle craignait tant qu'il se reproche leur nuit d'amour.

Et s'il décidait de la congédier ? Elle n'était pas certaine de survivre à la séparation… Qui plus est, elle voulait aller jusqu'au bout de sa mission et ne le quitter que lorsqu'il serait de nouveau en pleine forme, prêt à se lancer dans une nouvelle vie.

Elle avait eu la preuve, cette nuit, qu'elle ne le laissait pas tout à fait indifférent. Au fond, peut-être était-ce à elle de manœuvrer pour qu'il la garde auprès de lui plus longtemps ? Jusqu'à ce qu'elle soit en mesure d'envisager son départ sans ressentir cette affreuse douleur, dans la région du cœur.

Elle repoussa une mèche sur le front de Nick et ravala les larmes qui l'étouffaient.

— Bonjour, beauté, murmura-t-il en levant vers elle un regard aux paupières lourdes. Tout va bien ?

Elle hocha la tête, incapable de lui répondre. Avec nonchalance, Nick se mit à lui caresser le bras. La chaleur et le désir habitaient toujours son regard. Comme elle était heureuse de n'y lire aucun regret !

— C'est incroyable, poursuivit-il à mi-voix. *Tu* es incroyable.

Les larmes coulèrent malgré elle de ses yeux.

— Que se passe-t-il ? s'inquiéta Nick. Je ne t'ai pas fait mal, n'est-ce pas ?

— Oh non ! repartit-elle en secouant la tête. Sûrement pas. C'est juste que… Nous allons nous repentir de tout cela après l'orage, non ?

— Viens ici, Annie. Viens dans mes bras une minute.

Docile, elle se glissa contre lui et il l'étreignit avec ardeur tout en déposant mille baisers sur sa chevelure.

— Je ne regretterai aucune seconde passée en ta compagnie, déclara-t-il. J'espère que ce qui s'est produit cette nuit va nous rapprocher, et non nous éloigner. Après l'orage, nous continuerons à travailler ensemble. Nous serons des amis qui ont partagé un moment… spécial. C'est simple, non ?

Les propos de Nick ne la réconfortèrent pas. Ce qu'elle éprouvait était tout sauf simple ! Pourtant, elle n'avait pas le cœur à le contredire.

— Oui, sûrement, chuchota-t-elle en se pressant contre son torse.

Un torse si réconfortant, si chaud… Elle aurait acquiescé à tout pour demeurer dans le creux de ses bras.

— Parfait, fit Nick.

Et il retira son bras pour se relever. Elle aussi se redressa. Une fois qu'ils furent tous deux en position assise, il l'enlaça par les épaules.

— L'orage n'est pas encore terminé, dit-elle en posant sa tête contre lui. J'entends encore la pluie.

Nick la contempla à la lueur des bougies, dont les ombres dansaient sur elle. Son regard s'attarda sur sa poitrine nue, ses seins hauts et durs.

— Non, pas encore, approuva-t-il d'une voix rauque.

Impulsivement, il la saisit par la taille et l'entraîna sur le tapis. Le petit cri de surprise qu'elle poussa alors décupla son désir. Sans compter le soupir languide qu'elle émit quand il recouvrit sa bouche de la sienne. Faisant courir ses doigts sur le satin de sa peau, il trouva bientôt la fleur de son intimité… Un sourire barra ses lèvres collées contre les siennes lorsque Annie se mit à gémir de volupté sous ses caresses.

Il avait besoin de la toucher, de goûter chaque parcelle de sa peau, c'était vital. Tout à coup, il se surprit à souhaiter que l'orage dure toujours.

— Je n'entends plus ni la pluie, ni le vent, murmura Annie.

Nick lui serra la main, puis balaya le vestibule du faisceau de sa lampe. Ils s'acheminaient vers les cuisines. Combien de temps l'orage s'était-il déchaîné sur l'île ? Il l'ignorait.

— Je vais tenter de capter une fréquence sur la radio à piles de la cuisine, dit-il. Sitôt que j'aurai avalé un morceau, car je meurs de faim.

— Moi aussi ! s'exclama-t-elle avant d'ajouter : J'espère que nous n'aurons pas de visiteur.

Leur faim était telle, en effet, qu'ils n'avaient même pas pris le temps de s'habiller.

— Nous n'avons pas de souci à nous faire de ce côté-là. Tous ceux qui sont restés sur l'île ne sortiront pas de chez eux avant d'avoir la certitude que le cyclone est passé.

Quand ils arrivèrent dans la cuisine, il lui lâcha la main pour allumer des bougies.

Une fois la pièce éclairée, Annie mit le couvert. Puis elle fit réchauffer sur le camping-gaz un peu de fricassée.

Assis sur une chaise, Nick l'observait.

Elle ressemblait à une fée, avec ses boucles qui voltigeaient au moindre de ses mouvements. Une telle énergie se reflétait dans chacun de ses gestes… Elle était si jeune ! Si innocente ! Elle ne savait encore rien de la vie…

Il se rappela la tragédie de la sienne, et à cette pensée, sa mauvaise humeur coutumière refit surface. Et puis Annie tourna vers lui son visage souriant…

Avec cette enchanteresse, la vie ne serait jamais plus insupportable, songea-t-il alors.

— L'eau du robinet est-elle encore potable après l'orage ? demanda-t-elle en plaçant une bouteille d'eau minérale sur la table.

— Nous sommes approvisionnés par des citernes, l'eau est donc intacte. Le seul risque, c'est que le pompage électrique ne fonctionne plus. J'irai vérifier les générateurs une fois que l'orage sera définitivement éloigné.

— Parfait ! Nous ne manquerons donc pas

d'eau chaude, dit-elle en déposant la fricassée sur la table.

— Pourquoi ? As-tu envie de te laver ?

Au moment où il posait la question, l'image d'Annie nue sous l'eau s'imposa à son esprit… et le besoin de lui faire l'amour sous la douche sans attendre l'envahit.

Avait-elle deviné ses pensées ?

— Pourquoi pas ? répondit-elle, sourire malicieux à l'appui.

Il était surpris de la voir si décontractée dans sa tenue d'Eve. Christina ne se serait jamais promenée nue dans la maison.

Et tout à coup, il constata que l'évocation de son épouse ne lui avait pas procuré cette douleur si familière du côté du cœur. Il s'efforça de se représenter Christina… En vain.

Annie, à deux pas de lui, était bien trop vivante. Si accessible et si consentante. Parviendrait-il jamais à se rassasier d'elle ?

La bouche de la jeune femme était encore toute gonflée des baisers qu'il lui avait donnés. Nick laissa ses yeux glisser sur sa nuque : sa peau portait les traces de leurs étreintes passionnées.

Leurs ébats lui revinrent à la mémoire, dans toute leur acuité… Ils avaient fait l'amour avec une vitalité presque animale — aussi déchaînés que les éléments, au dehors.

Jamais il n'avait connu une expérience à ce point vertigineuse.

Comment cette jeune femme, si innocente, avait-elle pu se transformer en une tigresse passionnée entre ses bras ? Une pointe de culpabilité l'étreignit soudain. Il avait suborné une vierge !

Pire ! Cette jeune personne se trouvait être celle qui, depuis des mois, avait pris une importance capitale dans sa vie.

Celle qui avait été si patiente, si compatissante lors des séances de rééducation.

Celle qui lui avait appris à rire de nouveau.

Lorsqu'elle l'avait interrogé sur ses éventuels regrets, la pensée qu'elle puisse le quitter avait fait naître en lui un atroce sentiment de panique. Oh, bien sûr ! Il était insensé de croire qu'elle resterait à jamais sa kinésithérapeute privée. N'avait-il pas recouvré presque toute sa mobilité et sa force ? Dans quelque temps, il serait tout à fait rétabli…

D'ici là, il était bien déterminé à trouver un moyen de la retenir. Et, si ce n'était pas dans son lit, au moins sur l'île, le plus près possible de lui.

Mais pour l'heure… Il lui saisit la main. L'orage n'était pas encore terminé.

Les pluies avaient cessé depuis des heures et les regrets avaient envahi le cœur d'Annie.

Assise sur le sofa de Nick, dans son bureau, elle croisa les jambes et reposa sa tasse de thé vide sur le plateau. Tout avait été si facile, si évident pendant l'orage !

Qu'allait-il se passer à présent qu'il était terminé ?

L'idée qu'ils étaient l'un avec l'autre pour toute la durée du cyclone était grisante, hier soir. Elle croyait alors, qu'après coup, ils pourraient reprendre le cours normal de leur vie. Or, tout semblait différent à présent.

Pour commencer, l'ensemble de ses muscles étaient engourdis. Et pourtant, si Nick avait encore voulu la posséder, elle se serait donnée à lui sans la moindre hésitation…

Hélas, il n'était plus là ! Il était parti vérifier les générateurs et constater l'étendue des dégâts, lui promettant de ne pas se rendre au centre tant qu'il n'aurait pas acquis la certitude que le bâtiment ne menaçait pas de s'effondrer.

Son short et son haut gisaient dans un coin du bureau. Elle les ramassa et s'habilla. Puis, tout en se demandant ce qu'elle allait devenir si Nick s'opposait à ce qu'elle reste sur l'île, elle prit place dans le grand fauteuil, derrière le bureau, pour réfléchir.

Le siège sentait le cuir et le musc, une odeur typiquement masculine. L'odeur de Nick…

Derrière elle, sur les étagères, se trouvaient les photos de sa femme. Un mauvais sentiment lui envahit alors le cœur : elle aurait aimé les faire disparaître pour toujours… Allons, ç'aurait été injuste, pensa-t-elle bien vite en se ressaisissant. Nick avait aimé sa femme, il était normal qu'il en conserve des images. Elle ne pouvait tout de même pas être jalouse d'une épouse défunte…

L'attirance que Nick ressentait pour elle serait-elle assez forte pour qu'il surmonte ses anciennes souffrances et entame une nouvelle vie ? Elle aurait tant aimé qu'il retrouve la joie de vivre. Et surtout, être la source de cette joie…

Annie soupira. Force était de reconnaître qu'elle n'avait ni la formation psychologique ni les moyens d'effacer ses blessures et sa culpabilité. Il était rare que la vie soit comme dans les romans.

Ravalant le flot d'émotions qui la submergeait, elle laissa son regard glisser sur le bureau. L'ordre qui y régnait ne la surprit pas. Chaque papier était classé dans des dossiers soigneusement étiquetés.

Chaque chose avait sa place. Et il n'y avait pas de place, ici, pour la moindre fantaisie…

— Tu peux prendre une douche si tu le souhaites, il y a de l'eau chaude.

Annie sursauta : elle n'avait pas entendu Nick ouvrir la porte.

— Le… L'orage est-il passé ? fit-elle pour donner le change.

— Les vents sont encore violents. Je préfère attendre quelques heures avant de descendre dans le lagon.

— Je suis certaine qu'il n'est rien arrivé aux dauphins. Les collaborateurs du centre sont expérimentés.

— Je n'emploie que les meilleurs, répliqua-t-il avec un petit air supérieur. Bon ! A présent, je vais tenter de colmater la toiture, dans la salle de bains de tes appartements. Cela ne me prendra pas beaucoup de temps.

Se penchant par-dessus le bureau, il lui donna un bref baiser sur la bouche.

Encore une fois, elle fut soulagée de ne lire aucun regret dans ses beaux yeux bleus ; au contraire, elle vit un désir ardent s'y consumer. La passion se reflétait sur ses traits — une passion qu'elle lui inspirait ! Comme il était grisant dc savoir qu'ils partageaient le même désir !

De façon impulsive, Nick contourna alors le bureau et la prit dans ses bras pour lui donner un nouveau baiser, aussi court qu'impérieux. Elle se sentit défaillir... Heureusement que les vents soufflaient encore ! Cela lui laissait un peu de temps pour envisager l'après.

Annie tentait de voir clair en elle, mais les jets d'eau chaude qui aspergeaient son corps, dans la salle de bains de Nick, embrumaient sa raison. La nuit magique qu'elle venait de passer dépassait tout ce qu'elle avait pu imaginer...

L'orage était pratiquement terminé, maintenant — et la trêve aussi.

Tout allait changer entre eux, pensa-t-elle avec une poignante tristesse.

L'autoriserait-il à rester sa kinésithérapeute ? Et serait-elle capable de faire abstraction de leur nouvelle intimité, dans la pratique de son métier ? Il était impératif qu'ils aient une discussion, tous les deux.

Pour l'instant, les aiguilles chaudes de l'eau qui picotaient son corps lui rappelaient les caresses de Nick. Elle ferma les yeux... Et imagina sans peine que c'étaient ses doigts qui couraient sur sa peau. Ses mains qui excitaient ses sens...

La porte vitrée de la douche s'ouvrit subitement.

Annie sursauta et rouvrit les paupières pour découvrir Nick, aussi nu qu'elle, et de toute évidence résolu à la rejoindre sous la douche.

— Que fais-tu là ? demanda-t-elle, les yeux rieurs.

— Les vents ont repris, l'ouragan n'est pas terminé. Nous avons encore du temps devant nous.

L'attirant à lui, il l'embrassa comme un éperdu. Elle chavira sous l'étreinte, et son monde, tout comme son corps, se mit à flotter dans un cocon de douceur. Ses jambes se dérobèrent et elle s'agrippa à lui pour ne pas perdre l'équilibre. Du reste, à la façon dont Nick la tenait, elle ne risquait pas de tomber ! La soulevant bientôt de terre, il l'encouragea à enrouler ses jambes autour de sa taille.

Il la plaqua ensuite contre le mur carrelé et, tandis que l'eau ruisselait sur eux, prit de nouveau possession d'elle.

— Quand j'ai entendu le bruit de la douche, je n'ai pas pu résister, lui dit-il. Je t'imaginais nue, sous l'eau… Ce fut plus fort que moi. J'avais besoin de…

Le reste de sa phrase se perdit dans un nouveau jaillissement de passion.

Chaque fois qu'il la pénétrait, Annie découvrait de nouvelles sensations. Ils chaloupèrent avec ferveur l'un contre l'autre, en parfaite harmonie, au son de l'eau qui les aspergeait…

Et soudain, ils quittèrent la réalité et oublièrent, le temps d'une infinie volupté, le compte à rebours auquel ils étaient soumis.

Une heure plus tard, douchés et habillés, ils étaient installés à la table du petit déjeuner, dans la cuisine.

Les vents s'étaient calmés. Et lui aussi devait se calmer ! se morigéna Nick, presque irrité. Il fallait qu'il se remette au travail et cesse d'être obsédé par Annie. De la désirer aussi follement.

Ils devraient convenir d'un arrangement. Dès que les insulaires réintégreraient l'île, il faudrait que leur relation redevienne comme avant l'orage.

Tout était pourtant si différent ! Une transformation radicale s'était opérée en lui depuis qu'il avait fait l'amour avec Annie, même s'il n'arrivait pas à analyser très bien les nouvelles sensations qui l'habitaient.

En tout état de cause, il devait rétablir son ancienne réserve et réinstaurer de la distance entre eux. Il espérait qu'elle accepterait de demeurer sa kinésithérapeute. Peut-être parviendraient-ils à nouer une amitié et Annie serait ainsi la deuxième chance de sa vie.

Oui, une amitié serait merveilleuse — mais chaque fois qu'il croisait le regard d'Annie, la chaleur qu'il lisait dans ses yeux compliquait la situation. Or, il ne pouvait prendre aucun engagement définitif : sous aucun prétexte, il ne voulait la faire souffrir.

C'était l'orage qui les avait unis, pensa-t-il encore avec nostalgie avant de se rappeler à l'ordre. Comme un caprice du dieu Eole… Assez ! Il s'agissait d'un rapport physique, intense soit, mais rien de plus. Il était temps qu'il retrouve la maîtrise de lui-même.

Déjà qu'il avait rompu ses promesses d'abstinence ! Encore que, à bien y réfléchir, il en était fort heureux…

Pourtant, il était déterminé à ne pas recommencer.

Il avait l'intention de discuter avec Annie. S'il lui expliquait la situation avec calme et sérénité, elle accepterait peut-être de rester sur l'île et d'être son amie.

Il le souhaitait de tout cœur, car il ne supporterait pas son départ ! Cette seule perspective le glaçait jusqu'à la moelle de ses os.

— Ecoute..., fit soudain Annie en tendant l'oreille. J'ai cru entendre quelqu'un appeler.

Nick frémit. Annie venait de le ramener à la réalité.

Il s'élança derrière elle, dans le vestibule... Avant qu'ils n'atteignent la porte d'entrée, Rob Bellamy se matérialisa devant eux. C'était l'un des deux chercheurs qui s'étaient proposés de rester au centre.

— Avez-vous survécu sans problème à l'orage ? s'enquit-il d'emblée.

— Nous allons bien, merci, répondit Nick. En revanche, une partie de la toiture a été arrachée, dans l'aile nouvellement construite. Et de votre côté ? Comment les dauphins s'en sont-ils sortis ?

— Durant une bonne partie de l'orage, tout s'est bien passé, expliqua Rob, d'une voix hésitante. Hélas ! Nous avons cru prématurément que l'orage était passé. A peine étions-nous rentrés à la maison, qu'une ultime salve a provoqué un énorme trou dans le périmètre réservé aux dauphins. Deux se sont alors échappés et ont été entraînés par le courant.

A cette nouvelle, Nick dut fournir de gros efforts pour garder son sang-froid. Sans prononcer un mot, il se mit à faire les cent pas...

— Lesquels ? intervint Annie, haletante. Pas Sultana, tout de même. Ce serait trop injuste !

Rob hocha la tête avec tristesse. Devant la confirmation de ses craintes, Nick serra les poings.

— Où sont-ils ? fit-il entre ses dents. Leur avez-vous envoyé des signaux par les transmetteurs de son ?

— Pas d'inquiétude, Nick, ils sont de retour au lagon, le rassura Rob. Pas plus que nous, ils ne souhaitaient quitter leur abri. Seulement, ils ont été fort choqués.

— C'est-à-dire ? dit Nick, tendu.

— Sultana a commencé le travail plus tôt que prévu. D'où la raison de ma présence ici. Une autre paire de mains ne nous serait pas inutile.

— Retournez au centre, Rob. Le temps de passer des chaussures, j'arrive.

Une fois que Rob fut parti, Nick se tourna vers Annie et déclara :

— Reste ici ! Tu seras en sécurité. Je t'appellerai plus tard, lorsque le téléphone sera rétabli.

— Non, rétorqua-t-elle, je t'accompagne !

Il secoua la tête, mais Annie lui saisit le bras et ajouta :

— Je n'ai pas besoin d'être surprotégée, Nick. D'ailleurs, mon aide sera plus efficace que la tienne, dans le lagon. Il y a très longtemps que tu n'as pas nagé, me semble-t-il.

Touché ! Des deux, c'était elle la meilleure nageuse. Pétri d'inquiétudes concernant Sultana, il avait oublié ses propres réticences face à l'océan.

— Très bien, concéda-t-il.

Il était de plus en plus convaincu que rien n'allait être simple entre eux.

Accroupi, la respiration haletante, Nick se retenait à la passerelle de bois qui traversait le lagon pour assister au fabuleux spectacle d'une mère dauphin donnant la vie, assistée par trois êtres humains.

Equipés de scaphandres, Rob et Elinor Stansky émergeaient de temps à autre de l'eau pour lancer des instructions à Annie.

Si Nick était à cran, cette dernière était pour sa part une merveille de détermination, et d'une sérénité remarquable parmi les eaux agitées où elle évoluait — soit à la nage, soit en marchant. Elle ne cessait de parler à Sultana afin de rassurer et de calmer la future mère.

Dans ses yeux brillants, Nick lisait à la fois du respect et une sorte de doux effroi face au miracle de la vie. Soudain, son cœur se serra : et dire que c'était Christina qui aurait dû se trouver dans le lagon, auprès de son dauphin préféré ! Elle en aurait été si touchée, elle qui ne pouvait pas donner la vie…

De nouveau, la culpabilité étreignit Nick. Ainsi qu'une très étrange prémonition…

Sans être superstitieux, il sentait que la présence d'Annie dans le lagon, auprès de Sultana en train de mettre bas, n'était pas due au hasard.

Elle était si différente de Christina. Certes, moins sophistiquée, et d'une beauté moins classique. Mais si vive, et si énergique…

Comment serait son visage dans quelques années ? Nul doute qu'il se creuserait un peu et que sa beauté s'affirmerait avec l'âge. Non, il ne doutait pas un instant que les petites rides qui viendraient au fil des ans orner ses yeux rieurs lui iraient à ravir.

Comme il était triste de penser qu'il ne verrait jamais son visage dans sa maturité, puisqu'ils ne vieilliraient pas ensemble !

Pour l'heure, Annie était aussi sauvage et libre que les dauphins. Une fois de plus, un violent désir le submergea… et il maudit en silence l'indécence de ses pensées, en cette minute cruciale.

Il devait se concentrer sur Sultana…

Eurêka ! Le bébé dauphin venait de naître.

Annie se mit à applaudir à tout rompre, tout en riant d'allégresse. Puis, sortant du lagon, elle s'avança vers lui.

Ses cheveux étaient mouillés, ses yeux lançaient des éclairs de joie…

Et c'était une vision, pour dire le moins, chargée d'un fort potentiel érotique.

Comme il regrettait de n'avoir pas pu lui exprimer sa volonté de s'en tenir avec elle à une relation amicale. Ils devaient discuter de toute urgence, elle et lui !

- 6 -

Les deux jours suivants — et surtout les nuits — passèrent à une allure folle. Annie avait l'impression de vivre un conte de fées qui la comblait.

Tandis que Nick, avec l'aide des villageois, déblayait l'aéroport et concourait à rétablir le courant sur l'île, elle assistait l'équipe du centre dans la remise en ordre du lagon. Depuis le passage du cyclone, personne n'avait pu quitter ou regagner l'île ; aussi, un formidable sens de la communauté s'était-il développé au sein du petit groupe.

— Assez, Nick ! décréta-t-elle comme il terminait sa dernière série d'altères. Il est l'heure de prendre notre petit déjeuner.

Sans prévenir, elle lui lança une serviette au visage et éclata de rire.

Il fronça les sourcils et l'attrapa par le poignet avant qu'elle n'ait le temps de lui échapper. L'instant d'après, elle était dans ses bras et il palpait son corps avec fébrilité.

— Nick ! Nous sommes en sueur ! Arrête ! dit-elle en riant.

— Justement, chuchota-t-il en l'attirant de façon plus étroite contre lui. C'est mieux pour faire l'amour.

Elle poussa un petit soupir d'aise et, oubliant bien vite ses réticences, se serra contre lui. Elle qui ignorait tout des jeux de l'amour quelques jours auparavant, en savait désormais assez pour approuver les propos de son amant.

Sa respiration se fit plus saccadée et les étoiles qui, sous l'avancée du jour, avaient pâli puis disparu dans le ciel, réapparurent bientôt… dans les yeux d'Annie ! Nick pouvait l'électriser en un rien de temps : il suffisait qu'il pose ses mains sur elle.

— Je voudrais te tenir toujours dans mes bras, marmonna-t-il.

A regret, il la relâcha pourtant, et ajouta :

— Hélas, nous avons du pain sur la planche ! Mais commençons par nous alimenter.

Une fois qu'ils se furent restaurés, Nick pria Annie de l'accompagner dans son bureau. Que voulait-il ? se demanda-t-elle, intriguée. Durant le petit déjeuner, elle avait noté un changement d'attitude chez lui.

Sans toutefois poser de question, elle lui adressa un sourire et acquiesça. Lui-même se contenta de la fixer, le regard impénétrable.

— Nous devons parler, Annie, déclara-t-il d'un ton brusque.

Le moment tant redouté était donc arrivé ! pensa-t-elle avec un pincement au cœur. Elle ne se sentait pas du tout prête pour affronter une discussion. Elle aurait aimé que la magie dure encore quelques jours, quelques heures, quelques minutes… Instinctivement, elle chercha dans les yeux de Nick la brume du désir qui venait les hanter chaque fois qu'elle les croisait.

Cette fois, ce fut en vain !

Toute intimité semblait s'être envolée lorsque Nick lui désigna une chaise et prit place en face d'elle.

Il ne s'assit pas dans son fauteuil, cependant, comme il l'aurait fait pour un rendez-vous d'affaires, mais sur un coin du bureau.

— La piste de l'aéroport est assez dégagée pour qu'un premier avion puisse s'y poser, annonça-t-il. L'équipe du centre de recherches marines arrivera des Etats-Unis en fin de matinée. Je repartirai à bord de ce même avion à destination du continent.

— Oh ! s'exclama-t-elle.

Que devait-elle comprendre ? Serait-elle du voyage ? Etait-ce sa façon à lui de lui dire qu'elle devait regagner les Etats-Unis pour cause de licenciement ?

Pas de panique, s'ordonna-t-elle. Si telle était l'intention de Nick, elle devrait accepter son sort de bonne grâce — et être fixée au plus vite !

— Veux-tu que je t'accompagne ? demanda-t-elle en retenant son souffle.

— Je préfère que tu restes ici.

A ces mots, Annie se retint de pousser un cri de joie — tout comme elle fit un gros effort sur elle-même pour ne pas pleurer de bonheur devant lui !

— Je voudrais que tu gères le centre à ma place, poursuivit-il d'un ton péremptoire. Que tu travailles en collaboration avec les scientifiques et que tu prennes en charge la partie administrative. Acceptes-tu ?

A la fois touchée et déconcertée, Annie s'efforça de ne pas laisser transparaître ses émotions lorsqu'elle répondit :

— Bien sûr, ta confiance représente un grand honneur pour moi. Mais... Pourquoi ne pourrais-tu plus assumer tes fonctions au centre ?

Nick hésita puis, prenant une large inspiration, il repartit :

— Je reviendrai sur l'île accompagné d'une équipe d'ouvriers ; nous rapporterons aussi tous les matériaux nécessaires à la reconstruction des habitations. L'ouragan a causé de gros dégâts, le village est dévasté. Même l'hôpital est en partie détruit. Il y a un travail colossal à fournir.

Si, depuis le passage de l'ouragan, Annie s'était rendue au lagon et au centre, elle ne s'était pas aventurée au village. Les révélations de Nick lui firent froid dans le dos, même si la catastrophe lui permettait de prolonger son séjour sur l'île et retardait le moment de leur séparation.

Soudain, Nick plissa les yeux. Elle comprit que la discussion n'était pas terminée. Les battements de son cœur s'accélérèrent.

— Je voulais aussi aborder un autre point, dit-il. A propos de nous deux…

Bien vu ! Depuis le début de l'entretien, elle savait qu'ils ne pourraient pas éviter le sujet. Elle était également persuadée qu'elle allait recevoir son congé. Nerveuse, elle se mordit la lèvre…

Tout à coup, dans un sursaut de fierté et avant que Nick ne puisse exprimer sa pensée, Annie releva le menton et déclara d'une traite :

— Inutile de gaspiller ta salive ! Je sais que ton

genou est guéri et que tu n'as plus besoin de mes services en tant que kinésithérapeute. Avant le cyclone, je cherchais un moyen de te dire que je répugnais à l'idée de partir. Finalement, la tempête me permet de rester sur l'île et d'être utile à ce lieu que j'ai appris à aimer.

Devant ce flot inattendu de paroles, Nick sourcilla ; il se contenta néanmoins de croiser les bras sans ouvrir la bouche, attendant qu'elle finisse.

Dans un ultime effort, Annie lui sourit. Oh, un bien pâle sourire, car en réalité, son cœur saignait. Elle se hâta alors de poursuivre, comme pour se noyer dans son propre débit :

— Merci d'avoir eu la gentillesse de... de faire de moi une femme à part entière, je t'en serai à jamais reconnaissante, et je suis certaine que nous resterons les meilleurs amis du monde pour la vie.

Reprenant bruyamment sa respiration, elle enchaîna :

— Tu avais raison d'affirmer que tout serait simple. Il y a une explication naturelle à ce qui nous arrive... Oui, c'est l'ouragan qui a chamboulé nos hormones et nous a joué des tours.

Elle en balbutiait presque. Il ne fallait pas qu'elle s'arrête de parler sous peine d'éclater en sanglots.

— Je vais déménager mes affaires de la suite et je m'installerai dans le bungalow. C'est préférable pour tout le monde. Et maintenant, allons prendre une douche et retrouvons-nous ici dans une heure, d'accord ?

Elle s'apprêtait à ouvrir la porte lorsqu'elle se rendit compte de l'ambiguïté de ses propos.

— Enfin, je veux dire, chacun va prendre une douche de son côté.

Sourcils froncés, Nick ne fit pas le moindre geste ni ne prononça le moindre mot pour la retenir.

Effectuant une preste virevolte, Annie se rua à l'extérieur du bureau pour ne pas se ridiculiser et le supplier de prendre une ultime douche avec elle !

Mieux valait pleurer à chaudes larmes toute seule dans la cabine de douche, là où personne ne la verrait, plutôt que de se donner en spectacle, pensa-t-elle encore avec rage.

— La plupart des habitations ont-elles été réparées ? s'enquit Mme Scoville au téléphone, un beau matin.

Six semaines s'étaient écoulées depuis le passage de l'ouragan et Nick travaillait dix-huit heures par jour pour redonner un visage humain au village.

Il n'avait pas ménagé sa peine. Au fond, cela l'arrangeait et l'empêchait de penser à Annie.

Il avait installé son bureau dans une cabane de fortune, au village, cédant le sien à Annie afin qu'elle puisse s'occuper de l'administration du centre. Le peu de temps qu'ils avaient passé ensemble depuis l'orage l'avait laissé dans une insatisfaction totale, tout en le plongeant dans la tristesse.

Il y avait eu ce repas au cours duquel ils s'étaient violemment disputés. Ne supportant plus de la savoir seule, il l'avait invitée à partager son dîner et s'en était mordu les doigts. Quand il avait voulu évoquer leur liaison, Annie s'était tout de suite braquée et avait fini par quitter la table sans manger son dessert.

En outre, leurs rapides réunions bihebdomadaires concernant le centre se déroulaient toujours dans une insupportable tension.

De temps à autre, poussé par une envie irrépressible, Nick se rendait au lagon pour observer Annie, à son insu. Il avait alors l'impression d'être un pervers espionnant en secret l'objet de ses fantasmes.

Toutefois, n'était-il pas préférable pour Annie qu'il se tienne à distance d'elle ? N'ayant rien à lui offrir, il s'était promis de toujours accorder la priorité aux intérêts de la jeune femme. Peu importait le prix à payer pour lui.

— Nicholas ?

La voix de sa mère, à l'autre bout du fil, l'arracha à ses réflexions désabusées.

— Tout va bien ? insista-t-elle. J'espère que tu ne prends pas ta santé à la légère. Mais je suppose qu'Annie a veillé à ce que tu ne te surmènes pas…

— Ne t'inquiète pas, je vais bien. Je suis juste un peu fatigué.

En dépit de la somme de travail qu'il abattait chaque jour — un travail avant tout physique —, il dormait fort mal. Annie satellisait ses rêves et ses pensées : il se demandait en permanence ce qu'elle était en train de faire. Et ne cessait de rêver à ce qu'il aurait aimé lui faire.

— Annie s'occupe des dauphins, à présent, poursuivit-il. Nous ne nous voyons plus beaucoup, depuis le passage du cyclone.

Au bout du fil, sa mère émit une exclamation de désapprobation et lui conseilla d'accorder davantage d'attention à Annie et aux recommandations de cette dernière. Ces propos eurent le don de l'irriter. Il était bien inutile de lui rappeler à quel point Annie était merveilleuse ! Ne le savait-il pas mieux que personne ?

— Pourquoi appelles-tu de si bonne heure, maman ? Que voulais-tu me demander ? fit-il avec un soupçon d'énervement dans la voix.

— Rien, je tenais juste à t'annoncer mon arrivée sur l'île, à 2 heures, cet après-midi, repartit sa mère d'un ton presque désinvolte avant de préciser : Je me fais du souci pour toi, Nick. Auras-tu la bonté de venir me chercher à l'aéroport ?

— Maman, commença Nick en soupirant, ce n'est pas la peine de…

— Assez ! J'ai envie de te voir.

— Cela me semble difficile. Annie occupe le bungalow où tu t'installes d'ordinaire.

— Sa suite n'a pas encore été réparée ?

— Non, il y avait d'autres priorités.

Nick avait repoussé la reconstruction de la suite jusqu'à la dernière minute. Il n'était pas certain de résister à ses pulsions, si Annie dormait sous le même toit que lui.

— Ce n'est pas grave, déclara sa mère. Annie et moi pouvons tout à fait partager le bungalow, nous nous entendons fort bien. Cela me rappellera l'enfance, quand mes sœurs et moi partions dans des camps de vacances.

— Allons, maman…

Sans lui laisser le temps de protester, sa mère

prit congé et raccrocha. Nick lâcha un juron dans le combiné ; mais il sonnait déjà dans le vide...

— Alors, la reconstruction avance-t-elle, *dervla* ?

Entendre la voix de sa mère au téléphone suscitait chez Annie autant de stress que de plaisir.

Depuis six semaines, c'est-à-dire depuis le passage du cyclone, elle en avait plus qu'assez des ciels céruléens, de la chaleur écrasante qui frôlait souvent les quarante degrés et de l'humidité qui l'empêchait de respirer correctement. Oh, elle n'était pas dupe ! La fatigue et l'agacement qu'elle ressentait n'étaient pas dus qu'à l'atmosphère étouffante de l'île. En réalité, c'était surtout l'ambiance qui régnait entre Nick et elle qui l'affligeait.

Pour se protéger, elle avait décidé de ne croiser son employeur qu'en cas d'absolue nécessité, c'est-à-dire pour des raisons professionnelles. Quand elle ne travaillait pas, elle restait enfermée dans le bungalow, à lire ou bien à mettre à jour sa correspondance. Encore que ces derniers jours, elle ne parvenait plus à lire une ligne sans être gagnée par le sommeil.

— Je ne t'ai pas réveillée, au moins, ma chérie ?

s'enquit sa mère devant le mutisme de sa fille. Quelle heure est-il chez vous ?

A cette question, Annie se redressa sur son lit, comme si elle venait de recevoir un seau d'eau glacée en plein visage. Elle regarda l'heure : 9 heures ! Cela faisait une demi-heure qu'elle aurait dû être au travail.

— Nous avons juste une heure d'avance sur vous, maman, répondit-elle en sautant du lit pour se diriger vers la salle de bains. Et je ne peux pas m'attarder au téléphone car je suis très en retard.

— Tout va bien, Annie ? Cela ne te ressemble pas d'être en retard.

— Oui, rassure-toi, c'est juste la chaleur qui m'accable.

— A Boston aussi, il fait très chaud. Pourquoi ne vas-tu pas te rafraîchir dans l'océan ?

Annie aurait souhaité que tout fût aussi simple ! Hélas, la chaleur vous poursuivait où que vous alliez, sur l'île. Même dans l'eau.

— Je dois raccrocher, maman. Je te rappellerai plus tard.

Sur ces mots, elle posa le téléphone sans fil sur une chaise et entra dans la douche, où elle se lava en un temps record. Elle se peigna tout aussi rapidement et attacha ses cheveux en une queue-de-cheval avant d'enfiler son maillot de bain…

Au moment de le remonter sur ses hanches, elle s'aperçut avec étonnement qu'il était trop étroit. Avait-il rétréci ? Non ! Cela faisait des semaines qu'elle le portait, c'était donc impossible. Depuis le temps qu'il trempait dans l'eau…

Retirant son maillot de bain, Annie jeta un coup d'œil vers le pèse-personne. L'heure de la vérité avait sonné, pensa-t-elle. Ces derniers temps, pour compenser ses frustrations, elle n'avait cessé de grignoter, entre les repas…

Elle monta sur la balance. Oh, mon Dieu ! Elle avait pris quatre kilos !

Le chiffre qui s'affichait en rouge lui donna presque mal au cœur — mais ne l'empêcha pas de manger une barre chocolatée en guise de petit déjeuner, quelques secondes plus tard, tout en fouillant dans son placard, en quête de vêtements.

Elle finit par mettre un short et un T-shirt en stretch. Ils la serraient un peu, mais feraient l'affaire. Sautant dans ses baskets et décidant d'oublier pour l'instant son problème de poids, elle se précipita à toute vitesse vers la porte… et se heurta à Nick.

Il la saisit par les bras pour lui éviter de perdre l'équilibre.

— Tout va bien ? s'enquit-il.

— Tu es la deuxième personne qui me pose cette question, ce matin, s'emporta-t-elle. Oui, je vais bien, je suis juste en retard.

Nick la jaugea en fronçant les sourcils.

— Tu n'as pas l'air en forme. As-tu trop travaillé, ces derniers temps ?

Le simple fait de le voir lui procurait de curieuses sensations dans la région de l'estomac ; qui plus est, son cœur s'était mis à tambouriner à toute allure dans sa poitrine.

La lumière matinale soulignait la beauté naturelle de Nick. Un visage aussi régulier qu'aristocratique, une silhouette athlétique, un teint bronzé… La vue de cet homme qui comptait tant pour elle la troublait plus qu'elle n'aurait su dire.

— Annie ?

Elle sursauta. Lui avait-il posé une question ? Les curieuses sensations qui lui malmenaient l'estomac devenaient de plus en plus lancinantes. Etait-ce la faim ? A moins que…

— Excuse-moi, balbutia-t-elle.

Lui tournant brusquement le dos, elle rentra dans la maison et fonça dans la salle de bains.

— Annie, je voulais…

— Plus tard !

Elle referma la porte derrière elle et se trouva à temps devant le lavabo pour se soulager…

Que lui arrivait-il ? se demanda-t-elle en se lavant les dents, quelques minutes plus tard. Avait-elle attrapé un virus ?

D'instinct, elle se toucha le front. Non, elle n'avait pas de fièvre. En réalité, elle se sentait plutôt bien, maintenant qu'elle avait l'estomac vide.

Peut-être était-ce dû au fait qu'elle ne cessait de grignoter, ces derniers temps. Toutefois, quand elle releva la tête, ce fut le visage d'une étrangère qu'elle croisa dans le miroir. Encore que le terme n'était pas tout à fait exact…

Non, c'était bien elle, mais son visage s'était arrondi et ses traits adoucis. Lorgnant son décolleté, elle fut surprise de constater que sa poitrine avait gagné en volume. Dans sa famille, les filles n'avaient pas de grosses poitrines, sauf quand…

Annie retint un cri.

La vérité était inscrite dans le miroir.

Elle avait la même apparence que ses sœurs Kelly et Colleen lorsque celles-ci étaient enceintes. Se regardant droit dans les yeux, elle éclata de rire. Un rire nerveux, presque hystérique…

Assommée par sa découverte, elle posa une main sur sa bouche, puis l'autre sur son ventre.

— Oh, mon Dieu ! murmura-t-elle.

En fin de matinée, elle prierait un membre de l'équipe de l'emmener au village, afin d'acheter un test de grossesse à la pharmacie. Même si ce n'était qu'une formalité…

Elle allait donc avoir un enfant ! De nouveau, elle eut un drôle de rire… Et dire que Nick se croyait incapable de procréer ! L'enfant était pourtant bel et bien de lui.

Seigneur ! Qu'allait-il se passer, à présent ?

Nick recula de quelques pas après qu'Annie lui eut refermé la porte au nez. Il était venu l'informer de l'arrivée imminente et impromptue de sa mère. Pourquoi refusait-elle de lui parler ? Il fallait tout de même qu'elle soit au courant de la cohabitation qui l'attendait ! Cela dit, comment en vouloir à la délicieuse entêtée ?

Encore une fois, il avait été ébloui par sa beauté de madone, ses yeux légèrement cernés de violet, sa poitrine volumineuse qui tendait le stretch de son T-shirt rose, l'éclat qui brillait dans ses yeux.

Au fond, il était préférable qu'il parte sans attendre qu'elle daigne rouvrir la porte de la salle de bains. Qu'il fuie tant qu'il était encore en mesure de se maîtriser. Car la seule vue d'Annie avait éveillé en lui un furieux désir charnel… Il la maudissait presque pour l'avoir excité à ce point, pour être tout ce que Christina n'était pas, c'est-à-dire la femme la plus désirable qu'il ait connue et connaîtrait jamais.

Pourtant, n'était-il pas le seul à blâmer dans toute cette affaire, lui qui avait été incapable de se contrôler, quelques semaines auparavant, durant l'orage ?

En colère contre lui-même, il sauta dans sa Jeep et fonça au village vers le dernier chantier en cours.

Lorsqu'il avait confié à Annie la gestion du centre, il pensait que c'était la meilleure solution pour eux deux. Maintenant, il n'en était plus certain. N'avait-il pas été égoïste de vouloir la garder assez près de lui pour pouvoir toujours l'admirer et assez loin pour se garder de toute intimité ?

Cette île isolée au cœur des Caraïbes ne représentait-elle pas une prison pour la jeune femme qu'elle était ? Sur le continent, elle aurait pu sortir avec des jeunes gens de son âge, avoir des amis, tomber amoureuse…

Cette ultime pensée le troubla. Mains crispées sur le volant, il décéléra. Imaginer Annie avec un autre homme le rendait tout simplement fou et incapable de se concentrer sur sa conduite.

La jeune femme lui avait confié qu'il lui évoquait

un prince de contes. Un prince ensorcelé qui attendrait la venue d'une princesse susceptible de briser le sortilège… Curieuse idée ! S'il était un personnage de fable, il se voyait plutôt dans le rôle de l'ogre. A moins qu'il ne soit le monstre de La Belle et la Bête, qui retenait de superbes captives, dans son château…

Nick aspira une longue bouffée d'air : il devait réfléchir à tout cela à tête reposée. Hélas, avec la présence de sa mère sur l'île, cela ne lui serait guère aisé…

— L'île n'est pas entièrement dévastée, constata Mme Scoville. Bien sûr, les arbres mettront du temps à repousser ; mais c'est moins désastreux que ce que j'avais imaginé. Tu as dû travailler d'arrache-pied…

— Je n'étais pas le seul, nuança Nick. Je disposais d'une équipe formidable. Les habitants ont été tout à fait remarquables.

— C'est ce que répétait à l'envi mon arrière-arrière-grand-père. Il prétendait qu'il n'y avait pas de meilleures familles sur terre que celles dont il louait les services, ici.

Il était vrai que c'était la famille de sa mère — et non celle de son père — qui avait possédé l'île, quelques générations auparavant. Ce dernier possédait un si grand ascendant sur Nick que celui-ci avait parfois tendance à confondre l'origine de l'immense fortune familiale.

— Voilà, nous sommes arrivés, dit Nick en garant la voiture près du bungalow.

Il sauta de la Jeep pour récupérer les bagages de sa mère, à l'arrière.

— Je ne sais pas si Annie est là, continua-t-il. En général, l'après-midi, elle est au lagon, avec les dauphins.

Sa mère lui jeta un curieux regard.

Avait-il prévenu Annie de son arrivée ? Il était en effet curieux que la jeune femme, qu'elle appréciait beaucoup et dont elle se croyait à bon droit l'amie, ne fût pas là pour l'accueillir. Se gardant toutefois de poser la moindre question à son fils, Mme Scoville descendit à son tour de la voiture et répondit :

— Cela n'a pas d'importance, j'aurai ainsi le temps de m'installer. Je suppose que nous dînerons ensemble ensuite.

Sur ces mots, elle se dirigea vers la porte.

Nick lui emboîta le pas, les bras chargés de lourdes valises. Au moment où ils entraient dans le bungalow, il se mit à dire :

— A vrai dire, j'ignore si…

Et s'interrompit en voyant Annie sortir en trombe de la salle de bains et se heurter quasiment à sa mère. Mais le comique de la situation ne le porta pas à rire… Bien au contraire.

Le visage de la jeune femme exprima la confusion la plus totale durant quelques secondes. Puis elle se ressaisit et un sourire barra bientôt son visage tandis qu'elle enlaçait la mère de Nick.

Cette dernière embrassa Annie avec tendresse puis la tint à bout de bras en déclarant :

— Comme je suis heureuse de vous revoir, ma chère. Je meurs d'envie de discuter avec vous. Voulez-vous prendre une tasse de thé ?

— Je suis désolée, mais pouvons-nous remettre nos retrouvailles à plus tard ? répondit Annie en se dégageant de l'étreinte de Mme Scoville. Je dois de toute urgence retourner au travail.

Et, sans accorder le moindre regard à Nick, elle s'éloigna. Laissant tomber à terre les valises de sa mère, Nick s'élança derrière Annie.

— Une seconde ! marmonna-t-il en la rattrapant par le bras. Qu'as-tu à faire de si urgent que tu ne puisses passer un moment avec ma mère ?

Elle voulut lui fausser compagnie, mais il refusa de la lâcher.

— Nick, je t'en prie. Il faut que je parte, je suis navrée.

Ses yeux étaient brillants et quelques larmes étaient accrochées à ses cils.

— Dis-moi au moins ce qui ne va pas. Peut-être puis-je intervenir…

— C'est déjà fait, dit-elle dans un souffle.

Elle avait l'air accablé. Comme il aurait aimé la serrer contre lui et lui faire oublier ses soucis — quels qu'ils fussent.

— Qu'est-ce que j'ai fait ? Allons, calme-toi et parle-moi. Es-tu malade ?

Elle se mit à rire, mais le son de son rire sonna comme un sanglot étranglé.

— Pour la troisième fois de la journée, je vais bien, merci ! s'écria-t-elle.

Echappant à sa poigne, elle rejeta la masse de sa chevelure en arrière et releva le menton.

— Je ne suis pas malade, je suis enceinte.

Il fallut quelques secondes à Nick pour assimiler le sens de ses paroles.

— Pardon ? C'est impossible.

Elle émit un petit rire sec avant d'essuyer une larme du revers de la main.

— Je viens de faire un test de grossesse. C'est officiel. Je présume que le médecin que tu avais consulté, autrefois, a établi un diagnostic erroné.

Il la fixait sans mot dire, abasourdi.

— Désolée de te sauter à la gorge, Nick, mais c'est toi qui as insisté pour savoir. Maintenant, je dois vraiment m'en aller.

Sur ces mots, elle lui tourna le dos et s'enfuit vers le lagon.

Il la regarda s'éloigner, toujours aussi désemparé.

Il lui semblait que le ciel venait de lui tomber sur la tête.

- 7 -

Nick resta figé sur le patio.

Avait-il bien entendu ? Annie était-elle vraiment enceinte ? En d'autres termes, allait-il être père ?

— Y a-t-il des chances pour que ce soit vrai, mon fils ?

La voix de sa mère résonna avec douceur dans son dos, faisant écho à ses pensées.

Ah, la barbe ! Il n'avait aucune envie de se retourner et de faire face à Elizabeth qui avait, de toute évidence, entendu les propos d'Annie et lui confirmait, par sa question, qu'il n'avait pas rêvé.

Que dire ?

Que *pouvait*-il bien dire ?

« Désolé, j'ai fauté avec mon employée. Toutefois, sois sans inquiétude, c'est une jeune fille bien éduquée et vierge. N'est-ce pas toujours ce que tu as souhaité pour ton fils ? »

Pitoyable.

Inspirant profondément, Nick fit volte-face pour affronter sa mère… et les conséquences de ses actes.

— Tu veux savoir s'il est possible qu'Annie soit enceinte ? demanda-t-il enfin. Je ne peux pas imaginer un instant qu'elle mente à ce sujet.

Dans le regard violet de sa mère, il lut alors mille interrogations. Par ailleurs, elle semblait presque radieuse… Agacé, Nick se hâta d'ajouter :

— Le docteur d'Alsaca m'a affirmé que mon sperme n'était pas assez riche pour que je puisse procréer. Cependant…

Il s'interrompit tout à coup. Bon sang ! Il devait mettre de l'ordre dans ses idées, et accepter les faits. Hélas, comment réfléchir sereinement quand sa mère le fixait de cette façon-là ?

— Oui ? l'encouragea cette dernière.

Allons, à quoi bon nier l'évidence ? Jetant l'éponge, il avoua alors :

— De fait, je n'ai aucun doute là-dessus : le bébé d'Annie sera forcément le mien.

Et voilà, il l'avait dit !

Il sentit alors son estomac se serrer ; c'était comme si un voile lui brouillait la vue. Lui-même se posait bien trop de questions pour pouvoir discuter avec sa mère d'une nouvelle si inattendue.

— Rentre avec moi quelques instants, lui conseilla Elizabeth. Tu es tout pâle, il faut que tu t'assoies.

Docile, Nick se laissa entraîner à l'intérieur du bungalow. La pièce, qui donnait sur la mer, comportait un coin cuisine et un salon, où ils s'installèrent.

Des images d'enfants se mirent à défiler devant ses yeux. Des petits garçons aux boucles cuivrées, dotés de l'exubérance d'Annie, et des petites filles aux yeux vert profond, qui lui tendaient les bras.

Prenant la main de son fils, Mme Scoville déclara :

— Tu ne m'avais jamais parlé de ce diagnostic. Je supposais que vous aviez des difficultés à avoir un enfant, mais maintenant je comprends mieux.

— Que comprends-tu ?

Pour Nick, plus rien n'avait de sens. Tout son monde était sens dessus dessous.

— Ton isolement. Ta détermination à ouvrir ce centre de recherches dédié aux dauphins.

— Je tenais à réaliser les souhaits de Christina, expliqua-t-il. A honorer sa mémoire.

— Non, Nick ! le contredit sa mère avec assurance. Tu as voulu t'affranchir de ton sentiment de culpabilité liée à ta prétendue inaptitude à procréer. D'ailleurs, ce sentiment est dû à ta relation avec ton propre père et l'impression que tu as de l'avoir déçu.

Révolté par la psychologie bon marché de sa mère, Nick se leva et, mains dans les poches, répliqua :

— Je n'ai aucune envie d'aborder ce sujet maintenant.

— Tu as tort. Formuler les problèmes à haute voix est encore le meilleur moyen de les surmonter.

— Assez, maman ! Cesse de te mêler de ce qui ne te concerne pas.

Lui lançant un regard peiné, sa mère lui rétorqua :

— Permets-moi tout de même de te donner quelques conseils. Tout d'abord, il serait bon que tu te rendes à l'hôpital du village afin de discuter avec le Dr Gamble. Il pourra peut-être t'expliquer pourquoi l'avis de son confrère était erroné.

Nick voulut protester, mais Elizabeth poursuivit, imperturbable :

— Bien sûr, il n'exerce pas dans un hôpital en vue, mais il te connaît depuis toujours et je sais que tu as confiance en lui. Fais-le pour moi, Nick, à défaut de le faire pour toi.

Il hocha la tête, pensif.

— Entendu, j'irai le consulter.

— Parfait ! Le deuxième point qui me tient à cœur, c'est que tu me promettes de discuter avec Annie de la situation. C'est une jeune femme intelligente qui ne méritait pas le mutisme dont tu as fait preuve lorsque, en toute honnêteté, elle t'a annoncé la nouvelle. Je n'ai aucune idée de ce qui s'est passé entre vous, mais…

Elizabeth hésita. Se levant, elle alla toucher l'épaule de Nick et reprit :

— Tu es un homme d'honneur, mon fils. Je compte sur toi pour interroger Annie sur ses intentions et œuvrer à réaliser ses vœux.

— C'est-à-dire ? fit-il, déconcerté.

Il n'arrivait pas à penser à l'avenir. Ni à ce qu'il pouvait bien faire.

— Essaie d'envisager des solutions. Et pose au médecin toutes les questions qui te tracassent.

— Bon, très bien, concéda-t-il. Autre chose ?

Nick sentait une irritation croissante le gagner et il éprouvait le besoin de prendre l'air.

Se hissant sur la pointe des pieds, sa mère lui donna un baiser sur la joue et lui dit :

— Je t'aime, mon fils, et je te suis reconnaissante. Annie et toi avez engendré mon premier petit-fils ou ma première petite-fille…

A ces mots, la culpabilité le terrassa avec une force insoupçonnée.

— Je te serais pour ma part fort reconnaissant de ne pas en avertir papa, marmonna-t-il. De fait, je te saurais gré de n'en piper mot à personne.

— Comme tu voudras, mon fils. Cela t'ennuie-t-il si j'aborde le sujet avec la principale intéressée ?

— Maman, ne te mêle pas de mes affaires ! répondit Nick d'un air buté.

Mais, devant le regard meurtri de sa mère, il fit machine arrière et concéda dans un soupir :

— Entendu, parles-en avec elle si tu en as envie. Après tout, tu pourras peut-être lui prodiguer de bons conseils. Et puis je pense qu'il sera profitable à Annie de s'en ouvrir à une femme. Promets-moi, cela dit, de ne pas l'influencer dans ses décisions… Je peux compter sur toi, n'est-ce pas ?

— Tout à fait, Nicholas, repartit sa mère en serrant son fils dans ses bras. Et à présent, va voir le Dr Gamble pour éclaircir le mystère. Pense aussi à ce que tu vas faire. Pour ma part, je suis convaincue que tu tiendras à merveille ton rôle de père.

Son rôle de père ?

Cela sonnait de bien curieuse façon… Il ne doutait pas un instant qu'Annie ferait une excellente mère, il l'imaginait aisément dans ce rôle. Mais lui, un père ?

Jamais il n'avait pensé l'être un jour, voilà pourquoi la nouvelle le cueillait à froid. Il devait se familiariser avec cette idée. Quel genre de père serait-il ? En tout état de cause, il refusait de suivre l'exemple du sien. Il ne tenait pas à se métamorphoser en tyran domestique.

Nick avait passé sa vie entière à tenter de satisfaire son père. Sans succès. Il n'était jamais à la hauteur de ses exigences. La seule chose qui l'ait satisfait, c'était son mariage avec Christina.

Et aujourd'hui ?

Aujourd'hui, il allait avoir un enfant sans même être marié. Il s'imaginait sans peine les commentaires de son géniteur !

Annie avait effectué son travail au lagon sans s'accorder la moindre pause. Une manière comme une autre de s'étourdir, de ne pas penser. A présent qu'elle avait terminé sa journée et qu'elle se tenait seule devant l'immensité de l'océan, dans le crépuscule naissant, elle se sentait prise de panique.

La vie sur l'île lui plaisait beaucoup. Le ciel était toujours d'un bleu pur et l'eau turquoise. Devrait-elle quitter ce paradis ? L'enfant qu'elle portait en elle allait la conduire à effectuer des choix concernant sa situation professionnelle.

L'idée de revenir à Boston lui traversait parfois l'esprit. Mais sa famille serait si déçue en apprenant la vérité ! Elle préférait ne pas penser à la tristesse qu'elle lirait dans les yeux des siens... Non, un retour au bercail n'était pas une bonne idée. Elle avait beau aimer sa famille de tout son cœur, Boston était le dernier endroit au monde où elle se réfugierait.

Elle avait échappé à l'inquisition familiale en s'envolant pour les Caraïbes, elle n'allait tout de même pas revenir se jeter dans la gueule du loup ! Car elle devrait alors subir mille avis et recommandations. Par ailleurs, ce retour confirmerait la conviction que tous partageaient, à savoir qu'elle était incapable de se débrouiller seule.

Non, elle était désormais indépendante et forte, loin de la petite fille que sa famille s'ingéniait toujours à voir en elle. Et elle s'en sortirait sans devoir se nicher peureusement dans le giron familial.

Pour commencer, elle possédait des économies. Nick lui versait un bon salaire et elle avait peu de dépenses...

Instinctivement, elle plaqua une main sur son ventre : désormais, elle n'était plus seule.

Sa maternité allait-elle affecter sa carrière ? Nul

doute que, pendant quelque temps, elle ne pourrait plus exercer sa profession de kinésithérapeute. Que pourrait-elle faire d'autre pour subvenir à ses besoins et à ceux de son enfant ?

Une partie d'elle-même était fort excitée et heureuse à l'idée de devenir mère. N'était-ce pas un rêve de petite fille qui se réalisait enfin ? Elle avait adoré s'occuper de ses neveux et nièces, quand elle habitait encore Boston. Tenir un enfant dans ses bras éveillait chez elle de forts instincts maternels et, en secret, elle avait toujours envié ses sœurs.

Oui, cet aspect-là était grisant.

Mais il y avait un autre côté qui l'effrayait…

Elle redoutait en effet que son statut de mère célibataire ne lui vaille la condamnation de quelques-uns de ses contemporains.

Sa vie s'éloignait de plus en plus d'un conte de fées…, songea-t-elle tristement.

Comment réagirait Nick quand il se serait remis du choc initial ? Voudrait-il participer à la vie de l'enfant ? Ou bien souhaiterait-il n'avoir affaire ni à la mère ni à l'enfant, afin de ne pas avoir en permanence sous les yeux les conséquences de ses indélicatesses ?

Les pensées d'Annie continuaient de tourbillonner dans son esprit et ses émotions de se déchaîner dans son cœur, tandis qu'elle longeait les falaises pour regagner le bungalow.

Soudain, elle aperçut la mère de Nick qui l'attendait sur le patio. Et zut ! Cette dernière avait dû entendre son aveu, tout à l'heure. Comme il était embarrassant que Mme Scoville fût au courant de leur… liaison, alors qu'elle n'avait pas eu le temps de mettre de l'ordre dans ses sentiments !

Allons, tenta-t-elle de se raisonner, Elizabeth Scoville n'avait-elle pas toujours été charmante avec elle ? De toute façon, avait-elle le choix ? Ne pouvant aller nulle part ailleurs, elle était bien contrainte de l'affronter.

Le visage en feu, la gorge serrée, Annie monta d'un pas lent les marches qui menaient au patio. Tout ce qu'elle pouvait faire, c'était prier pour que l'adorable Mme Scoville ne saute pas au plafond, furieuse qu'elle ait séduit son fils.

— Vous sembliez si seule et si désespérée, sur la plage, dit cette dernière d'un ton affable lorsque Annie fut à portée de voix. Venez prendre un thé avec moi ! Vous pouvez me parler à cœur ouvert. Laissez-moi vous aider.

Enlaçant la jeune femme par la taille, Mme Scoville l'entraîna à l'intérieur.

Rassurée par la chaleur de son amie, Annie se détendit, tout en pensant avec une certaine tristesse que sa mère ne l'aurait jamais réconfortée de la sorte.

Non ! Maeve O'Brien Riley l'aurait plutôt saisie par les cheveux et conduite tout droit au couvent... si tant était que les mœurs de la société n'avaient pas évolué. En tout état de cause, elle ne pouvait attendre ni chaleur ni compréhension de la part de sa mère. Quant aux autres membres de la famille, ils n'oseraient pas s'opposer à cette dernière et adopteraient la même attitude qu'elle.

Il n'y aurait pas de longues conversations avec ses sœurs au téléphone. Pas de consultation en urgence de sa grand-mère pour qu'elle lui indique quel remède prendre, en cas de nausées matinales... Dans ces conditions, autant taire sa grossesse jusqu'à la naissance.

Au salon, du thé et des petits gâteaux l'attendaient. L'attention était si touchante qu'elle manqua fondre en larmes.

— Asseyez-vous, ma chère. A moins que vous ne préfériez d'abord vous doucher ?

Son hôtesse était si prévenante qu'une bonne partie de la tension qui habitait Annie se dissipa. Elle n'aurait jamais cru que la mère de Nick lui réserverait un accueil si bienveillant. Soudain, elle se sentit moins désespérée que tout à l'heure, sur la plage.

— La douche attendra car je suis affamée, répondit Annie. Pour tout vous avouer, je n'ai rien mangé à midi, je n'avais pas d'appétit. Mais à présent, je veux bien goûter à ces petits gâteaux qui me semblent délicieux.

— Certainement, ma chère enfant. Installez-vous, je vais servir le thé.

Mme Scoville veilla à ce que tous les désirs d'Annie fussent comblés avant de prendre place à son tour dans un fauteuil.

Après avoir dévoré une dizaine de biscuits et avalé une tasse de thé au lait bien sucré, Annie eut l'impression de renaître.

— Je tiens à vous présenter mes excuses pour le comportement de Nick, tout à l'heure, déclara Mme Scoville lorsque Annie, repue, s'adossa contre son fauteuil. Pour sa défense, disons que la nouvelle a dû représenter un choc aussi grand pour lui que pour vous. Mais il s'en remettra et vous soutiendra, je peux vous l'assurer. C'est un homme d'honneur.

— Oh, je n'en doute pas, répondit Annie.

Mme Scoville esquissa un sourire, mais bien vite son expression s'assombrit.

— Avez-vous considéré… toutes les solutions ? hasarda-t-elle.

De quoi voulait-elle parler ? s'interrogea Annie, aussitôt sur ses gardes, avant de répondre :

— Si vous me demandez si j'ai décidé de l'endroit où j'allais vivre après la naissance de l'enfant, la réponse est non. J'attendrai que Nick me fasse part de ses souhaits et je m'y conformerai. S'il désire que je vive sur l'île de sorte qu'il puisse voir son enfant aussi souvent qu'il le souhaite, nous…

— Vous avez donc l'intention de garder l'enfant, conclut Mme Scoville, un large sourire aux lèvres.

— Pardon ? fit Annie en sourcillant. Vous n'avez tout de même pas pensé que…

Elle faillit bondir de sa chaise en comprenant de quoi la mère de Nick l'avait soupçonnée. Allons, du calme ! s'exhorta-t-elle. Elle n'allait tout de même pas incriminer une femme si généreuse, qui au fond ne la connaissait pas très bien. Ses craintes étaient légitimes.

— La seule solution que j'ai envisagée, c'est de garder l'enfant et de l'élever, seule ou non, reprit Annie.

Posant une main rassurante sur l'épaule de la jeune femme, la mère de Nick lui sourit de nouveau chaleureusement.

— Vous devrez faire d'autres choix, en concertation avec Nick, lui dit-elle. Pour ma part, je peux vous garantir que ni vous ni mon petit-fils ou ma petite-fille ne manquera de rien tant que je serai en vie…

A ces mots, Annie comprit que sa grossesse était bien réelle. Elle allait vraiment devenir mère. Et peut-être même mère célibataire.

— Je n'ai pas de fille, poursuivit Mme Scoville. Toutefois, je suis moi-même mère et je me suis occupée de l'enfant de ma sœur. M'accorderez-vous le privilège de vous assister pendant votre grossesse ? Il faudra, bien sûr, que je me familiarise avec les nouvelles méthodes et idées en vigueur de nos jours…

S'interrompant brusquement, elle considéra Annie puis s'enquit :

— Peut-être préférez-vous rentrer chez vous et passer votre grossesse aux côtés de votre mère ?

— Non ! répondit Annie d'un ton catégorique avant de répéter d'une voix radoucie, sourire à l'appui : Non, et je serai ravie de vous avoir à mes côtés jusqu'à la naissance du bébé, madame Scoville. Soyez tranquille : je tiendrai compte de tous les conseils que vous me prodiguerez, vous avez, en la matière, bien plus d'expérience que moi.

A ces mots, les yeux d'Elizabeth Scoville se brouillèrent de larmes. Elle parvint cependant à émettre un petit rire et, tapotant la main d'Annie, déclara :

— C'est merveilleux. Il suffit maintenant que Nick et vous trouviez un arrangement.

Sur ces mots, elle se leva et retira son châle en cachemire pour le placer sur les épaules d'Annie.

— Avant toute chose, il va falloir m'appeler Elizabeth, entendu ? ajouta-t-elle. Plus question de Mme Scoville entre nous. Oh, comme je suis heureuse de l'événement qui se profile !

- 8 -

Le lendemain matin, dès le lever du soleil, Nick prit le chemin du bungalow, dans le dessein de discuter avec Annie. Si sa visite chez le Dr Gamble, la veille, lui avait ouvert les yeux, il était toujours sous le choc de la nouvelle et n'avait guère pu dormir, trop occupé à trouver la solution idéale — celle qui contenterait toutes les parties.

Il ignorait tout des intentions d'Annie et espérait en tout cas qu'elle n'envisageait pas de retourner auprès des siens, à Boston, de façon définitive.

Lorsque le médecin lui avait dit qu'il était tout à fait possible qu'un homme dont la concentration de spermatozoïdes était peu élevée puisse féconder une femme fertile, Nick avait été plongé dans une plus grande confusion encore.

Comment était-on père ? Il aurait tant aimé connaître l'avenir ! Savoir déjà à quoi ressemblerait l'enfant issu de son union avec Annie…

Il ne cessait de penser à elle, à l'énergie qui se dégageait de son être, à sa personnalité haute en couleur. Il se rappelait son corps nu à ses côtés, son regard brûlant et sa chevelure de feu… Elle n'avait d'yeux que pour lui, le désirait et le lui montrait de façon si naturelle…

A cette pensée, une faim terrible s'empara de lui. Et, de façon concomitante, l'aiguillon familier de la culpabilité transperça son âme…

Comment avait-il pu perdre à ce point le contrôle de lui-même, en cette nuit d'orage ? Il ne le comprenait toujours pas. Il avait trahi la mémoire de Christina, déshonoré Annie, et à coup sûr déçu ses parents, qui ne pourraient jamais lui pardonner son incartade.

Nick poussa un profond soupir. A quoi bon se lamenter ? Il n'y avait plus rien à faire, à part surmonter ses remords et débattre du problème avec Annie.

Avant de frapper à la porte du bungalow, il jeta un coup d'œil par la fenêtre pour vérifier si elle était réveillée. A cette heure-ci, elle l'était, en général ; toutefois, en raison de son nouvel état, elle avait peut-être besoin de davantage de sommeil.

Annie était bel et bien debout, lui présentant son dos à la fois gracile et athlétique. Vêtue d'un short, elle se tenait derrière le comptoir de la kitchenette, les mains sur les hanches. Elle avait attaché sa chevelure en une lourde queue-de-cheval. Quelques boucles s'en étaient échappées et caressaient son cou, lui prêtant un air de princesse.

Repoussant le désir violent qui le submergeait, Nick détourna le regard et frappa à la porte. Leur discussion ne devait pas prendre un tour intime, décida-t-il. Les sentiments qu'elle lui inspirait leur avaient causé assez de torts. Des torts qu'il ne savait pas aujourd'hui comment réparer…

Quand Annie lui ouvrit la porte et leva lentement les yeux vers lui, Nick se sentit presque vaciller sous l'intensité de leur éclat.

— Il faut que nous discutions, dit-il d'une voix enrouée par l'émotion.

— Dehors, alors, répondit-elle dans un murmure. Je ne tiens pas à réveiller ta mère. Nous avons parlé jusqu'à tard dans la nuit.

Il s'effaça pour qu'elle sorte, se retenant de l'enlacer, comme il en avait eu le désir instinctif, quand elle passa devant lui, puis referma la porte derrière elle. Tous deux se dirigèrent alors vers l'escalier tortueux de la falaise qui menait à la plage.

Annie s'assit sur la première marche et se mit à contempler les premiers rubans orange qui frangeaient l'horizon. Nick resta debout derrière elle.

Au bout de quelques instants, elle se tourna vers lui et, du menton, lui fit signe de prendre place à côté d'elle.

Il aurait préféré rester debout car, comme l'expérience le lui avait appris, la proximité d'Annie était dangereuse pour ses sens. Il descendit prudemment trois marches et s'assit devant elle, avant de se retourner pour lui parler. Il était encore bien trop près d'elle pour la paix de son esprit mais au moins, il n'était pas tenté de la prendre par la taille ou par les épaules.

— Je te dois tout d'abord des excuses pour mon comportement durant l'orage, Annie, commença-t-il en enfonçant ses poings dans ses poches. Ce qui arrive, c'est ma f…

— Arrête, Nick ! le coupa-t-elle. Je suis autant coupable que toi. Je ne me suis pas fait prier, il me semble. D'ailleurs, si je me souviens bien, c'est moi qui t'ai imploré de continuer, pas l'inverse.

Il cligna des yeux, se contentant de la regarder sans mot dire, comme s'il avait perdu la voix.

— Je sais que tu te sens fautif, Nick, mais tu dois te raisonner et surmonter ce sentiment. Par ailleurs, je refuse toute compassion de ta part. Et je ne veux pas que tu changes ta vie d'un iota à cause de moi.

Reprenant son souffle, Annie enchaîna :

— Je suis une adulte capable de se prendre en charge. Ta mère m'a invitée à rester sur l'île jusqu'à la naissance de l'enfant et j'ai l'intention d'accepter, à moins que tu ne t'y opposes. Après quoi, j'ignore ce que je ferai, mais je peux t'assurer que jamais je ne t'empêcherai de voir ton enfant si tu le souhaites…

Cette dernière phrase avait été proférée d'une voix moins assurée. Puis la jeune femme jeta un regard hésitant à Nick.

— Annie…, dit-il alors avec douceur.

Sa vulnérabilité et cette manie qu'elle avait de parler à toute vitesse quand elle était nerveuse lui firent de la peine. Et soudain, tout s'éclaircit pour Nick : une seule solution s'imposait pour que la situation rentre dans l'ordre.

— Je ne pourrai jamais avoir l'esprit tranquille si je n'ai pas chaque jour des nouvelles de toi et du bébé, poursuivit-il sur le même ton. Permets-moi de rester à tes côtés, de prendre soin de vous deux et de remplir mes devoirs. En d'autres termes, épouse-moi.

— Pardon ?

Choquée, Annie se leva d'un bond. Ses yeux verts lançaient à présent des éclairs.

— Je viens de te dire que je suis assez grande pour me débrouiller seule ! fit-elle se plantant devant lui. Inutile de t'ériger en martyre et d'épouser une femme que tu n'aimes pas. Je m'en sortirai parfaitement seule, avec mon enfant.

Nick s'attendait à une telle réaction de sa part. Au fond de lui-même, il en conçut même un certain soulagement. Toutefois, il était exclu qu'il tienne compte des propos d'Annie.

Se levant à son tour, il remonta les marches et la prit par les épaules.

— Comme je te l'ai déjà dit, l'amour n'est pas selon moi une donnée indispensable au mariage. L'honneur et la fidélité, en revanche, le sont. Laisse-moi te le prouver.

Annie ouvrit de grands yeux à la fois étonnés et meurtris, comme si elle venait de recevoir une gifle en plein visage. Elle lui parut tout à coup bien fragile ! Son cœur se serra douloureusement quand il la vit baisser la tête et l'entendit pousser un soupir las.

— Annie, fais-moi de ton côté l'honneur d'être ma femme…

Cela dit, il retint son souffle, lui-même dépassé par sa proposition, espérant presque qu'elle la rejetterait.

Ce fut alors que, contre toute attente, Annie releva le menton et le regarda droit dans les yeux.

— Oui, lui dit-elle.

— Pardon ? s'étrangla-t-il bien malgré lui.

Ses oreilles bourdonnaient, il n'était pas certain d'avoir bien entendu. Il laissa retomber ses mains le long de son corps.

Annie se mit à rire, d'un rire qui sonnait affreusement faux.

— Ma réponse est oui, tu n'as pas rêvé, répéta-t-elle crânement. Oui, Nick, je t'épouserai. Tu ne vas tout de même pas reprendre ta parole, n'est-ce pas ?

— Non, répondit-il d'une voix rauque, en toussotant pour s'éclaircir la gorge. Bien sûr que non ! De la sorte, je serai certain que ni toi ni l'enfant ne manquez de rien, je...

— Et de mon côté, je suis assez vieux jeu pour tenir à ce que mon enfant ait un père, l'interrompit Annie. Quand souhaites-tu que nous nous mariions ?

Un bruit sourd résonnait dans sa tête, son sang courait à toute allure dans ses veines. Il secoua la tête pour recouvrer ses esprits.

— Eh bien... Dès que possible. Où souhaites-tu que la cérémonie se déroule ? Ici ou à Boston ?

— Ici ! Je redoute la réaction de ma mère si elle découvre que je suis enceinte. D'ailleurs, je préfère qu'aucun membre de ma famille ne soit au courant de ma grossesse avant le mariage. Ce sera plus confortable pour tout le monde ; de cette façon, je ne mettrai personne en porte-à-faux.

Cette proposition de mariage était tout sauf romantique, et la conversation prenait un tour des plus pragmatiques, pensa Nick, attristé. Il s'agissait tout de même d'une union sacrée !

Mais à qui la faute ? N'était-ce pas lui qui souhaitait bannir toute chaleur de la conversation ? Il était venu dans le même état d'esprit que s'il s'était apprêté à signer un contrat commercial.

En désespoir de cause, il tendit la main vers elle… Annie se déroba.

— Va-t'en, Nick, l'implora-t-elle. Nous réglerons les détails relatifs à la cérémonie plus tard.

N'aurait-il pas dû sceller leur accord par un baiser, comme c'était la coutume dans les romans qu'elle lisait ? Pourquoi fuyait-elle ses caresses ? Craignant qu'elle ne s'effondre, il n'osa pas insister.

— J'appellerai le maire pour fixer une date. Tout va bien se passer, je te le promets.

Sur ces mots, il s'éloigna.

Annie se contrôla jusqu'à ce que les pas de Nick s'évanouissent. Puis, achevant de descendre l'escalier, elle éclata en sanglots.

Incertaine de ce qui l'attendait quand Nick était apparu sur le seuil de la porte, à l'aube, elle n'imaginait pas, toutefois, qu'il la demanderait en mariage. Elle pensait plutôt qu'il lui offrirait une pension généreuse pour qu'elle aille s'installer à l'autre bout du monde avec leur progéniture.

Pourtant, dès qu'il lui avait proposé le mariage, elle avait su que c'était le compromis idéal : tous deux partageaient une vision traditionnelle de la famille et étaient d'avis qu'un enfant avait besoin de ses deux parents pour son équilibre.

Pendant l'orage, lorsqu'il avait évoqué les frustrations de sa femme concernant ses désirs de maternité, l'expression de son visage était univoque : lui-même désirait un enfant.

Oui, mais voilà : voulait-il une nouvelle épouse ? Et souhaitait-il que ce fût elle ?

A deux pas de l'océan, elle regarda le ciel qu'éclairaient les couleurs flamboyantes de l'aube. Face à tant de beauté, son cœur se mit à saigner de plus belle…

Pourquoi la vie était-elle si compliquée ? se demandait-elle tandis que de grosses larmes roulaient sur ses joues. Pourquoi rien ne s'était-il déroulé comme dans ses romans ? Si tel avait été le cas, leur relation aurait suivi une chronologie bien précise : Nick et elle seraient tombés amoureux l'un de l'autre, puis ils se seraient mariés, auraient fait l'amour et enfin auraient eu un enfant…

Elle renifla et croisa les bras, comme pour se protéger.

Allons, Annie, grandis ! lui souffla une petite voix. La vie n'était pas un roman, ni un conte de fées. Personne ne l'avait d'ailleurs prétendu.

Par pur pragmatisme, elle avait accepté la proposition de Nick : une telle panique montait en elle à l'idée d'être mère célibataire !

En se mariant, elle sauvait la face et s'épargnait l'hostilité familiale…

Et puis… qui sait si leur union ne finirait pas par fonctionner ?

Bien sûr, Nick avait parfois des sautes d'humeur qui le rendaient impossible à vivre. Et alors ? Il lui inspirait malgré tout un grand respect. Par ailleurs, elle pouvait avoir confiance : s'il s'y engageait, Nick prendrait soin d'elle et de leur enfant — même s'il lui avait fait comprendre sans ambiguïté qu'il ne l'aimait pas et qu'il n'avait pas besoin d'elle.

Allons, c'était un homme d'honneur et de confiance, et qui plus est fortuné.

Ces pensées, au lieu de la calmer, la firent sangloter de plus belle. Mon Dieu ! Que ne pouvait-il l'aimer comme son père aimait sa mère ? Voilà l'amour dont elle avait toujours rêvé.

Hélas, ce genre de miracle ne lui était pas

destiné ! Son sort était d'épouser un homme qui n'éprouvait aucun amour pour elle.

Une image catastrophique du futur s'imposa alors à elle. Nick ne l'aimant pas, il ne pourrait pas oublier sa première femme ; lorsque Annie aurait accouché, le bébé lui rappellerait constamment qu'il n'avait pu avoir d'enfant avec Christina ; sa frustration serait toujours d'actualité…

C'était affreux ! Etait-il possible qu'elle s'apprête à épouser un homme qui supporterait à peine sa vue et qui ne resterait avec elle qu'à cause de leur enfant ? Leur couple fonçait droit vers le divorce.

Comment la vie conjugale, le temps qu'elle durerait, allait-elle être tenable, sachant qu'elle l'aimait et que lui… ?

Elle l'aimait ?

Bon sang !

C'était donc bien de l'amour qu'elle avait toujours ressenti pour lui.

Cette révélation la bouleversait autant qu'elle l'effrayait…

Et les larmes se remirent à couler sur ses joues.

Oh, mon Dieu, elle avait besoin d'aide !

Soudain, le divorce lui paraissait aussi terrifiant que d'annoncer à sa famille qu'elle était mère célibataire. Avait-elle eu raison d'accepter la proposition de Nick ?

Annie soupira, consciente que l'excès d'hormones dû à la grossesse la rendait par trop émotive. Elle devait réfléchir à tête reposée avant de prendre la moindre décision.

Son enfant avait besoin d'un père. De son côté, elle était prête à faire preuve de la meilleure volonté pour construire une véritable relation avec Nick. Peut-être finirait-elle par lui faire aimer leur vie. Par se rendre indispensable…

Qui sait ? La sagesse irlandaise ne soutenait-elle pas qu'il ne fallait jamais désespérer ? Elle devait faire le pari de la réussite avec Nick. Et trouver le moyen de rester forte, quelles que soient les épreuves qu'elle aurait à traverser.

En fin d'après-midi, après le travail, Annie se rendit à l'hôpital en vue des examens prénuptiaux. Nick avait disparu après les siens, en lui assurant qu'il viendrait la chercher.

— Vous êtes en excellente santé, Annie, lui dit le Dr Gamble. Votre grossesse, ainsi que les suivantes, devrait se dérouler sans problème.

L'allusion du docteur à d'éventuelles autres grossesses l'attrista. Elle aurait tant aimé avoir quatre enfants. Etant donné le tour que prenaient les événements, elle devrait sans doute se contenter d'un seul…

— Y a-t-il des activités auxquelles je doive renoncer ? J'aimerais poursuivre mon travail avec les dauphins le plus longtemps possible. Par ailleurs, j'adore les bains de mer.

— Il n'y a aucune raison pour que vous renonciez à ces activités tant que vous vous sentez en forme. Les dernières semaines avant l'accouchement, vous devrez sûrement adopter un rythme plus lent, mais nager vous fera le plus grand bien, l'important étant de ne pas vous surmener. Cela dit, je ne sais pas si Nick va apprécier de vous voir passer tant de temps dans l'eau…

Alors en train de boutonner son chemisier, Annie s'arrêta dans son geste et considéra le médecin.

— Vous voulez dire… Enfin… à cause de la noyade de sa première femme ? Je sais que Nick est traumatisé au point de ne plus pouvoir se baigner, mais cela n'a rien à voir avec moi. Je suis pour ma part une excellente nageuse.

— Christina aussi l'était, ainsi que Nick. C'était par ailleurs un navigateur hors pair, qui faisait beaucoup de compétitions.

— Ah bon ? s'étonna-t-elle. Il ne m'en a jamais parlé.

— C'est Nick qui avait insisté auprès de Christina pour qu'elle prenne des cours de voile. Elle n'était pas très intéressée par les caractéristiques de ce sport, à savoir la vitesse et la capacité à réagir dans le feu de l'action. Son domaine à elle, c'était la recherche marine et la réflexion.

Le docteur jaugea Annie, hésitant.

— Nick s'estime responsable de la mort de Christina, finit-il par lui confier. Depuis, il a abandonné la voile.

Oh, mon Dieu, c'était encore pire qu'elle ne le croyait !

Non seulement il avait perdu sa femme, mais il se sentait si coupable de son décès par noyade qu'il avait lui-même renoncé à naviguer.

Annie sentit la mélancolie l'envahir.

Pauvre Nick ! Il devait mener une existence fort triste, à porter un si lourd fardeau.

Sa gorge se serra. Elle avait été bien égoïste ! Elle n'avait pensé qu'à sa petite personne, au fait d'épouser un homme qui ne l'aimait pas. En réalité, Nick était un cœur noble et blessé : elle devait cesser de ne songer qu'à elle et s'efforcer de lui rendre la vie plus facile.

— Peut-être puis-je l'aider à surmonter sa peur de l'eau ? dit-elle au médecin d'un air pensif.

Elle était résolue à tout mettre en œuvre pour l'aider.

— Je crois que c'est une excellente idée, approuva le médecin. Si quelqu'un est apte à le faire, c'est bien vous.

Nick était au volant de la Jeep, direction la maison. Le ciel était couvert, et la mer formait des moutons.

— Tu es bien silencieuse, dit-il au bout de dix minutes de silence. Es-tu soucieuse au sujet de notre projet de mariage ?

Depuis qu'Annie était sortie de l'hôpital, elle se demandait comment sortir Nick de sa tristesse. D'où son mutisme.

Lui prenant la main, ce dernier poursuivit :

— Cela te convient-il de te marier à la mairie après-demain ? Ou bien préfères-tu t'envoler pour les Etats-Unis et échanger les vœux devant un prêtre ?

— Non, Nick, merci pour ton attention. Un prêtre exigerait une préparation. Si nous nous marions après-demain, c'est parfait.

Se garant devant le bungalow, il se tourna vers elle et lui dit :

— Annie, je suis désolé que ce mariage ne

corresponde pas à la cérémonie de tes rêves. Toutefois, je souhaite qu'il se déroule aussi bien que possible, compte tenu du peu de temps dont nous disposons pour l'arranger. Me laisseras-tu faire de mon mieux ?

A ces mots, il porta la main d'Annie à ses lèvres, pour en embrasser tendrement la paume. Puis il leva vers elle des yeux pétillants et souriants, guettant sa réaction…

Dieu sait qu'elle était loin de demeurer insensible à son baiser ! Des petits frissons parcouraient son corps, telles les fines aiguilles d'une pluie d'orage.

Ce merveilleux instant ne dura pas, hélas. Lâchant sa main, Nick reprit :

— Ma mère pourra t'aider à choisir ta tenue. Quant à moi, je prends tout le reste en charge. Tu ne dois penser qu'à une chose : te rendre après-demain à la mairie, à 10 heures tapantes.

Elle acquiesça.

— Très bien, dit-il encore. Tu réintégreras le manoir après le mariage et nous partagerons la même chambre. Entendu ?

— Si c'est ce que tu souhaites, Nick.

Elle avait presque soupiré.

La machine s'emballait et elle n'était pas certaine

que ce fût bon signe. Nick avait-il deviné ses appréhensions ? Sourcillant, il répliqua :

— Je veux que toi aussi tu le souhaites. Je n'ai pas l'intention de contracter un mariage blanc.

Elle désirait également de toutes ses forces que leur mariage soit un vrai mariage, même si elle avait la sensation que tout ne serait pas aussi simple.

— Dans ces conditions, repartit-elle, je partagerai volontiers ta chambre.

S'ils s'entendaient dans un domaine, c'était bien sur le plan charnel.

Quant au reste… Seul le temps lui apprendrait s'il était possible ou non de guérir Nick du traumatisme lié à la disparition de sa première femme.

Les deux jours suivants passèrent à une allure folle pour Nick. Et ses occupations se révélèrent fort divertissantes. La cérémonie à la mairie n'était pas compliquée à organiser ; en revanche, la réception requérait davantage d'imagination, d'autant qu'il désirait que tout fût parfait.

Sa mère lui avait prodigué quelques conseils, qu'il adapta à la personnalité d'Annie. Il prit par ailleurs contact avec des personnes qu'il n'avait pas vues depuis des années et qui l'aidèrent avec un empressement enjoué.

En deux jours, il dépensa plus d'argent qu'en deux ans… et y prit le plus grand plaisir ! Pourquoi avait-il mené une vie si monacale, pendant tout ce temps ?

La réponse lui revint comme un boomerang en plein cœur : Christina.

Elle n'était pas intéressée par l'aspect matériel de la vie. Leur mariage avait été l'occasion d'une grande fête onéreuse, mais ni l'un ni l'autre n'avaient pu donner leur avis sur son organisation. Leurs parents respectifs s'étaient chargés de tout.

Durant leurs années de mariage, Christina n'avait pas davantage fait preuve d'attachement aux choses matérielles ; elle prenait presque un air ennuyé lorsqu'il lui offrait des présents. Nick l'admirait alors pour sa capacité à se détacher de l'exemple parental, concernant l'aliénation pécuniaire.

Toutefois, à la réflexion, être incapable de la combler l'avait frustré. Il lui semblait alors que le bonheur de Christina était hors de sa portée…

De fait, la seule fois où il se rappelait l'avoir vue sourire — sourire avec le cœur et les yeux — c'était quand il avait donné son accord pour son installation sur l'île et l'ouverture du centre. Comme il avait été heureux de pouvoir enfin lui faire plaisir !

Le problème, c'était qu'elle comptait vivre pour toujours ici, au cœur des Caraïbes… et de préférence sans lui ! Quand il avait enfin compris ses intentions, il s'était rendu sur l'île pour exiger des explications et la prier de concevoir un autre projet qui les impliquerait tous les deux.

A ce souvenir, la sueur glacée de la culpabilité glissa sur son front. Il avait été si dur avec Christina. Il avait voulu qu'elle partage, contre son gré, les mêmes intérêts que lui. Seuls comptaient alors pour lui la voile, l'océan et son travail, à Alsaca.

Nick secoua la tête. Pour avoir été si injuste avec Christina, autrefois, il se reprochait le plaisir qu'il éprouvait aujourd'hui à dépenser de l'argent — d'une façon que celle-ci, du reste, aurait désapprouvée avec sévérité.

Sa gorge se noua…

Du cran ! s'ordonna-t-il. Un enfant était en route. Et une femme bien vivante avait besoin de solides épaules sur lesquelles se reposer. Dans quelques petites heures, Annie et lui seraient mariés.

Bien qu'il s'agît d'un mariage sans amour, Nick était déterminé à ce que leur relation soit fondée sur le respect et la confiance.

Ah, si seulement il avait pu contrôler ses désirs masculins égoïstes !

En tout état de cause, il devait reléguer dans un

coin de sa mémoire le drame qu'il avait vécu avec Christina afin de pouvoir l'analyser ultérieurement, quand il aurait recouvré ses esprits, et qu'il en userait comme garde-fou.

De la sorte, il espérait ne pas commettre deux fois les mêmes erreurs.

- 9 -

Annie sentait ses genoux trembler. Elle se tenait au côté de Nick, dans le vestibule de l'édifice historique qui servait à la fois de cour de justice, de mairie et de prison. Elle allait devoir puiser dans ses ultimes ressources pour ne pas fléchir durant la cérémonie.

Concrètement, elle disposait encore de quelques minutes pour se retirer du jeu. Difficile toutefois de se dérober ! Ne serait-ce que vis-à-vis d'Elizabeth…

La mère de Nick avait fait preuve d'une telle gentillesse ! Ensemble, elles avaient choisi sa robe de mariée, à la boutique nuptiale de Saint-Thomas. C'était une robe en pur coton, sans froufrou ni dentelle ; elle lui descendait jusqu'aux chevilles et ses motifs orange et améthyste étaient en harmonie avec l'exotisme des lieux.

Ainsi vêtue, Annie avait l'impression d'être une

héroïne de roman — et non pas une femme s'apprêtant à passer une longue vie monotone auprès d'un homme qui ne l'aimait pas.

Ce fut alors que, de façon inattendue, le son d'une flûte retentit dans le vestibule. La musique éthérée, presque irréelle, lui procura de petits frissons... Bientôt, d'autres instruments entrèrent dans la danse et la mélodie prit un tour plus joyeux.

Son rythme tranchait tellement avec la pièce exiguë et austère dans laquelle ils se trouvaient qu'Annie eut soudain envie de rire. Pendant quelques secondes, elle se demanda si elle ne rêvait pas tout éveillée.

— C'est une gigue irlandaise, s'exclama-t-elle tout à coup en se tournant vers Elizabeth.

— Exact, confirma cette dernière avec un sourire gêné. Il faut être indulgente, ma chère. Nick était si désireux de vous faire plaisir qu'il a peut-être sombré dans l'exagération. Mais je vous assure qu'il était pétri de bonnes intentions. Laissez-lui un peu de temps. Vous comptez beaucoup pour lui.

Un peu de temps ? pensa Annie avec tristesse.

Elle n'était pas d'une nature très patiente... Enfin ! L'idée que Nick se fût démené pour dénicher des musiciens capables de jouer des gigues irlandaises la touchait. Du coup, elle se sentit moins nerveuse, moins paniquée à l'idée de l'imminente cérémonie.

— J'aime énormément votre fils, Elizabeth, répondit Annie. Je crois bien être tombée sous son charme dès notre première rencontre. Je m'emploierai à satisfaire tous ses désirs.

Comme à l'accoutumée, elle avait parlé sans réfléchir ; elle ne pensait pas moins ce qu'elle avait dit. Oh oui, du fond du cœur !

Elle avait voulu se persuader qu'il lui était égal que Nick ne l'aime pas. C'était d'ailleurs pour cette raison qu'elle avait accepté cette cérémonie express, sans sa famille. Un éventuel divorce expéditif en serait la suite logique. Mais à présent, elle comprenait qu'elle s'était trompée.

Tout avait de l'importance ! Parce que Nick avait de l'importance. Bien trop, soupira-t-elle en silence.

Elizabeth la serra contre elle affectueusement.

— Dieu merci, lui murmura-t-elle à l'oreille. Il mérite votre amour. Hélas, il n'est pas toujours facile à vivre ! Nicholas a tendance à vouloir contrôler la situation et les gens qui l'entourent. Comme son père.

Annie sourit.

— Soyez sans crainte. Cela n'affectera pas les sentiments que je ressens pour lui.

— Dans ces conditions, acceptez ces quelques conseils maternels, reprit Elizabeth, les yeux brillant de larmes de joie. Ne lui montrez pas encore votre amour. Il faut qu'il ait envie de le conquérir. Qu'il ait la liberté de vous faire la cour.

A cet instant, le rythme de la musique changea et la porte de la grande salle s'ouvrit. Nick se tenait devant le bureau du maire. Il tendit la main à Annie.

— Es-tu prête ? demanda-t-il solennellement.

Qu'il était beau dans son smoking noir et sa chemise d'un blanc éclatant ! Annie retint des larmes d'émotion.

Ils ne s'étaient pas vus depuis deux jours, et ce laps de temps lui avait paru une éternité. Maintenant qu'il se tenait enfin devant elle, elle avait l'impression qu'il était tout droit sorti de ses rêves : l'incarnation du prince charmant qui vient enlever la princesse, dans les contes de fées.

Se tournant bien vite vers Elizabeth, elle déposa un bref baiser sur la joue de cette dernière et lui dit :

— Merci pour tout.

Puis elle s'avança vers Nick.

— Je suis prête, fit-elle en lui prenant la main.

Nick parvint à prononcer ses vœux sans se tromper. Il retint son souffle quand ce fut le tour d'Annie. Il avait prié le maire de prononcer un discours un peu plus étoffé que d'ordinaire, espérant que sa future épouse y serait sensible et que la cérémonie lui paraîtrait plus authentique.

Pourvu qu'elle ne vît pas le tremblement de ses mains quand il lui passerait la bague au doigt, pensa-t-il. Il lui tenait à cœur que tout fût parfait, pour masquer le côté artificiel de leur union.

— Nick ?

Il posa les yeux sur le doux visage d'Annie et tenta de comprendre ce qui n'allait pas.

— L'anneau, Nick, dit le maire en souriant.

— Oh ! fit-il soulagé.

Si ce n'était que cela…

Hier, il avait rendu une courte visite au bijoutier de la famille, à Miami, mais il n'avait rien trouvé qui lui semblât correspondre aux goûts d'Annie. En désespoir de cause, il avait demandé conseil à sa mère, qui détenait en réalité la solution du problème.

Glissant la main à l'intérieur de sa veste, il en ressortit l'émeraude de trois carats, sertie dans de l'or ancien, qui avait appartenu à sa grand-tante Lucille.

Enfant, il adorait rendre visite à Lucille. Elle était gentille et généreuse. Chez elle, il échappait aux règles strictes que son père imposait à la maison.

Il se rappelait parfaitement la superbe bague qu'elle portait au doigt et il avait été fort surpris d'apprendre, par la bouche de sa mère, que Lucille la lui destinait. Il était censé la remettre à sa deuxième épouse, si jamais il se remariait. Sa grand-tante ignorait alors que celle-ci serait Annie et que l'émeraude était de la même couleur que ses yeux.

Annie jaugea d'un air surpris la bague qui brillait à son doigt… Quand elle releva la tête, Nick vit étinceler dans ses yeux une lueur qui le rasséréna. La lueur du bonheur…

Annie était heureuse, songea-t-il, ému. Oui, elle éprouvait à cet instant une joie réelle à devenir sa femme. N'était-ce pas de bon augure ? Peut-être pourraient-ils cohabiter dans la sérénité, même si l'amour était absent de leur foyer…

Le maire prononça encore quelques paroles, puis le marié fut invité à embrasser la mariée. Nick aspira une large bouffée d'air : c'était l'instant qu'il attendait depuis des jours — ou, plus exactement, depuis des semaines.

Avec lenteur, il l'attira à lui. Elle était aussi douce qu'un nuage entre ses bras. Et, quand sa poitrine se retrouva pressée contre son torse, tout son corps se raidit…

Ce qui était tout à fait déplacé !

Il lui donna un bref baiser avant de s'écarter d'elle. Ce n'était ni le lieu ni le moment. Il ne pouvait tout de même pas laisser jaillir le désir qui l'habitait sous les yeux de sa mère, du représentant de l'Etat et de l'équipe de recherche du centre !

Ce fut alors qu'Annie vacilla un peu et chercha son appui.

— Tout va bien ? murmura-t-il en s'empressant de la soutenir.

— Oui, j'ai juste eu un petit vertige, dit-elle en souriant.

— Elle n'a pratiquement rien avalé, aujourd'hui, intervint Elizabeth, derrière eux.

— Monsieur le maire, nous sommes mariés, n'est-ce pas ? demanda Nick à l'intéressé.

— Oui, mon cher Nick.

Ce dernier se tourna alors vers Annie et déclara :

— Votre carrosse vous attend, ma chère.

Lui présentant le bras en accentuant, par plaisanterie, le côté formel du geste, il la conduisit vers la lumière aveuglante du jour.

— Oh, Nick, qu'as-tu donc fait ? s'exclama-t-elle lorsqu'elle aperçut la Jeep qui les attendait devant la porte.

La soulevant de terre, il l'installa à l'arrière du véhicule… qui avait radicalement changé d'aspect. Par le truchement d'un châssis savamment conçu, la Jeep avait en effet été métamorphosée en carrosse. Des monceaux de fleurs et de rubans lui donnaient la touche finale et compensaient l'absence de chevaux.

Rob Bellamy s'installa au volant et, à travers les ruelles de l'île, les conduisit jusqu'à la demeure des Scoville. De nombreux insulaires sortirent sur leur perron pour les acclamer au passage — ce que Nick n'avait pas prévu. De toute évidence, Annie était enchantée : elle saluait la foule avec chaleur.

— J'ai l'impression d'être Cendrillon, dit-elle à Nick en riant.

— Tu es bien plus belle que n'importe quelle princesse, lui assura-t-il, une main dans la sienne.

Soudain, le sourire d'Annie s'évanouit et, retirant sa main, elle demanda :

— Pourquoi ton père n'a-t-il pas assisté à la cérémonie ? Si c'est par manque de temps, nous aurions pu attendre un ou deux jours…

— Je ne l'ai pas invité, déclara Nick d'une voix sourde. Comme tu n'as pas convié ta famille non plus, je pense que nous sommes à égalité.

Sans mot dire, elle se remit à contempler le paysage.

— Encore quelques petites minutes et nous serons arrivés, enchaîna-t-il pour rompre le silence. Il faudra te sustenter sans attendre, car je ne tiens pas à ce que tu t'effondres lors de la réception.

— Est-ce une grande réception ?

— Un modeste buffet. Notre chef cuisinier a concocté une série de plats exotiques. Je crois qu'il veut t'impressionner.

Un sourire se dessina sur les lèvres d'Annie, sans atteindre toutefois ses yeux.

— C'est un excellent cuisinier, il n'a rien à prouver, dit-elle avec bienveillance. Tu as de la chance de l'avoir.

Tout comme il avait une chance inouïe de l'avoir, elle ! pensa-t-il en son for intérieur, sans oser le lui avouer. Ce fut alors qu'elle ajouta :

— Nick, pourquoi as-tu pris toute cette peine ? Bien sûr, cela me fait plaisir, mais ce devait être une cérémonie éclair — une régularisation, en somme.

A ces mots, elle se mit à rire tandis que, de son côté, Nick s'assombrissait.

— Je ne vois pas ce qu'il y a de drôle, commenta-t-il avec froideur.

— Pour l'amour du ciel, Nick, ne fais pas cette tête tragique ! Allez, souris ! Nous sommes mariés, tu as fait ton devoir et ton honneur est intact.

Il était peiné qu'elle évoque cet aspect ; il aurait souhaité qu'elle associe leur mariage à d'autres notions que celles de l'honneur et de la responsabilité.

Faisant contre mauvaise fortune bon cœur, il repartit :

— Je suis heureux que le carrosse t'ait plu et j'espère qu'il en ira de même de la réception.

Une réception qu'il espérait rapide, car ils partaient ensuite en lune de miel. Là encore, il s'agissait d'une surprise… Cette perspective le laissait rêveur. Il avait hâte de caresser de nouveau la peau d'Annie. De s'enfouir dans sa chaleur.

— Et tu ne sais pas tout, poursuivit-il. Le meilleur est encore à venir.

— Une autre surprise ? fit-elle en souriant. Rien ne pourra surpasser la superbe émeraude que tu m'as offerte.

Sur ces mots, elle tendit la main pour admirer sa bague et remua légèrement les doigts, un large sourire aux lèvres.

De nouveau, l'envie folle de l'embrasser l'assaillit. Oui, qu'il avait hâte de la reprendre dans ses bras !

La nourriture était fabuleuse, mais Annie était bien trop excitée pour l'apprécier à sa juste valeur. Chaque habitant de l'île était venu les féliciter et leur présenter ses meilleurs vœux de bonheur. Elle avait presque des crampes à force d'avoir trop souri.

Elle fut soulagée lorsque tout le monde s'en alla et qu'elle put enfin retirer ses chaussures. Elle se rendit compte alors qu'elle ignorait ce qui l'attendait…

Allait-elle s'installer chez Nick ? Si tel était le cas, se sentirait-elle chez elle, dans ce prestigieux manoir ? Elle avait apporté des vêtements de rechange, jetés pêle-mêle dans un sac de voyages. Mais peut-être Nick voudrait-il qu'elle prenne le reste de ses affaires.

Qu'attendrait-il d'autre d'elle ? C'était leur nuit de noces, après tout…

Tourmentée par toutes les questions qu'elle n'avait

pas osé lui poser, Annie se laissa choir dans un fauteuil du salon. Elle commençait à trouver que Nick exagérait de la laisser dans l'expectative !

Elle se mit à observer le mobilier de luxe qui l'entourait, les œuvres d'art accrochées aux murs ou dispersées sur les consoles… Un monde bien éloigné de l'univers dans lequel elle avait grandi. Leur mariage avait-il la moindre chance de tenir après la naissance de l'enfant ?

— J'ai prié la domestique de rassembler quelques-unes de vos affaires pour le voyage, Annie. J'espère que cela ne vous ennuie pas mais j'ai songé que vous n'auriez pas le temps de le faire vous-même.

La voix d'Elizabeth la fit sursauter. Cette dernière s'était glissée derrière elle alors qu'elle méditait dans le fauteuil et l'enlaçait à présent par les épaules.

— De quel voyage voulez-vous parler ? s'enquit Annie.

— Ne me dites pas que Nick ne vous a pas encore annoncé que vous partiez en lune de miel !

— En lune de miel ? répéta Annie, incrédule.

Elizabeth haussa les sourcils.

— Vous êtes bien trop conciliante, ma chère. Si mon fils continue à se comporter de façon si autoritaire et dominatrice, je jure que…

— Ne vous faites pas de souci pour moi, Elizabeth,

tout ira bien. Je ne suis pas une jeune fille innocente qui a besoin de protection. C'est tout à fait délibérément que j'ai accepté un travail à plus d'un millier de kilomètres de chez mes parents, pour prouver à tout le monde que je peux prendre soin de moi. Je suis bien plus forte et résistante que ma famille ne le croit.

Croisant le regard soucieux de sa belle-mère, elle poursuivit :

— Il en ira de même avec votre fils. Je l'aime, mais je ne le laisserai pas m'étouffer. Je vous assure que vos craintes sont infondées.

Les yeux d'Elizabeth s'emplirent de larmes.

— Son père et moi..., commença-t-elle.

Puis elle secoua la tête et ravala un sanglot.

— Vous et moi, ma chère Annie, devrons nous entretenir. Mais pas ce soir. Le jour de votre mariage, ce serait inopportun.

A cet instant, Nick se dessina dans l'encadrement de la porte.

— Le pilote est prêt, déclara-t-il. Nous n'attendons plus que toi, Annie.

Se tournant vers sa mère, il ajouta :

— Pouvons-nous t'être utiles à quelque chose avant de partir ?

Se redressant, Elizabeth croisa les bras et répondit d'un ton ferme :

— Commence par discuter avec ta femme avant de prendre des décisions pour elle. Tu pourrais, par exemple, lui demander si elle veut bien partir en lune de miel avec toi. Pour ma part, je ne suis pas certaine que je t'accompagnerais, si j'étais elle.

Nick s'avança vers Annie et, à la stupéfaction de la jeune femme, tomba à ses genoux.

— Annie… C'est la surprise à laquelle j'ai fait allusion, tout à l'heure. Je voulais te faire plaisir, je ne pensais pas que…

— Chut, fit la jeune mariée en plaçant un doigt sur les lèvres de Nick. Ce n'est pas dramatique. J'avoue que j'aurais préféré que tu me consultes, mais ne commençons pas notre vie de couple par une vaine querelle. Tout ce que tu as prévu me conviendra.

Nick eut un long soupir de soulagement.

— Un ami que j'ai connu à l'université possède une grande villa sur la riviera mexicaine. C'est un endroit extraordinaire avec piscine et sauna, sur une falaise. Nous pourrons danser jusqu'à l'aube, sur la plage, en compagnie des stars du cinéma et des têtes couronnées de ce monde. Puis dormir toute la journée sans que personne ne vienne nous déranger… Si tu le désires, bien sûr.

Dormir ? Doux euphémisme, songea Annie. Son envie de lui faire l'amour avait été gravée dans ses yeux toute la journée ! Et elle l'y lisait d'autant mieux qu'elle la partageait, son corps et son esprit ayant encore très vivement à la mémoire leurs étreintes passionnées.

Cela ne l'empêchait pas de nourrir une certaine appréhension. Appréhension renforcée par le fait que Nick s'était montré bien dominateur, aujourd'hui…

Si elle retombait dans ses bras ce soir, comment serait-elle en mesure de s'affirmer auprès de lui ensuite ? Faire l'amour la rendait trop vulnérable, suscitait en elle des besoins autres que charnels, des besoins de véritable amour. Or, dans ce domaine, il ne pourrait pas la combler, puisqu'il s'y refusait. Leur relation était fondée sur le désir, pas sur le sentiment amoureux.

A cette pensée, une bouffée de panique lui noua la gorge. Il lui fallait davantage de temps pour redevenir intime avec Nick. Du temps pour redevenir forte, et ne pas être anéantie par un amour non partagé.

Quelques jours — ou quelques semaines — suffiraient.

Forte de sa décision, elle se sentit soudain plus sereine à l'idée du voyage.

— L'endroit a l'air paradisiaque, Nick, dit-elle en se levant. Je suis prête.

Pendant le vol, qui dura trois heures, ils n'échangèrent que peu de mots. Nick lui présenta de nouveau ses excuses pour ne pas lui avoir fait part de ses projets quant à leur lune de miel.

Elle aimait les surprises, là n'était pas la question. En revanche, l'idée qu'il prenne *toutes* les décisions seul la chiffonnait.

Il était impératif qu'ils discutent. Heureusement, depuis qu'elle avait résolu de ralentir le cours des événements entre eux, afin qu'ils prennent le temps de mieux se connaître avant de refaire l'amour, elle se sentait davantage maîtresse de la situation…

Une fois arrivés à l'aéroport, on les conduisit à la villa à bord d'une limousine. Le soleil couchant était suspendu au-dessus de l'océan, telle une énorme boule de feu ; bientôt, il s'y abîmerait…

Annie avait cru que l'île de Nick était l'endroit le plus exotique de la terre. Mais la riviera mexicaine, avec sa végétation luxuriante et ses rythmes épicés flottant dans l'air du soir, ne manqua pas de la dépayser.

Elle retint un cri d'admiration en pénétrant dans la villa.

Du sol au plafond, d'énormes baies vitrées offraient le vertigineux spectacle de l'océan Pacifique — un bleu saturé qui aimantait le regard, l'emprisonnait… D'immenses pins, de curieux monolithes plantés dans l'eau et battus par les vagues, des sentiers en pierre illuminés par des torches et serpentant parmi d'épais buissons de fleurs aux formes délirantes — bref, le panorama était d'une beauté époustouflante ; cependant, Annie ne voulait pas paraître gauche en s'extasiant. Elle devait apprendre à se comporter dans le monde de Nick.

Elle se tourna vers lui…

Il se tenait avec nonchalance près d'une table remplie de victuailles, à côté de la cheminée.

Se sentant soudain affamée, elle se dirigea vers lui.

Elle considéra la montagne de fruits aussi frais qu'exotiques, l'immense assiette de crevettes roses et les grands bols de guacamole…

Par quoi commencer ?

Nick plongea une chips dans le guacamole avant de la porter à sa bouche. Du coin de l'œil, il observait Annie… Cette hésitation ne lui ressemblait guère ! Ses atermoiements commençaient d'ailleurs à le rendre nerveux.

— Comment trouves-tu l'endroit ? s'enquit-il

en décortiquant une crevette. Mon choix te convient-il ?

Elle haussa vaguement les épaules avant de répondre :

— Oui, je crois.

Cette indolence, elle aussi inhabituelle chez elle, eut le don de l'exaspérer.

— Que se passe-t-il, Annie ? Me tiens-tu encore rigueur d'avoir décidé seul de la destination ?

Elle plissa les yeux.

— Pourquoi te mets-tu en colère ? T'aurais-je contrarié sans m'en rendre compte ? Me suis-je mal comportée ?

— Bien sûr que non, admit-il. Seulement… tu es si calme ! Cela ne te ressemble pas.

Le rouge monta aux joues de la jeune femme.

— J'essaie d'être plus *raffinée*, expliqua-t-elle. Je ne veux pas trancher sur le décor, je souhaite m'adapter à ta vie.

S'approchant d'elle, Nick la prit par les épaules.

— Non, Annie, je t'en prie, n'essaie pas de devenir une autre personne. Christina était la réserve et le calme même. Je ne savais jamais ce qu'elle pensait, et c'était difficile à vivre.

Annie fronça les sourcils et détourna le regard.

— Et zut ! reprit Nick. Je ne voulais pas te bouleverser en évoquant Christina. Je te promets de ne plus jamais parler d'elle.

Car cette dernière ne pouvait que souffrir de la comparaison..., songea-t-il in petto.

Attirant Annie à lui, il lui murmura au creux de l'oreille :

— Sois naturelle, ma chérie. N'hésite pas à me dire ce que tu penses et ce que tu ressens.

Le corps d'Annie tout contre le sien était si chaud, si suave qu'il se sentit happé par une brume de désir. Il entendit la respiration de sa compagne s'accélérer, tandis que ses seins durcissaient contre son torse, et allumaient un feu torride en lui.

Soudain, il n'eut plus qu'un seul souhait : demeurer à jamais auprès de cette femme éminemment sensuelle. Il ferma les yeux... L'odeur de rose et de cannelle qui émanait de sa personne aviva son désir... et sa douleur.

Comme toujours.

Alors, lui soulevant le menton, il déposa un baiser sur sa bouche — une bouche aussi belle qu'un bouton de rose. Lorsque leurs lèvres s'effleurèrent, une terrible faim l'envahit. Les plaisirs coupables qu'elle lui procurait lui faisaient oublier toutes ses promesses, ainsi que le sens de la loyauté. Il avait trop longtemps nié les sensations érotiques qu'Annie provoquait en lui — sans compter les années de solitude et de souffrance qu'il avait endurées.

Se libérant des attaches du passé, il déversa toute sa fougue dans un baiser aussi impérieux que désespéré.

Le plus grand tumulte régnait en Annie.

Elle avait besoin de ce baiser, de cette proximité… La passion qu'elle avait connue entre les bras de Nick, quelques semaines plus tôt, l'avait si souvent tenue éveillée, les nuits suivantes, quand elle les revivait en pensées… Or elle s'était fait la promesse d'attendre et devait se tenir à son engagement !

Nick faisait à présent courir ses mains sur ses reins, ses seins, ses hanches… Une onde électrique traversa tout son être. Son intensité était bien trop dangereuse.

Nick pensait-il, comme elle, à leurs folles étreintes passées ? Ou bien se rappelait-il la complicité qu'il avait partagée avec sa première épouse, pendant de longues années ?

Face à cette horrible éventualité, elle trouva la force de s'écarter de Nick.

— S'il te plaît, attends…, lui dit-elle.

Lorsqu'il finit par rouvrir les paupières, elle lut à la fois de l'étonnement et de l'agacement dans ses yeux.

— Attendre ? Pourquoi ? marmonna-t-il.

— Je sais que nous sommes mariés et que cela peut te paraître idiot... Cependant, je n'ai pas envie que nous nous précipitions dans une relation charnelle ; je préfère que nous apprenions à mieux nous connaître avant.

— Nous nous connaissons depuis bientôt huit mois, répliqua-t-il d'un ton sec en laissant tomber ses mains le long de son corps. Nous avons déjà été complices de façon intime. Que veux-tu de plus ?

— Quel est mon âge, Nick ?

— Pardon ?

— Je ne sais pas quel âge tu as, et tu ne connais pas davantage le mien.

— J'aurai trente ans la semaine prochaine, dit-il, confus.

Elle eut une moue amusée.

— Tiens, tu es Lion. J'aurais dû m'en douter... Je suis Vierge — une vraie romantique. Et j'aurai vingt-cinq ans le 5 septembre.

Il la considéra, perplexe.

— Tu vois, nous ignorons quantité de choses l'un sur l'autre. Par exemple, combien d'enfants veux-tu avoir ? Moi, j'ai toujours rêvé d'en avoir quatre, deux garçons et deux filles. Je ne sais même pas quel genre d'affaires exerce ta famille, à Alsaca. Qui me dit que...

— Annie, murmura-t-il sur un ton de doux reproche en lui adressant un sourire débonnaire. Inutile d'être si nerveuse. Bien sûr, l'idée d'attendre ne me remplit pas de joie, mais je comprends ton point de vue. Et si ce délai est important pour toi, je ne te harcèlerai pas.

Annie se détendit... et, alors qu'elle croyait le problème réglé, Nick captura sa bouche de façon aussi despotique qu'inattendue.

Puis il détacha ses lèvres des siennes, et demanda sur le ton du défi :

— Quels projets as-tu prévus pour nous, à la place ?

Désemparée, elle détourna les yeux...

... et aperçut par la fenêtre la piscine de la villa. Elle se rappela alors la promesse qu'elle s'était fait, chez le Dr Gamble. Promesse qui allait lui permettre de répondre à la question impertinente de Nick.

— Nous allons nager.

— Nager ? répéta-t-il. Non... C'est impossible... Je n'ai pas de maillot de bain.

— Quelle importance ? C'est une piscine privée.

Tu peux te baigner en short… ou en sous-vêtements.

Un sourire ironique barra le visage de Nick tandis qu'il relevait le sourcil d'un air sceptique.

Vraiment ? semblait-il dire.

Oh, mon Dieu ! pensa Annie. Dans quel guêpier s'était-elle fourrée en faisant cette suggestion ?

- 10 -

Nick fournissait des efforts désespérés pour maîtriser ses désirs croissants. D'autant plus désespérés qu'Annie avait enfilé un nouveau Bikini rouge et exécutait de longues brasses fluides, tout en lui lançant des regards insistants afin qu'il vienne la rejoindre.

Elle l'attendait.

Tout comme elle attendait son enfant.

Ces deux derniers jours, il avait passé son temps sur Internet à consulter des sites dédiés à la grossesse.

Il voulait se faire une idée de son nouvel état. Il avait trouvé fascinantes toutes les informations recueillies, et imaginait déjà les changements qui allaient intervenir dans le corps d'Annie.

Fascinantes et en même temps excitantes…

Encore qu'il n'ait pas eu besoin de ces nouveaux

renseignements pour s'enflammer en pensant à elle.

Il retira sa chemise et son pantalon, puis les posa d'un air absent sur une chaise. L'agréable brise d'été en provenance de l'océan caressait sa peau à la façon de doigts féminins… Cette sensation lui fouetta le sang.

Assez ! s'ordonna-t-il. La prudence était de mise s'il ne voulait pas perdre le contrôle de lui-même. Il devait respecter les souhaits d'Annie, c'était une question d'honneur ! Au fond, elle avait raison de vouloir prendre son temps.

Le tout étant de convaincre son propre corps de coopérer !

Se laissant glisser dans la piscine, il tâcha de faire fi de ses lectures concernant le corps d'une femme enceinte. Mais elles l'obsédaient.

« Le corps de la femme s'arrondira au cours des mois, ses seins deviendront plus sensibles… »

Non ! Ce n'était pas du tout la direction qu'il souhaitait donner à ses pensées. Pas maintenant, du moins.

— Nick, tout va bien ?

Il cligna des yeux, et découvrit Annie juste à ses côtés. La chaleur qui émanait de sa personne se communiqua à lui sans tarder.

— Oui, répondit-il après un temps. Tout est si beau, ici…

En prononçant ces mots, il laissa son regard glisser vers la silhouette d'Annie, qu'il apercevait sous l'eau — des projecteurs placés dans le fond du bassin l'éclairant d'une façon presque irréelle…

Il retint son souffle.

Son Bikini rouge vif était des plus sexy. Non que sa coupe fût osée, mais le décolleté du soutien-gorge, tout en étant parfaitement correct, découvrait plus qu'il n'avait besoin de voir, à cet instant.

Annie semblait déjà s'être arrondie. L'envie de découvrir les courbes nouvelles de son corps avec ses mains ou sa langue le traversa, réveillant des désirs proscrits pour l'heure.

Et pourtant…

Difficile de dompter ses pensées.

La peau d'Annie était-elle devenue déjà plus sensible ? Même sans être enceinte, sa jeune épouse réagissait très vite à ses caresses. Et le montrait sans complexe.

Quelle serait aujourd'hui sa réaction ?

Une poussée d'adrénaline vrilla son corps. Déterminé à respecter Annie, il plongea la tête dans l'eau et nagea jusqu'à l'autre bord de la piscine.

Loin de toute tentation.

Alors qu'il atteignait le bord, il sentit qu'on lui

tirait le pied. La seconde suivante, Annie sortait la tête de l'eau, juste à côté de lui, en éclatant de rire. Ce mouvement forma un sillage de bulles entre eux. Bulles qui chatouillèrent la peau de Nick… Comme il regrettait que ce ne fussent pas les doigts d'Annie !

Cela suffisait ! Il devait cesser de nourrir ce genre de pensées. Hélas ! Le grondement du désir le rendait sourd à la raison. Son corps refusait d'écouter.

— Je n'ai pas rêvé, je t'ai bien vu nager, s'exclama Annie en lui souriant.

— Ce n'est pas la natation qui me pose problème. C'est l'océan.

A cet instant, Annie inclina la tête de côté et lui toucha le bras, dans l'eau. Le simple contact de sa main déclencha des ondes électriques sur sa peau, ondes qui allumèrent à leur tour un feu insensé en lui, le rendant indifférent à tout : à ses promesses, à l'honneur, à la confiance qu'elle avait en lui.

Seule comptait désormais la puissance de son désir.

Sans dire un mot, il plongea sous l'eau, pour émerger juste derrière Annie.

Dans une ultime tentative pour échapper à l'abysse de la tentation, il posa la paume sur son ventre nu, et tâcha de se concentrer sur l'enfant qui grandissait à l'intérieur… Il devait à tout prix endiguer la folie qui menaçait de submerger son être.

Hélas ! La douceur de la peau d'Annie sous sa paume était irrésistible…

— Nick, s'il te plaît, plaida-t-elle.

Parvenant à esquisser un sourire, il demanda :

— Préfères-tu avoir une fille ou un garçon ?

Elle se retourna vers lui, et clignant des yeux étonnés, répondit :

— Curieuse question ! Cela m'est égal, bien sûr. Tout ce que je souhaite, c'est que le bébé soit en bonne santé.

Cédant à la tentation, Nick fit remonter ses mains le long du dos d'Annie et souligna le bord de son soutien-gorge avec ses doigts.

— Les seins d'une femme enceinte sont plus sensibles, selon les experts. L'as-tu remarqué ?

— Hum…

A cet instant, elle parut vaciller. Sans lui laisser le temps de protester, il l'enlaça d'un bras et soutint sa nuque de l'autre, afin de bien étudier son visage.

Ce fut alors qu'il commit l'erreur fatale de baisser la tête. Son Bikini rouge qui tremblait sous l'eau…

Il n'y tint plus. Un besoin animal guida sa main vers ce qu'il convoitait.

Avec lenteur, il se saisit de la bretelle de son haut pour en défaire le nœud, au niveau de la nuque. Presque aussitôt, le haut se détacha et se mit à flotter dans l'eau, dévoilant une poitrine toute ronde et dressée vers lui…

Elle était plus blanche que dans ses souvenirs. Ses seins, en revanche, étaient plus voluptueux et ses mamelons plus pourpres.

Le spectacle était fascinant, hypnotique…

Nick effleura un de ses seins.

— Quand je te touche ainsi, est-ce très sensible ?

Annie émit un petit gémissement…

Il la scruta alors avec attention : était-elle en colère ?

Non, bien au contraire, conclut-il. Ses yeux étaient clos, ses narines frémissantes, son souffle court. Elle était tout aussi excitée que lui, mais elle tentait de lutter contre son désir. Quant à lui…

Il ne luttait plus !

Sans réfléchir, il immergea la tête pour capturer l'un de ses seins et en torturer gentiment la pointe… Elle enfouit alors ses doigts dans sa chevelure, lui indiquant par ce geste empressé combien il la comblait.

Retenant sa respiration, Nick fit glisser ses mains vers sa taille avant de les couler sous l'élastique de son Bikini pour atteindre son ultime et brûlante destination…

Il releva la tête pour contempler le visage d'Annie.

Bouche entrouverte, tête inclinée, elle semblait apprécier ses initiatives. Il approfondit alors sa caresse… Surprise, elle s'enfonça quelque peu dans l'eau. Il la tint plus étroitement contre lui, sans relâcher sa caresse intime…

Annie poussa un premier petit cri de volupté. Nick fut aux anges ; il avait une envie folle de voir le plaisir colorer ses joues veloutées.

Lui retirant le bas de son Bikini afin de mieux la caresser, il croisa le regard interrogateur d'Annie. Qui referma bien vite les paupières. Il comprit qu'elle n'était pas loin de l'abandon.

— Laisse-toi aller, ma chérie, murmura-t-il. Je suis là pour veiller sur toi.

— Oh, Nick ! s'exclama-t-elle entre deux respirations saccadées…

… avant de chavirer de plaisir entre ses bras.

Et tout à coup, avant qu'il ne saisisse sa bouche pour lui donner un autre baiser, elle rejeta la tête en arrière et se dégagea de son étreinte.

— Tu as triché, Nick, lui reprocha-t-elle véhémentement. Tu avais promis de nous laisser du temps.

Ces mots l'atteignirent en plein cœur ; d'un coup, il revint à la réalité.

Mon Dieu, qu'avait-il fait ?

Et surtout, que pouvait-il dire ? Son comportement était inexcusable.

Il décida donc de se taire.

Se retournant brusquement, il gagna l'autre bout de la piscine, avant de se hisser sur le rebord.

— Nick, où vas-tu ? s'écria-t-elle.

— Je suis désolé, marmonna-t-il. Désolé, tu m'entends ? Je vais dans le sauna.

Il s'y enferma bien vite — une façon de baisser le rideau sur son attitude impardonnable. La chaleur de l'endroit l'aspira tout entier, lui et sa culpabilité.

Une fois Nick sorti de l'eau, Annie eut la sensation d'être abandonnée. Et pourtant, Dieu merci, il n'avait pas insisté quand elle s'était dégagée de son étreinte !

D'une main tremblante, elle s'agrippa à la rampe des escaliers et sortit péniblement du bassin.

Comment Nick, qui contrôlait d'ordinaire si

bien ses émotions, pouvait-il faire preuve d'une si grande passion quand il s'agissait d'eux deux ?

Cette intensité l'effrayait. Car elle redoutait de se perdre en se livrant à Nick corps et âme…

Nick qui ne l'aimait pas et ne l'aimerait jamais.

Elle avait toutefois l'intuition que la passion était une expérience nouvelle, pour lui aussi. Une réelle détresse s'était reflétée dans ses yeux, tout à l'heure, quand il s'était rendu compte qu'il n'avait pas tenu parole.

Un tel paroxysme était-il inhérent aux rapports sexuels ? Si tel était le cas, pourquoi Nick semblait-il aussi stupéfait qu'elle, lors de leurs ébats ?

Pressant son Bikini contre son corps, Annie se dirigea en toute hâte vers la salle de bains. En dépit de la moiteur de l'air, elle avait presque froid.

Elle entra sous la douche et, lorsque les jets d'eau ruisselèrent sur son corps, se rappela les mains de Nick sur sa peau, dans la piscine…

Comme elle luttait contre les images sensuelles qui envahissaient peu à peu son esprit, une évidence s'imposa à elle : elle était mariée à Nick et elle attendait un enfant de lui. Elle ne pourrait pas éternellement le repousser : tôt ou tard, ils referaient l'amour.

Tôt ou tard, certes. Mais pas tout de suite ! Et

quand ce moment arriverait, elle ne devrait pas y perdre son âme.

Elle était forte ! Assez forte pour faire taire la violence de son désir.

Cependant… Peut-être n'avait-elle pas abordé le problème par le bon côté.

A bien y réfléchir, s'ils faisaient plus souvent l'amour, l'intensité régresserait de façon naturelle et elle aurait moins à redouter la passion qui les unissait…

Bonne idée ! Seulement… Comment informer Nick de ce revirement ?

Sortant de la douche, Annie s'enveloppa dans un immense drap de bain. Puis la fatigue la terrassa d'un coup, de sorte qu'elle ne fut plus du tout en état de penser. La journée avait été si longue, si riche en événements…

Sans plus se poser de questions, elle gagna le vaste lit et se glissa entre les draps frais. Elle avait besoin de sommeil. Nick était-il toujours dans le sauna ? se demanda-t-elle en posant sa tête sur l'oreiller.

Si seulement la nuit pouvait lui porter conseil et lui indiquer, sous forme de rêve, le moyen d'annoncer à Nick qu'elle avait changé d'avis les concernant ! Alors, au matin, quand elle se réveillerait, tout rentrerait dans l'ordre…

Annie ouvrit les yeux lorsque les premières lueurs de l'aube filtrèrent à travers les persiennes et vinrent danser sur ses paupières. Il lui fallut une bonne minute pour se rappeler où elle était. Et avec qui. Car de toute évidence, elle n'était pas seule…

Nick était allongé à ses côtés, tourné vers elle. Il dormait toujours, comme l'indiquaient ses paupières closes et sa respiration régulière.

Il était si beau que le regarder était presque une souffrance. Même endormi, avec sa barbe de deux jours et ses beaux cheveux or et argent en désordre sur l'oreiller…

A l'observer d'un peu plus près, elle constata qu'un pli creusait ses sourcils et que ses épaules étaient tendues. Pourquoi était-il crispé dans son sommeil ? En était-elle la cause ?

A moins qu'il ne fût en train de lutter contre le souvenir de sa première femme jusque dans ses rêves…

Son cœur se serra. N'avait-elle pas fait preuve d'égoïsme en le repoussant, hier soir ? Qu'avait-il fait de répréhensible, au fond ? Il lui avait donné de la passion et de la tendresse, et n'avait rien exigé en retour.

Ne s'était-elle pas promis de guérir les blessures de ce cœur solitaire ?

Il était vrai qu'elle ignorait comment on montrait son amour à un homme : c'était la première fois qu'elle aimait.

Aujourd'hui, c'était décidé, ils allaient repartir de zéro. Ce serait la première véritable journée de leur vie conjugale.

Du bout des doigts, Annie effleura le visage de Nick avant de faire glisser sa main sur ses épaules. Des épaules larges et musclées… Allons, elle trouverait bien un moyen de réduire la tension qui les animait…

Aventurant la main sur son torse, elle en palpa les muscles et la chair, ainsi que la fine pellicule de poils blonds qui le recouvrait. Elle sentit son cœur battre sous sa paume…

Nick remua un peu, repoussa les draps et roula sur le dos. Il n'était toujours pas réveillé, constata Annie, attendrie. Elle se lova contre lui, désireuse que la chaleur de son corps se communique au sien…

A présent qu'il était découvert, la tentation de couler la main vers son abdomen était encore plus grande… Quoiqu'il ne fût guère fair-play de le toucher durant son sommeil…

Quelques secondes plus tard, elle ne résista plus.

Les muscles de Nick tressaillirent à son contact ; et, lorsqu'elle passa la main sous l'élastique de son caleçon, son anatomie réagit sans ambiguïté. Elle se mit à le caresser et soudain…

Soudain, Nick enserra vivement son poignet et détourna sa main de sa cible.

— Arrête ! A quel jeu pervers joues-tu ?

— Je ne… Je… En fait, j'ai changé d'avis, Nick. Je ne crois pas qu'il soit nécessaire que nous attendions. Nous sommes mariés et…

— Annie, l'interrompit-il dans un murmure, j'ai repensé aux propos que tu m'as tenus hier soir, et je trouve que tu as raison. Nous avons besoin de plus de temps. Je veux d'abord que nous devenions amis. Apprenons à nous connaître avant d'avoir de nouveau des rapports charnels. C'est ainsi que doit commencer une vie à deux.

— Mais…

— Tu penses que j'ai eu tort de dormir avec toi dans ce lit, n'est-ce pas ? Lorsque nous serons de retour sur l'île, je m'installerai dans la chambre d'amis, si tu préfères. Jusqu'à ce que nous soyons prêts.

— Non, nous pouvons dormir dans le même lit, fit-elle d'un ton las.

Le discours de Nick l'avait fort contrariée — même s'il avait raison, bien sûr.

— Si tu veux tout savoir, ajouta-t-elle, ta présence dans le lit ne m'a pas dérangée. Il est assez grand pour que nous puissions y dormir ensemble sans nous toucher.

Il la regarda un instant, de ses yeux impénétrables…

— As-tu faim ? lui demanda-t-il tout à trac.

Elle détourna la tête, incapable de soutenir son regard brillant, et craignant qu'il ne vît sa déception dans le sien. Sa déception et son désir inassouvi.

— Je crois que oui.

Alors, caressant sa joue avec douceur, il lui souleva le menton et déclara :

— Annie, je te désire, tu le sais. Rien n'a changé… Nous saurons quand l'heure sonnera de briser l'abstinence. Nous avons toute la vie devant nous.

— Entendu, Nick. Si c'est ce que tu penses…

Elle préféra en convenir, l'argumentation de son nouvel époux étant bien plus rationnelle que les sentiments qu'elle nourrissait. Pourtant, et bien malgré elle, elle éprouvait une sorte de ressentiment envers lui. Encore une fois, il avait repris le contrôle de la situation et décidé en dernier ressort de leur *modus vivendi.*

— Viens, lui dit-il. Allons déjeuner. Ensuite, j'appellerai le pilote et nous rentrerons à la maison. Une villa censée abriter une lune de miel n'est pas l'endroit approprié pour deux personnes qui doivent d'abord faire connaissance. Il est préférable que nous reprenions le cours normal de nos vies.

L'idée de revoir les dauphins lui réchauffa le cœur. Là-bas, sur l'île, elle avait sa place, des amis et des responsabilités.

— Oui, tu as raison, approuva-t-elle.

Comme elle s'apprêtait à se lever, Nick posa la main sur son bras.

— Annie…

— Oui ?

— J'en veux trois.

— Pardon ? fit-elle en tournant vers lui un visage tendu.

— Je veux trois enfants. Deux filles et un garçon. Quant à ma famille, elle est spécialisée dans l'immobilier et le B.T.P. depuis six générations. Elle a construit des routes, des ponts et des digues partout dans le monde.

Comment en vouloir à Nick ? Ses efforts étaient si touchants.

— Allons, conclut-il, les choses s'arrangeront

d'elles-mêmes, tu verras. Et peut-être plus facilement que nous ne le pensons.

Et plus vite ! songea Annie en son for intérieur.

Oh oui ! Elle souhaitait ardemment qu'ils deviennent amis et qu'ils retrouvent l'intimité et la complicité qui avaient été les leurs pendant l'ouragan, quand tout avait commencé…

- 11 -

Les deux semaines qui suivirent furent les plus longues de la vie d'Annie. Elle remettait en cause la moindre décision qu'elle devait prendre.

La situation aurait été différente si Nick et elle avaient été de véritables amis. Ou si elle avait pu trouver le moyen de l'atteindre, de franchir la ligne invisible mais bien réelle qu'il avait tracée au milieu de leur lit.

Dès leur retour sur l'île, Nick se consacra de nouveau à la reconstruction de l'île seize heures sur vingt-quatre. Il partait à l'aube, avant qu'elle ne soit réveillée, et rentrait tard dans la nuit, quand elle était déjà endormie. Ils ne s'adressaient quasiment pas la parole…

En soupirant, Annie s'assit sur les marches de la falaise et vida ses chaussures pleines de sable. Elle admirait le courage de Nick et son sens des responsabilités. Pourtant, elle aurait donné cher pour retrouver le Nick qu'elle avait connu pendant l'ouragan. Celui qui pouvait être si passionné qu'elle en prenait presque peur.

Elle avait l'impression de se dessécher à force de solitude. Elle avait soif d'un sourire, d'un rire, d'une caresse, d'un baiser…

Cela dit, sous un certain angle, elle ne s'était jamais sentie aussi bien qu'aujourd'hui. Elle ne souffrait plus des nausées matinales et elle était en parfaite santé.

Elle avait toujours pensé que ses grossesses se dérouleraient sans accroc. Elle était issue d'une bonne souche irlandaise : autrefois, dans sa famille, les femmes mettaient au monde les enfants et le lendemain, retournaient travailler au champ. Sa mère avait accouché de six enfants sans difficulté, et deux de ses sœurs en avaient déjà quatre qu'elles avaient portés et mis au monde sans aucun problème.

Par ailleurs, elle prenait des vitamines et se nourrissait correctement, tout en pratiquant des exercices. Sur le plan physique, elle était donc en pleine forme.

Son moral, en revanche, était loin d'être au beau fixe.

Elle n'avait pas encore annoncé à sa famille qu'elle attendait un enfant.

Deux jours auparavant, elle avait cependant trouvé la force d'apprendre à sa mère, par téléphone, la nouvelle de son mariage.

Le long silence évocateur qui avait suivi cette annonce traduisait sans ambiguïté ce que Maeve Riley pensait du mariage éclair de sa fille avec son employeur. Puis Annie avait eu droit pendant une bonne demi-heure aux larmes et aux lamentations de sa mère, qui tenait absolument à ce que sa fille se sente coupable de ne pas avoir invité la famille et de ne pas être passée devant un prêtre.

Elle atteignit son but et Annie se promit qu'un jour, elle tenterait de réparer cette faute. Le jour où elle pourrait penser à autre chose qu'à reconquérir les faveurs de son mari !

— Coucou, Annie.

La voix d'Elizabeth l'arracha à ses sombres pensées.

— … Avez-vous déjà fini de travailler ? A moins que vous ne soyez souffrante…

Tournant la tête, Annie adressa un sourire chaleureux à sa belle-mère.

— On n'avait plus besoin de moi au centre. Je compte consacrer une ou deux heures à la comptabilité, cet après-midi.

— Parfait, fit Elizabeth en souriant. Voudriez-vous venir faire du shopping avec moi ? Nous pourrions faire un saut à Saint-Thomas, si vous voulez.

Annie remit ses chaussures et se leva.

— Non merci, répondit-elle en prenant sa belle-mère par le bras. Puis-je vous confier un secret ?

— S'il s'agit de taire un secret à mon fils, cela dépend de sa teneur.

— Ce n'est rien de répréhensible. Je n'ai pas d'ennuis ou de dettes.

En réalité, Annie éprouvait le besoin de partager avec une tierce personne un plaisir qu'elle avait découvert il y avait peu.

— Je vous écoute, l'encouragea Elizabeth.

— Eh bien… Voilà, je prends des leçons de voile.

Elizabeth sourcilla.

— Nick n'est donc pas au courant ?

— Je ne le lui ai pas encore annoncé, marmonna Annie, les joues en feu. Je présume qu'il n'appréciera pas ma démarche.

Sans laisser à sa belle-mère le temps de répliquer, elle enchaîna :

— Je me suis rendu compte que j'adorais naviguer. C'est excitant de chercher d'où vient le vent et de sentir que les voiles gonflent sous son souffle, que l'on prend de la vitesse, que l'on fend l'eau… C'est merveilleux.

Si Elizabeth esquissa un sourire, son regard était empreint de tristesse.

— J'ai l'impression d'entendre Nicholas lorsque, enfant, il a découvert les premières joies de la voile…

Soudain, Annie regretta de s'être confiée à la mère de Nick. Si cette dernière trahissait son secret, elle ferait un grand pas en arrière dans sa tentative de reconquête de son mari…

— Vous ne lui direz rien, n'est-ce pas ? fit-elle alors d'un air implorant. Nick est si… dominateur. Il s'opposerait à ce que je continue mes leçons ; or, elles me procurent un si grand plaisir…

Qui plus est, quand elle aurait acquis une maîtrise suffisante de la voile, elle avait bien l'intention de convaincre Nick d'en refaire avec elle. C'était sa façon à elle de l'aider à surmonter le passé…

Sa belle-mère l'enveloppa d'un sourire affectueux.

— Venez avec moi à l'intérieur, Annie, je voudrais à mon tour vous confier quelque chose.

Une fois qu'elles furent installées dans le salon du bungalow, Elizabeth lui prit la main et dit :

— Je pense que je vous dois une explication

concernant mon fils, et les raisons qui déterminent son comportement actuel.

Elle paraissait soudain si sérieuse qu'Annie redouta qu'elle ne lui révèle des choses terribles. Que dire, sinon attendre la suite ?

— Lorsque j'avais à peu près votre âge, j'ai fait la connaissance d'un homme formidable, désireux de croquer la vie à pleines dents. Hélas, il n'avait ni argent, ni projet, et ma famille n'approuvait pas ma relation. Seulement moi, j'étais amoureuse.

Elizabeth soupira et poursuivit :

— J'ai pris la décision de tomber enceinte sans en avertir ce jeune homme, pour que ma famille n'ait pas d'autre choix que d'accepter notre union.

Annie secoua la tête et retira sa main de celle de sa belle-mère. Cette dernière cherchait-elle à établir une analogie avec son couple ?

— Je ne suis pas en train de comparer nos histoires, ma chère Annie, précisa aussitôt Elizabeth en sourcillant. Je sais fort bien que vous n'avez pas prémédité votre grossesse. Je m'efforce juste de vous faire comprendre la relation qui unit mon mari à son fils… Mon époux m'aime, mais il a toujours détesté ma famille, à cause d'un complexe d'infériorité. A tort, cela s'entend, mais je n'ai jamais pu le convaincre du contraire. Mon père lui a proposé un emploi qu'il a accepté et il s'est mis au travail d'arrache-pied pour prouver qu'il était digne de faire partie de la famille…

Annie s'adossa à son siège et s'efforça d'écouter avec son cœur, et non sa raison, le récit de sa belle-mère.

— Il travaillait tant que je ne le voyais plus. Ce n'était qu'un prétexte pour m'éviter, dans la mesure où il me tenait rigueur d'être grosse de ses œuvres à son insu… A la naissance de Nicholas, nous étions devenus de véritables étrangers l'un pour l'autre. Il consacrait chaque minute de son précieux temps à l'entreprise familiale et me délaissait sans le moindre remords.

Annie trouvait que l'histoire prenait un tour bien triste ! Elle esquissa un sourire compatissant et Elizabeth reprit :

— J'ai honte de l'avouer, mais Nicholas n'a jamais connu l'amour à la maison. Oh, bien sûr, j'aimais mon fils et l'assurais chaque jour de mon affection ! Mais il ignore ce qu'est l'amour entre un homme et une femme pour la bonne raison que ses parents avaient juste des rapports polis entre eux. Mon amoureux fougueux était devenu un homme à la tête froide, dépourvu de tout sentiment à l'égard sa propre famille. En grandissant, Nicholas fit de son mieux pour s'attirer l'amour de son père. En vain.

Les yeux mouillés, elle précisa :

— Moi aussi, d'ailleurs.

— Pourquoi êtes-vous restée auprès d'un homme si redoutable ?

— Je l'aimais. Il me semblait qu'il avait besoin de moi. Et puis... Je ne me suis jamais pardonné mon mensonge, mon égoïsme. Ce n'est pas sa seule faute si nos vies sont devenues ce qu'elles sont.

Ces confidences émurent grandement Annie, qui essuya ses yeux embués.

— Je suis heureuse que vous m'ayez raconté votre histoire. Elle me permet de mieux comprendre Nick.

— Ne vous méprenez pas sur mes intentions, renchérit Elizabeth en lui reprenant la main. J'aimerais avant tout que mon histoire soit pour vous... une sorte de garde-fou. Ou si vous préférez, une leçon sur les comportements à éviter. Le mensonge n'engendre jamais rien de bon. Ne laissez surtout pas Nicholas vous devenir étranger et s'installer dans un rôle de dominateur, une telle attitude serait fatale à votre mariage. Empêchez-le de reproduire le modèle qu'il a toujours connu à la maison.

Se penchant en avant, elle posa un baiser sur le front de sa belle-fille.

— Mon fils est d'un naturel chaleureux et généreux. Il déborde d'amour, mais ne sait comment l'exprimer. Aidez-le en cela, pour que votre union ne soit pas synonyme de malheur.

Plissant le front, elle conclut :

— Je vous en conjure, Annie, ne commettez pas la même erreur que moi. Faites entendre raison à votre bien-aimé avant qu'il ne soit trop tard pour vous deux.

Nick leva le visage vers le soleil et se mit à rire. Un rire libérateur. Il avait l'impression que cela faisait des années qu'il n'avait pas ri. Quelle merveilleuse journée !

Au volant de sa Jeep, il longeait la côte Ouest baignée dans la brume dorée que conférait au paysage le soleil de fin d'après-midi. Il se dirigeait tout droit vers la marina. C'était là-bas qu'Annie lui avait donné rendez-vous. Il ignorait pourquoi, mais il se doutait que c'était important et déterminant pour leur relation.

De son côté, il était impatient de sa réaction quand il lui annoncerait la surprise qu'il lui avait réservée. Prémonition fort agréable ! Il avait la sensation que leur union allait enfin évoluer dans le bon sens et il s'en réjouissait de tout cœur.

Sa chère Annie avait enfin appelé sa famille

pour lui faire part de son mariage. Oh, elle ne l'en avait pas prévenu personnellement ! S'il était au courant, c'était parce Mme Riley lui avait téléphoné la veille : elle souhaitait leur rendre visite. Dans son enthousiasme, il n'avait pas hésité un instant, ni lésiné sur les moyens : le jet privé qu'il avait envoyé à la famille d'Annie arrivait dans une demi-heure.

Annie avait-elle l'intention de rester son épouse ? Telle était la question qui le tourmentait et il voulait voir un signe positif dans le fait qu'elle ait informée sa famille de son mariage. Lui qui commençait à se demander si cela arriverait un jour était enfin rassuré. La peur qu'elle ne le quitte l'avait rendu distant et froid envers elle. Il ne pouvait supporter l'idée de la perdre.

Un rayon de soleil se refléta soudain comme un éclair sur la surface bleue de l'océan et ramena Nick vers le passé… Le même phénomène s'était produit sur cette même route, alors qu'il s'apprêtait à rejoindre Christina à la marina, quelques années plus tôt.

Ce fut le jour le plus tragique de sa vie.

Les souvenirs affluèrent alors, nombreux et puissants…

C'était à cause de lui que Christina avait appris à faire de la voile. Il avait eu la conviction que s'ils partageaient une activité — plus, une passion — cela sauverait leur mariage. Un mariage qui battait de l'aile…

Son père aurait désapprouvé le divorce, pire, ne le lui aurait jamais pardonné. Grâce à son mariage, il s'était enfin attiré les faveurs de ce père si redouté, si inaccessible. Après toutes ces années !

Comme Nick prenait le dernier virage de la route côtière, la marina et ses bateaux entrèrent dans son champ de vision. Leur vue le ramena au présent.

En réalité, il détestait l'endroit… Allons, il devait chasser ses anciens démons ! Et faire de cette journée la plus belle de sa vie, celle où Annie et lui deviendraient *vraiment* mari et femme. Au diable les fantômes du passé !

Il l'aperçut sans tarder… et ses traits se figèrent.

Annie se tenait sur le pont d'un sloop, et en hissait la voile.

Par pitié !

Il se gara rapidement, sortit en trombe de la Jeep en faisant claquer la portière et se rua vers le port.

— Annie ! l'interpella-t-il en arrivant près du bateau. Descends de là tout de suite. Qu'est-ce qui t'arrive ? Viens !

Elle le considéra longuement avant de sauter sur le pont. Puis, d'un air méfiant et vulnérable, elle s'approcha de lui.

— Bonjour, Nick, dit-elle en hasardant un sourire. Merci d'être venu.

L'attrapant sans ménagement par le bras, il l'entraîna à l'écart, loin du sloop.

— Que fais-tu ici ? Tu sais bien ce que je pense des bateaux et de la voile. !

Se dégageant de son étreinte, Annie répliqua avec assurance et sérénité :

— Je prends des leçons de voile, et je n'avais plus envie de te le cacher.

Il voulut protester ; d'un geste, elle le fit taire.

— J'adore la voile, Nick. Cela me procure une telle impression de liberté ! Il me semble être un oiseau qui frise l'eau. Je comprends à présent ta passion et j'espérais que… que tu accepterais de naviguer avec moi. Je serai à tes côtés pour t'aider à retrouver tes marques…

Nick était incapable de parler, il parvenait à peine à respirer. Il se contentait de secouer la tête.

— Ta mère m'a dit que tu étais le meilleur navigateur des Caraïbes. Apprends-moi à devenir moi aussi la meilleure ! S'il te plaît.

— Mon Dieu, Annie… Comment peux-tu exiger de moi un pareil sacrifice ? Je croyais que nous devions faire connaissance. Ta requête prouve que tu ne connais rien de moi.

— Nick, je t'en prie, dit-elle en posant une main chaude et tendre sur son bras.

Une main qui réveilla le désir à fleur de peau que Nick nourrissait pour elle. Sur une impulsion, et comme pour conjurer l'insupportable choc qu'elle venait de lui causer, il l'attira à lui et captura ses lèvres avec une fougue qui, en d'autres temps, l'aurait lui-même surpris.

Après tous ces jours passés à nier leur désir, ils venaient de rouvrir les vannes de la passion.

Il se moquait de l'endroit où ils se trouvaient. Il se fichait de se donner en spectacle. Seule Annie comptait. L'étreindre contre lui, sentir ses seins contre son torse, ses hanches contre son bas-ventre…

— Nick ! Quelle joie de te revoir ici !

A ces mots, Annie se figea. Nick releva lentement la tête, les yeux ailleurs…

— Bonjour, Bellamy, finit-il par dire. Si cela ne t'ennuie pas, ma femme et moi avons besoin de parler. Nous nous verrons tout à l'heure.

Sur ces mots, il attrapa Annie par le bras et l'entraîna vers la Jeep.

Il roula jusqu'à ce que la marina fût hors de vue. Alors il se gara sur le bas-côté et coupa le moteur.

Lorsqu'il tourna le visage vers Annie, il croisa son regard absent, mouillé. Son cœur se pinça.

— Ecoute-moi, je t'en prie, commença-t-il d'une voix rauque. Je ne me sens pas encore prêt à refaire de la voile. Et l'idée que tu navigues en mer me rend fou. Surtout maintenant.

— Pourquoi ? A cause du bébé ? Je t'en prie, ne crains rien. Je suis forte et en bonne santé. Tout ira bien…

— Ta grossesse ne te fait-elle donc pas peur ?

— Si, un peu. C'est la première, il serait anormal que je ne nourrisse aucune crainte.

Elle le dévisagea un instant avec tendresse, puis reprit :

— Entendu, je ne ferai pas de voile avant la naissance du bébé. Mais après, promets-moi que tu m'accompagneras…

Heureux de l'entendre renoncer au danger — du moins de façon provisoire — Nick lui prit la main et, la portant à ses lèvres, embrassa sa paume.

— Je te promets d'y réfléchir. Et maintenant, rentrons à la maison nous changer pour le dîner… Une grosse surprise t'attend.

— Une surprise au dîner ? Je l'attendais pour un peu plus tard, dans notre chambre…

Un sourire barra le visage de Nick.

— Rassure-toi, lui dit-il, tu te souviendras aussi de la nuit qui nous attend.

Depuis cinq minutes, Annie tentait en vain d'attacher le deuxième bouton de sa chemise fuchsia. A peine trois mois qu'elle était enceinte et sa garde-robe n'était déjà plus d'actualité ! Heureusement qu'Elizabeth lui avait rapporté des pantalons à élastique et des blouses de Saint-Thomas, car elle était dans l'impossibilité de boutonner la tunique qu'elle comptait porter ce soir ! Sa poitrine était devenue trop volumineuse.

Elle enfila donc une autre tunique sans bouton, de couleur rose vif, et se regarda dans le miroir. Nul doute que Nick aimerait cet éventail de couleurs, pensa-t-elle en jetant un coup d'œil à son caleçon orange.

Elle était si heureuse qu'ils se reparlent ! Si soulagée de lui avoir enfin confié qu'elle apprenait à naviguer, même si elle n'était pas parvenue à le faire changer d'avis ! Elizabeth avait raison : les secrets minaient les mariages et il était préférable de tout se dire.

Au fond, leur union avait peut-être une chance de survivre. Elle l'aimerait pour deux. Et si cette nuit ils redevenaient amants, alors tout irait pour le mieux…

L'esprit léger, elle traversa le couloir qui menait aux cuisines. Des odeurs exquises émanaient des fourneaux. Miam… La vie pouvait être si douce si on savait cueillir le bonheur quand il se présentait !

En passant l'angle du couloir, elle aperçut soudain deux silhouettes, outre celle de Nick. Tiens, avaient-ils des invités ?

Elle fit deux pas de plus. Et les inconnus se transformèrent en deux visages familiers !

Annie se figea, une main sur le cœur.

— Maman ! Papa ! Je n'arrive pas à croire que vous êtes là !

Sur ces mots, elle se précipita dans leurs bras.

— Surprise, *dervla* ? fit sa mère en la serrant très fort contre elle. Nick nous a envoyés un jet privé. Je pensais que…

Elle s'interrompit brusquement, et Annie se rendit compte qu'elle s'était écartée d'elle et fixait son ventre.

La panique s'empara de la jeune femme. Trop tard pour fuir !

— Attends-tu un enfant, Annie ? s'enquit Maeve, les traits tendus.

— Oui, maman, répondit-elle, le souffle court. Un nouveau petit-fils ou petite-fille est en route.

Un sourire illumina aussitôt le visage de sa mère.

— Pas étonnant que tu te sois mariée si vite ! fit cette dernière avant d'ajouter, en levant les yeux au ciel : Dieu merci !

- 12 -

Une demi-heure plus tard, après que les présentations furent faites et quelques larmes versées, les membres des deux familles furent invités à gagner la salle à manger afin de se restaurer.

Annie était plutôt taciturne. Malgré la première réaction de sa mère face à sa grossesse, elle redoutait leur futur tête-à-tête et la leçon que cette dernière ne manquerait pas de lui faire.

Durant le dîner, Nick se montra un hôte fort agréable. Par ailleurs, il ne cessait de lui sourire, et il lui adressa même un clin d'œil entendu après s'être assuré que personne ne les voyait. Sa mère avait décidément une influence positive sur lui, pensa Annie.

La nourriture était délicieuse, le chef s'étant surpassé. Et pourtant, Annie avait peu d'appétit et mangeait du bout des lèvres…

Sur une proposition d'Elizabeth, ils allèrent prendre le dessert et le café dans le patio.

La nuit était douce, la température des plus agréables, et le dôme étoilé de la nuit offrait un spectacle enchanteur.

Elizabeth ouvrit la marche, suivie des hommes de l'assemblée, lesquels étaient plongés dans une discussion concernant les forces de police de l'île.

La mère d'Annie se leva de table à son tour et, glissant le bras sous celui de sa fille, lui murmura à l'oreille :

— Tu as vraiment trouvé le prince charmant, *dervla*. Il est d'une beauté remarquable, comme dans les contes que tu lisais enfant. Et si aimable ! Il fera un excellent époux.

Devant tant de compliments, Annie resta sans voix.

Sa mère ne la chapitrait donc pas pour n'être pas passée à l'église ? Ne lui redisait pas sa douleur de ne pas avoir assisté au mariage de sa plus jeune fille ? Curieux…

— Je suis fière de toi, Annie, poursuivait sa mère. Il est clair que tu es enfin devenue une adulte. J'ai si longtemps craint qu'en tant que petite dernière tu ne parviennes pas à t'affirmer… Tu as eu raison de quitter la maison pour vivre ta vie. Aujourd'hui, tu sembles avoir trouvé le bonheur auprès d'un homme que tu aimes.

Maeve attira sa fille plus étroitement contre elle et lui donna un baiser sur la joue.

— Mon seul regret, c'est que tu vives désormais si loin de Boston. Mais tu dois mener ta vie comme tu l'entends, à ton propre rythme. Personne n'a à te dicter ta conduite.

— Oh, maman ! s'écria Annie, émue. Je t'aime tant.

Sa mère avait vu juste : elle ne permettrait plus à personne de décider pour elle. Elle était désormais une adulte, une épouse et une future mère.

Et tandis que, bras dessus bras dessous, la mère et la fille regagnaient le patio, Annie sentit son cœur se gonfler de tout l'amour qu'elle ressentait pour Nick. Elle ne voulait plus lui cacher un jour de plus à quel point elle l'aimait. En tant qu'adulte et fière de l'être, elle était prête à assumer ses propres choix.

Planté près de la table du patio, Nick observait Annie et sa mère qui s'avançaient vers lui. La simple vue de sa jeune épouse lui faisait venir l'eau à la bouche : sa chevelure était légèrement ébouriffée par la douce brise marine et ses yeux verts étincelaient de désir quand elle lançait des œillades dans sa direction. Un désir tout à fait partagé…

Avant le dîner, il avait connu un bref moment d'inquiétude lorsque Annie avait aperçu ses parents. Allait-elle être furieuse de l'initiative ? De toute évidence, elle ne s'en était pas formalisée. A table, elle avait paru d'excellente humeur et n'avait cessé de lui adresser des sourires discrets. Il avait passé le repas à contenir le désir qu'elle lui inspirait. S'il n'avait tenu qu'à lui, le dîner se serait déroulé en mode accéléré et le dessert aurait été négligé.

Hélas ! En présence de sa mère et des parents d'Annie, un certain protocole s'imposait.

Chère, chère Annie. Elle était l'amour qui colorait et érotisait sa vie…

Ses propres pensées le glacèrent soudain.

L'amour ?

Etait-ce donc pour cela qu'il ressentait de curieuses sensations dans la poitrine chaque fois qu'il voyait Annie ou pensait à elle ?

Si tel était le cas, c'était la première fois de sa vie qu'il était amoureux…

L'idée l'épouvanta et le fit paniquer.

Etait-ce vraiment de l'amour qu'il ressentait pour Annie ?

Il était incapable de répondre à la question. Ce

dont il était sûr en revanche, c'était qu'il mourrait si elle le quittait. Il ne pouvait plus vivre sans elle.

Allons, Annie n'était pas cruelle ! Contrairement à Christina, elle ne l'abandonnerait pas à son triste sort. Et il ferait tout ce qui était en son pouvoir pour qu'il ne lui arrive jamais rien.

— Nick ? fit Annie avec douceur comme elle le rejoignait. Puis-je discuter en tête à tête avec toi quelques minutes avant qu'on ne serve le café ?

Cela dit, elle baissa la tête, évitant son regard.

Etait-elle en colère contre lui ? s'affola Nick. Qu'avait-il donc bien pu faire ?

Il chercha la meilleure façon de s'excuser pour des crimes dont il ignorait l'origine… en vain, car il n'arrivait pas à se concentrer. Il l'aimait. Et cette pensée supplantait toutes les autres.

Il finit par hocher la tête, et elle fit volte-face pour se diriger sans attendre vers le bureau. En silence, il lui emboîta le pas, le cœur battant. Si elle était en colère, il devrait impérativement trouver le moyen de l'apaiser.

Car il mourait d'envie de la serrer dans ses bras, cette nuit.

Il lui dirait qu'il l'aimait, elle répondrait qu'elle aussi, et ils se démontreraient l'un à l'autre la force de leur amour, au cours d'une longue nuit câline…

Annie s'arrêta sur le seuil du bureau pour le laisser passer. Il entra sans mot dire dans la pièce et elle referma la porte derrière eux.

— Annie, commença-t-il d'une voix rauque en tendant la main vers elle.

Sans se faire prier, elle se jeta dans ses bras.

L'espace d'une seconde, il manqua perdre l'équilibre sous l'assaut. Et puis la sensation de son corps tout contre le sien, sa chaleur et son odeur de cannelle envahirent son esprit pour laisser place à l'inconscient et ses désirs…

— Nick, oh, Nick ! marmonna-t-elle. J'ai tant besoin de toi. Je ne pouvais plus attendre une minute de plus…

Elle pleurait à présent sur son épaule, il sentait ses larmes mouiller sa chemise.

— Calme-toi, mon amour, murmura-t-il alors que son propre corps était tout sauf calme.

A la fois excité et désespéré, il balaya la pièce du regard… avant de la prendre dans ses bras et de la faire basculer sur sa table de travail.

Il enlaça ses reins, de sorte qu'elle sente toute la force de son désir. Puis il se pencha vers elle et captura ses lèvres pour l'embrasser à pleine bouche, sans retenue…

Ce fut alors qu'Annie posa sa main sur la partie de son anatomie qui le faisait presque souffrir, tant il la désirait. Il retint un cri, puis, cessant de respirer, il lui retira son pantalon et sa culotte. De son côté, elle déboucla son ceinturon…

Quelques secondes plus tard, peau contre peau, ils se caressaient avec tendresse et passion.

— Qu'il est bon de te retrouver, Annie… Je te désirais tant. Je ne pouvais penser à rien d'autre.

Tout à coup, sans crier gare, Annie se laissa glisser à terre, à genoux devant lui, et sa bouche prit le relais de ses mains…

Nick crut que son cœur allait cesser de battre.

Annie, sans cesser de lui prodiguer ses divines caresses, leva les yeux vers lui : son regard le bouleversa tant qu'il manqua s'abandonner.

L'agrippant par les épaules, il la contraignit à se relever.

— Viens-là ! lui ordonna-t-il dans un souffle.

Docile, elle se releva et, un sourire mutin aux lèvres, vint se plaquer contre lui. Ses yeux brillaient de désir… Elle enroula ses jambes fuselées autour de sa taille…

Jamais elle n'avait été si belle, songea Nick en s'enfouissant en elle avec délices. Elle lui donnait un plaisir si intense qu'il en était à peine tolérable…

A cet instant, rejetant la tête en arrière, Annie se mit à onduler contre lui.

Ils étaient faits l'un pour l'autre, c'était incontestable, songea encore Nick. Plus rien ne compterait désormais, si ne c'était l'amour qu'il éprouvait pour elle.

— Je t'aime, lui dit-elle dans le creux de l'oreille.

Puis un cri de volupté lui échappa.

Nick cessa de penser, de réfléchir, et son monde se voila d'une brume de chaleur piquée d'étoiles. Au loin, il entendait des gémissements, sans savoir s'ils émanaient de lui ou d'Annie… Des deux peut-être. D'ailleurs, étaient-ils toujours sur la planète Terre ? Il n'était plus sûr de rien.

De rien, sauf de son amour.

Lovée contre le large torse de Nick, Annie tentait de reprendre sa respiration.

C'était la première fois qu'elle commettait un acte si osé. Ses parents et la mère de Nick étaient tout de même dans le salon, à quelques mètres de là ! Mais elle était si amoureuse qu'elle s'en moquait.

Tout ce qui importait, c'était le désir que Nick éprouvait pour elle. Un désir aussi désespéré que le sien. Elle se félicitait par ailleurs d'avoir pris le contrôle de la situation. C'était si libérateur…

Si exaltant !

Elle avait eu envie de lui et le lui avait montré. Tout simplement.

— Tout va bien ? lui demanda Nick.

— Mm…

— Ne crois-tu pas que nous devrions rejoindre les autres ? hasarda-t-il d'une voix rauque. Nous ne nous attarderons pas… Nous prétendrons être fatigués…

Annie demeurait silencieuse, attentive aux battements frénétiques du cœur de Nick contre son oreille. Il la désirait encore, là, maintenant. Quelle pensée merveilleuse !

Et puis soudain, il relâcha son étreinte et la laissa glisser à terre.

— Nous devons rejoindre nos invités, Annie. Nous aurons toute la nuit devant nous, après le café.

Encore étourdie du plaisir des sens qu'il venait de lui donner, le corps bourdonnant de désir, elle s'efforça de reprendre pied dans la réalité. Il l'aida à se rhabiller, puis rassembla ses propres vêtements et les enfila.

Quand ils s'estimèrent de nouveau présentables, Nick l'enlaça par la taille et ils regagnèrent le patio.

Combien de temps s'étaient-ils absentés ? Un

quart d'heure, à peu près, estima Nick. Comment justifier cette éclipse ? Bah, il improviserait si on l'interrogeait…

— Je suis heureux que tu ne m'en aies pas voulu d'avoir convié tes parents sans te prévenir, dit-il en s'éclaircissant la gorge.

— Je suis sûre que ma mère s'est invitée toute seule, répondit Annie. C'est un peu Madame Sans-Gêne ! Ce qui m'étonne, c'est qu'elle n'ait pas exigé que nous nous mariions sur-le-champ à l'église.

— L'affaire est réglée, répondit Nick en riant. Devant sa colère, je lui ai promis que nous échangerions des vœux devant un prêtre, cet automne, et que nous organiserions une grande fête à cette occasion. Elle était ravie d'apprendre que je paierai le voyage sur l'île pour toute la famille. Je crois qu'elle m'apprécie beaucoup.

Annie s'immobilisa. Elle eut la sensation que son cœur s'arrêtait de battre, le monde de tourner…

— Que viens-tu de dire ? fit-elle avec dureté.

Elle s'entendit prononcer ces mots comme si une autre personne les formulait à sa place.

— Que ta mère m'appréciait beaucoup, dit Nick, surpris par le changement de ton.

— Non, avant ! dit-elle en se plantant devant lui, yeux plissés. Tu as dit à ma mère que nous allions nous marier à l'église ? Sans me demander mon avis ?

Elle s'efforçait de rester calme, mais elle sentait la colère la gagner à son corps défendant.

— Où est le problème, Annie ? Nous sommes déjà mariés, il me semble. Tu m'as dit que tu m'aimais. Nous pouvons bien nous marier à l'église devant ta famille.

— Non, fit-elle d'un air buté.

Elle se sentait soudain glacée. Glacée par les doigts de la tristesse qui de nouveau enserraient son cœur.

— Non ? répéta Nick sans comprendre. Mais… pourquoi ?

Il voulut lui prendre le bras. Elle le repoussa.

— Tu ne changeras donc jamais, Nick ! lança-t-elle sèchement, en luttant contre ses larmes. Tu veux toujours tout contrôler.

Elle vit la fureur et la peine le gagner lui aussi. Ses yeux se mirent à briller.

— De quoi parles-tu, Annie ? s'emporta Nick. Grandis un peu, que diable ! Tu es ma femme. Tu es censée me soutenir et non remettre en cause chacune de mes décisions.

Ces paroles lui déchirèrent le cœur.

Non seulement Nick ne l'aimerait jamais, mais elle aurait beau faire, il ne changerait pas :

l'exemple de ses parents l'avait traumatisé pour toujours. Elle ne pourrait pas le transformer. Il se comporterait toujours en dominateur. Or, elle ne s'était pas affranchie de la tutelle familiale pour tomber sous le joug conjugal.

Se passant les mains sur le visage, elle déclara d'une voix sans timbre :

— Désolée, Nick, j'ai cru que nous pourrions vivre ensemble, mais je me rends compte que c'est impossible. Cela ne fonctionnera jamais entre nous.

— Pardon ? dit-il en l'attrapant par les bras. Que dis-tu là ?

Les larmes coulaient sur ses joues sans qu'elle cherche à présent à les retenir. La gorge nouée, elle repartit :

— Je vais faire ma valise et réintégrer le bungalow. Nous discuterons demain, quand j'aurai les idées plus claires.

L'expression qui se peignit à ces mots sur le visage de Nick lui fendit le cœur. Assez ! Elle ne devait pas être sentimentale.

— Dois-je comprendre que tu me quittes ? fit-il, livide. Non, Annie ! Je ne te laisserai pas faire.

— Excuse-moi auprès de la famille, bredouilla-t-elle.

Incapable de soutenir davantage son visage

ravagé par le chagrin, elle s'enfuit en courant pour ne pas l'entendre prononcer des mots qui l'empêcheraient de partir.

Elle était désormais convaincue qu'une vie commune était inenvisageable.

— Oh, Nicholas ! s'exclama Elizabeth. Je suis désolée. J'ai tout fait pour que ta vie prenne une direction différente, mais…

— De quoi parles-tu donc, maman ? s'indigna-t-il.

Quand il était revenu dans le patio, cette dernière avait tout de suite compris que les choses avaient dégénéré, au sein du couple. D'où cette absence prolongée, en avait-elle déduit. Adroitement, elle avait rassuré les parents d'Annie, légitimement inquiets, en invoquant une querelle d'amoureux, avant de les conduire dans leur suite, leur promettant que tout serait rentré dans l'ordre le lendemain matin. Puis elle s'était rendue auprès d'Annie pour la consoler avant de préparer un lit à son attention, dans le bungalow.

Après quoi, elle avait retrouvé son fils et lui tenait depuis un discours auquel il semblait bien hermétique.

— Nick, il faut être raisonnable. Tu aimes Annie. Peut-être ne le sais-tu pas mais…

— Si, je le sais ! coupa-t-il. Je m'en suis rendu compte, tout à l'heure.

— Si tu l'aimes, pourquoi la traites-tu de cette façon ? Pourquoi blesser les gens que l'on aime ?

— La blesser ? En quoi l'aurais-je blessée ?

— Es-tu donc aveugle ? Es-tu devenu si semblable à ton père que tu ne vois plus ceux qui t'entourent ? se révolta sa mère.

— Qu'est-ce que mon père vient faire dans cette histoire ? s'énerva Nick.

— Tu es devenu comme lui, lui reprocha sa mère, les yeux pleins de larmes. Oh ! Tu ne t'en rends pas compte, mais tu es aussi dominateur et égoïste que l'homme que tu as craint pendant toute ton enfance et duquel tu as en vain recherché les faveurs.

— Bon sang, qu'ai-je donc fait de si répréhensible pour subir tous ces reproches ? J'ai juste voulu protéger ma femme et la rendre heureuse.

— Et, elle, as-tu pensé à ce qu'elle souhaitait ? Lui as-tu demandé ce qu'elle voulait vraiment ?

— Mais…

— Assez, Nicholas ! coupa sa mère. Tu te conduisais de la même façon avec Christina. Tu pensais qu'elle avait besoin que tu contrôles sa vie, mais au fond, elle était presque aussi forte qu'Annie.

Nick sentait la colère et le chagrin l'envahir par ondes successives. Pourquoi sa mère évoquait-elle son douloureux passé ? La situation actuelle n'était-elle pas assez difficile ?

— Contrairement à Christina, Annie ose affirmer sa personnalité. Veux-tu que ton enfant ait la même image de toi que celle que tu avais de ton père ?

A ces mots, le visage de leur futur enfant s'imposa à Nick. Il le regardait avec de grands yeux désespérés, apeurés… Non, ce n'était pas la relation qu'il souhaitait avoir avec son enfant. Ni avec Annie.

Toutefois, par fierté, il se contenta de répondre :

— Merci de t'inquiéter pour moi, maman. Nous reprendrons cette discussion une autre fois.

Sur ces mots, il lui tourna le dos, submergé par une immense fatigue.

Sans savoir où le menaient ses pas, il se retrouva dans son ancien bureau. L'endroit où tout avait commencé entre Annie et lui… Etait-ce aussi le lieu où ils s'étaient étreints pour la dernière fois ?

Nick s'effondra dans son fauteuil.

Tous les objets de la pièce lui rappelaient Annie, puisque c'était elle qui l'avait investie, à présent.

Elle avait placé ses livres sur les étagères, et son parfum flottait dans l'air. Il s'imaginait même sentir sa chaleur dans le cuir du fauteuil…

Comment en étaient-ils arrivés à une telle incompréhension, elle et lui ?

Les paroles de sa mère et les grands yeux d'Annie se mêlant dans son esprit fourbu, Nick finit par s'endormir…

Le sommeil lui fut bénéfique. Au réveil, il se sentit différent, comme s'il avait assimilé les propos de sa mère, enfin compris Annie.

Pour la première fois de sa vie, il voyait clair en lui, aussi. Il avait la sensation d'être un nouvel homme. Moins égoïste. Comment Annie avait-elle pu aimer le rustre qu'il avait été jusque-là ?

Quant à la pauvre Christina…

Il l'avait contrainte à se marier, puis à demeurer à ses côtés jusqu'à ce qu'ils découvrent qu'ils ne pourraient pas avoir d'enfants. Ils ne s'étaient jamais aimés et n'avaient même pas su conserver leur amitié d'enfance.

Son cœur se serra ; il poursuivit néanmoins son introspection.

Après le décès de Christina, il avait pensé honorer sa mémoire en se refusant tous les plaisirs de la vie, en s'isolant dans un monde morne et sans espoir.

Cependant, tout bien considéré, Christina aurait détesté qu'il agisse ainsi en son nom.

Finalement, Annie l'avait révélé à la vie, à la vérité. Annie, la magicienne.

Sa femme.

Sa femme envolée, oui !

A cette pensée, une main de fer lui parut broyer sa poitrine. Il devait la retrouver, lui parler. La convaincre de rester. La persuader qu'elle était sa fée et lui son prince charmant.

Elle n'était pas au bungalow.

Il finit par la trouver dans leur chambre… en train de défaire ses bagages.

— Annie ?

Elle tourna la tête dans sa direction, sans lui sourire.

— Bonjour, Nick. J'ai bientôt terminé. Je te laisse la chambre.

— Annie, que fais-tu ?

— J'ai bien réfléchi. Et j'ai compris que fuir n'était pas une attitude adulte. Je suis ton épouse et je dois penser à l'enfant que je porte. Même si nous devons vivre de façon distante sous un même toit, à l'instar de tes parents, il est préférable que nous restions mariés.

Ces propos le soulagèrent à un point qu'elle ne pouvait pas encore comprendre. Ils ouvraient une réelle fenêtre dans son âme meurtrie.

S'approchant d'Annie, il la força gentiment à lui faire face. Mais elle maintenait la tête baissée, comme si elle ne supportait plus son regard. Alors, avec tendresse, il lui releva le menton.

— Ne reste pas avec moi par devoir, Annie. Ou à cause de l'enfant. Ce fut le choix de ma mère et cela a fait de la vie de toute la famille un triste purgatoire.

Annie lui adressa un regard confus…

Il devait à tout prix lui faire comprendre qu'il avait changé. Oubliant tout orgueil, il tomba à ses genoux et, prenant ses mains dans les siennes, l'implora :

— Reste parce que, si tu t'en allais, tu emporterais avec toi le soleil de ma vie. Reste parce que chaque jour passé sans toi me rapprochera de l'enfer.

Sa voix se brisa quand il ajouta :

— Reste parce que je t'aime, Annie. Je te jure de ne plus jamais prendre une décision nous concernant tous les deux sans requérir ton avis.

— Tu m'aimes ? fit-elle d'une voix tremblante.

Aveuglé par ses larmes, il l'enlaça tout en pressant son visage contre son ventre — contre leur enfant.

— C'est la première fois que je suis amoureux, ma chérie, murmura-t-il. Pardonne ma maladresse. Je t'aime de toutes mes forces, de tout mon cœur, de toute mon âme. Je veux partager ton existence.

Alors, s'agenouillant à son tour, Annie répondit :

— Oh, Nick, je t'aime tant, moi aussi ! Je te promets que je ne te quitterai jamais. Nous allons réussir notre mariage !

A ces mots, Nick chercha ses lèvres, et toutes les émotions qu'il avait retenues depuis tant et tant d'années — depuis l'enfance, peut-être ? — se déversèrent dans le baiser insensé qu'il lui donna.

Oh, oui ! Ils réussiraient leur mariage, se dit-il.

Ce fut alors que, s'écartant un peu de lui, Annie déclara d'un air mi-malicieux, mi-contrit :

— Au fond, un grand mariage, à l'église, avec toute ma famille, n'est pas pour me déplaire. Et puis nous ferions une nouvelle lune de miel. Une véritable, cette fois… Avec ou sans piscine !

Tous deux éclatèrent de rire, bouche contre

bouche. Quelle vie fabuleuse les attendait ! Une vie emplie de rires et d'enfants…

A cette pensée, Nick glissa une main émue vers le ventre d'Annie, tandis que leurs regards se soudaient : ils venaient enfin de cueillir le bonheur qui était à portée de leurs mains.

— Le 1er février —

Passions n°6

Jeu troublant - Katherine Garbera

Chargée de réaliser un reportage sur Scott Rivers, la star du petit écran, la célèbre Raine Montgomery est pour la première fois de sa vie tentée de renoncer à sa promesse de ne jamais mélanger aventure et travail. Jusqu'au moment où elle apprend que Scott a parié 50.000 dollars. Sur elle. En jurant qu'il la mettrait dans son lit...

Une impossible promesse - Heather MacAllister

Entre Simon, son patron, et Sara, l'attirance a été immédiate dès la première rencontre. Mais Simon, découvre-t-elle, est lié à une autre femme par une promesse. Une promesse faite à son père sur son lit de mort, et dont il ne peut se dédire...

Passions n°7

L'enfant du secret - Barbara Boswell

En songeant au destin qui avait placé sur son chemin Luke Minteer, le célèbre romancier aux allures de bad boy, Alexandra Morgan en avait le frisson. Mais il ne fallait pas céder à la tentation. Car jamais cet homme ne deviendrait le père de l'enfant qu'elle attendait. L'enfant du secret...

Un homme à convaincre - Barbara Dunlop

Se marier, lui, Cole Erickson, le célibataire le plus endurci du Texas ? Jamais. Aussi, face à l'entêtement de sa grand-mère, propose-t-il à Stephanie Wainsbrook, une charmante jeune femme dont il vient de faire la connaissance, de conclure avec lui un mariage blanc. Toutefois, il ignore qu'elle n'est pas entrée dans sa vie par hasard.

L'héritage des Hanson **Passions n° 8**

Le testament secret - Susan Mallery

Tandis qu'elle attend pour un entretien d'embauche, Samantha s'inquiète. Pourvu que Jack Hanson, avec qui elle a rendez-vous, ait oublié la nuit d'amour qu'ils ont partagée des années auparavant ! Mais en croisant le regard de Jack, Samantha comprend que ses espoirs sont vains.

L'héritage caché - Wendy Warren

Depuis qu'elle vit seule avec ses deux enfants, Nina travaille dans le groupe Hanson. Aussi est-elle atterrée le jour où elle lui apprend que son emploi est menacé. Prête à tout, elle décide d'aller plaider sa cause auprès de David Hanson, en dépit de sa réputation d'homme intraitable.

Passions n° 9

Le prince du désert - Penny Jordan

Après une nuit passée entre les bras du prince Tariq, Gwynneth est effondrée en découvrant que cet homme avec lequel elle vient de vivre des instants inoubliables l'a prise pour une intrigante. Pourtant, elle ne peut se résoudre à fuir loin de cet homme qu'elle devrait haïr...

La rose des sables - Susan Mallery

Lorsque le prince Khalil, son patron, la demande en mariage, Dina croit vivre un rêve et le suit sans hésiter dans son royaume. Mais, une fois au palais, Dina surprend une étrange rumeur : Khalil l'aurait épousée pour échapper aux fiançailles que la raison d'Etat lui imposait. Leur union ne serait-elle qu'un mariage de raison ?

Passions n° 10

L'éveil de la passion - Julianne MacLean

Afin de protéger son client, le célèbre chirurgien Donovan Knight, Joyce doit jouer nuit et jour les gardes du corps. Une mission qu'elle n'est pas sûre de mener à bien, tant cet homme aussi arrogant que séduisant lui fait perdre son sang-froid, et réveille en elle des envies de faiblesse que son métier lui interdit d'éprouver.

Entre amour et raison - Christine Rimmer

Sur le point d'épouser Danny, Cléo pense avoir rencontré le grand amour. Mais en croisant le regard de Fletcher Bravo, l'homme qui vient de l'engager pour travailler à ses côtés, Cléo, déchirée, comprend qu'elle va devoir choisir entre son attachement pour Danny et la pulsion incontrôlable qui la pousse vers Fletcher.

Le 1er janvier

Noires visions - Heather Graham • N°274

Enquêtrice dans une agence privée, Darcy Tremayne possède le don de « voir » des images du passé. Un don effrayant, qu'elle a toujours su maîtriser – jusqu'à son arrivée à Melody House, un vieux manoir en Virginie, où ses visions la font assister à une série de crimes dont le coupable n'a pas été retrouvé...

Expiation - Sharon Sala • N°275

Un homme décapité. Un cadavre déterré. Douze personnes portées disparues.
Pour January DeLena, journaliste à Washington, il ne peut s'agir d'une coïncidence. Surtout quand un prêcheur inquiétant hante les rues de la ville, animé par un désir fanatique de rédemption...

A l'heure où la mort rôde - Laurie Breton • N°276

Ecrivain réputé, Faith Pelletier pensait ne jamais retourner à Serenity, la ville du Maine où elle a grandi. Mais lorsqu'elle apprend que sa cousine Chelsea, une journaliste, y a été retrouvée morte et que l'enquête a conclu à un suicide, elle n'hésite pas un instant. Même si les années les ont éloignées, Faith sait que jamais Chelsea n'aurait laissé seule sa fille de quinze ans. Et ses soupçons se confirment lorsqu'elle découvre que sa cousine enquêtait sur une affaire criminelle de nature à ébranler toute la ville...

Dans l'ombre du tueur - Stella Cameron • N°277

Lorsqu'elle découvre au bord d'une route le cadavre de Denise Steen, une amie journaliste, Emma Lachance accuse le choc : comme elle, la victime faisait partie d'un club d'émancipation féminine mal accepté par la société conservatrice de Pointe Judah, en Louisiane. Et lorsqu'une autre femme du club est retrouvée assassinée, la peur grandit en elle...

La promesse d'un été - Susan Wiggs • N°278

Venue passer l'été dans le cottage que possède sa famille au bord d'un lac idyllique, dans l'Etat de Washington, Kate entend bien se consacrer pleinement à son jeune fils, tout en réfléchissant à sa vocation de journaliste. Mais sa rencontre avec une adolescente en fuite et un nouveau voisin au passé tourmenté va bouleverser sa vie à jamais...

La princesse celte - Helen Kirkman • N°279

Angleterre, an de grâce 716.

Athelbrand le Saxon s'avança, superbe dans sa cape noire. Son regard capta celui de la femme qui lui faisait face. Alina était aussi belle que dans son souvenir... Dès leur première rencontre, la princesse celte l'avait fasciné. Son visage semblait celui d'un ange, mais sa chevelure et ses yeux noirs évoquaient le mystère de la nuit, la violence de la passion. Pour elle, il avait tout sacrifié – en vain, car Alina l'avait trahi, le condamnant au déshonneur et à l'exil. Mais à présent, rétabli dans ses droits, il était venu chercher son dû. L'heure de la vengeance avait sonné...

Miami Confidential - Christiane Heggan • N°175 *(réédition)*

Journaliste d'investigation, Kelly Robolo a su gagner le respect de tous, dans son journal comme dans la police. Mais tous lui tournent le dos lorsqu'un policier trouve la mort dans une affaire où elle s'était impliquée. C'est pourtant au meilleur ami du policier disparu, l'inspecteur Nick McBride, qu'elle fait appel, quelque temps plus tard, pour l'aider à retrouver le mari de sa meilleure amie mystérieusement disparu lors d'un voyage d'affaires à Miami. Celui-ci se trouvait dans un motel miteux quand une bombe a explosé. Règlement de comptes ou mise en scène macabre ?

Titres non disponibles au Québec.

ABONNEMENT...ABONNEMENT...ABONNEMENT...

ABONNEZ-VOUS!

2 romans gratuits*
+ 1 bijou
+ 1 cadeau surprise

Choisissez parmi les collections suivantes

AZUR : La force d'une rencontre, l'intensité de la passion.
6 romans de 160 pages par mois. 22,48 € le colis, frais de port inclus.

BLANCHE : Passions et ambitions dans l'univers médical.
3 volumes doubles de 320 pages par mois. 18,76 € le colis, frais de port inclus.

LES HISTORIQUES : Le tourbillon de l'Histoire, le souffle de la passion.
3 romans de 352 pages par mois. 18,76 € le colis, frais de port inclus.

AUDACE : Sexy, impertinent, osé.
2 romans de 224 pages par mois. 11,74 € le colis, frais de port inclus.

HORIZON : La magie du rêve et de l'amour.
4 romans en gros caractères de 224 pages par mois. 16,18 € le colis, frais de port inclus.

BEST-SELLERS : Des romans à grand succès, riches en action, émotion et suspense.
3 romans de plus de 350 pages par mois. 21,31 € le colis, frais de port inclus.

MIRA : Une sélection des meilleurs titres du suspense en grand format.
2 romans grand format de plus de 400 pages par mois. 23,30 € le colis, frais de port inclus.

JADE : Une collection féminine et élégante en grand format.
2 romans grand format de plus de 400 pages par mois. 23,30 € le colis, frais de port inclus.

Attention: certains titres Mira et Jade sont déjà parus dans la collection Best-Sellers.

NOUVELLES COLLECTIONS

PRELUD' : Tout le romanesque des grandes histoires d'amour.
4 romans de 352 pages par mois. 21,30 € le colis, frais de port inclus.

PASSIONS : Jeux d'amour et de séduction.
3 volumes doubles de 480 pages par mois. 19,45 € le colis, frais de port inclus.

BLACK ROSE : Des histoires palpitantes où énigme, mystère et amour s'entremêlent.
2 romans de 384 et 512 pages par mois. 18,50 € le colis, frais de port inclus.

VOS AVANTAGES EXCLUSIFS

1.Une totale liberté
Vous n'avez aucune obligation d'achat. Vous avez 10 jours pour consulter les livres et décider ensuite de les garder ou de nous les retourner.

2.Une économie de 5%
Vous bénéficiez d'une remise de 5% sur le prix de vente public.

3.Les livres en avant-première
Les romans que nous vous envoyons, dès le premier colis, sont des inédits de la collection choisie. Nous vous les expédions avant même leur sortie dans le commerce.

Composé et édité par les
*éditions*Harlequin
Achevé d'imprimer en décembre 2006
par
LIBERDÚPLEX

Dépôt légal : janvier 2007
N° d'éditeur : 12568

Imprimé en Espagne